suhrkamp

C000173934

»Ich halte jedes Leben für hinreichend interessant, um anderen mitgeteilt zu werden. ... Entscheidend war für mich, ob eine Frau die Lust oder den Mut hatte, über sich zu erzählen«, sagt Maxie Wander über ihre Sammlung von Gesprächsaufzeichnungen. Und so erzählen 19 Frauen lustvoll und mutig von sich und ihren Gefühlen, ihrer Familie, ihrer Arbeit, ihren Männern, sie äußern sich über Liebe und Sexualität, über Politik, über ihre Ansicht von der »richtigen« Art zu leben.

In Ost und West wurde *Guten Morgen, du Schöne* zu einem Kultbuch, über das Christa Wolf in ihrem Vorwort schreibt: »Beim Lesen schon beginnt die Selbstbefragung. In den Nächten danach entwerfen viele Leserinnen, da bin ich sicher (nicht so sicher bin ich mir bei Lesern), insgeheim ihr Selbstprotokoll.«

Maxie Wander wurde am 3. Januar 1933 in Wien geboren und lebte ab 1958 mit ihrem Mann, dem österreichischen Schriftsteller Fred Wander, in der DDR, zuletzt in Kleinmachnow bei Berlin. Sie arbeitete als Sekretärin, Fotografin und Reporterin, schrieb Drehbücher und Kurzgeschichten. *Guten Morgen, du Schöne* erschien kurz vor ihrem Tod am 21. November 1977, posthum wurden *Leben wär' eine prima Alternative* (st 4085) und *Ein Leben ist nicht genug* (st 3963) veröffentlicht.

# Maxie Wander
# Guten Morgen, du Schöne
*Protokolle nach Tonband*

Mit einem Vorwort von
Christa Wolf

Suhrkamp

*Guten Morgen, du Schöne*
erschien erstmals 1977 im Buchverlag
Der Morgen, Berlin.

Umschlagfoto: Fred Wander

7. Auflage 2018

Erste Auflage 2007
suhrkamp taschenbuch 3962
© Susanne Wander, Wien, 2007
Suhrkamp Taschenbuch Verlag
Alle Rechte vorbehalten, insbesondere das
der Übersetzung, des öffentlichen Vortrags sowie der Übertragung
durch Rundfunk und Fernsehen, auch einzelner Teile.
Kein Teil des Werkes darf in irgendeiner Form
(durch Fotografie, Mikrofilm oder andere Verfahren)
ohne schriftliche Genehmigung des Rechteinhabers reproduziert
oder unter Verwendung elektronischer Systeme
verarbeitet, vervielfältigt oder verbreitet werden.
Druck: CPI – Ebner & Spiegel, Ulm
Printed in Germany
Umschlag: Göllner, Michels, Zegarzewski
ISBN 978-3-518-45962-1

# Guten Morgen, du Schöne

Guten Morgen, du Schöne!
Für einen Blick von dir
sind tausend Dinar wenig.
Für deine Brust
werde ich zehn Jahre zu Fuß gehen.
Für deine Lippen
werde ich die Sprache vergessen.
Für deine Schenkel
gebe ich mich zum Sklaven.
Guten Morgen, du Schöne!
Steig auf den Apfelschimmel und reite Galopp.
Ich warte auf dich im Wald.
Mit einem Zelt ungeborener Kinder.
Mit Nachtigallen und einer Hyazinthe.
Mit einem Bett aus meinem Leib,
mit einem Kissen aus meiner Schulter.
Guten Morgen, du Schöne!

Kommst du nicht,
ziehe ich das Messer aus dem Brot,
wische die Krumen vom Messer
und treffe dich mitten ins Herz.

## Der verlassene Mann

Regen kommt auf und fällt.
Ein Mann sitzt am Boden und weint.
Sitzt, weint und betet zu Gott.
Die Frau ging fort. Es geht ihr gut.
Sie zieht irgendwohin,
mit einem Kerl mit großem Schnurrbart.
Unterwegs machen sie auf einer Wiese halt,
und sie brät ihm Hühner.
Ihrem Mann hat sie keine gebraten. Niemals.
Deswegen weint er!

(Aus: Zigeunerlieder)

# Inhalt

## Vorbemerkung

Wir können uns eigentlich nicht wundern, daß in der sozialistischen Gesellschaft Konflikte ans Licht kommen, die jahrzehntelang im dunkeln schmorten und Menschenleben vergifteten. Konflikte werden uns erst bewußt, wenn wir uns leisten können, sie zu bewältigen. Unsere Lage als Frau sehen wir differenzierter, seitdem wir die Gelegenheit haben, sie zu verändern. Wir befinden uns alle auf unerforschtem Gebiet und sind noch weitgehend uns selbst überlassen. Wir suchen nach neuen Lebensweisen, im Privaten und in der Gesellschaft. Nicht gegen die Männer können wir uns emanzipieren, sondern nur in der Auseinandersetzung mit ihnen. Geht es uns doch um die Loslösung von den alten Geschlechterrollen, um die menschliche Emanzipation überhaupt.

Offensichtlich geworden ist das Bedürfnis der Frauen nach Selbstverwirklichung. Noch verzweifeln und scheitern viele am »Druck des Herkommens«, an den bestehenden Normen, die wir zu wenig in Frage stellen. Eine Frau hat mir gesagt: »Wenn ich dauernd gehindert werde, vom vorgeschriebenen Weg abzuweichen, im Elternhaus, in der Schule, im Beruf, in der Politik, sogar in der Liebe, dann macht mich das böse und treibt mich in den Traum zurück. Ich beginne die Wirklichkeit zu hassen und mich selber auch, weil ich so ein lahmer Frosch bin.« Eine andere sagte: »Zweifeln, Forschen, Fragen, das sind alles Dinge, die uns abhanden gekommen sind.« Ich möchte sagen: Das alles müssen wir erst mühsam lernen, dazu hat uns die Geschichte nie zuvor Gelegenheit gegeben.

Die Unzufriedenheit mancher Frauen mit dem Erreichten halte ich für optimistisch. Wenn manchmal Bedrükkendes überwiegt, dann liegt es vielleicht daran, daß über Glück zu reden kaum jemand das Bedürfnis hat. Glück lebt man, Belastendes spricht man aus, um es zu begreifen, um sich davon zu befreien. »Der richtig Verwendete muß über sich nicht nachdenken«, sagt Heinrich Mann. »Die Welt, unter der er nicht leidet, reizt ihn nicht zur Gegenwehr. Worte und Sätze sind u. a. auch Gegenwehr. Ein ganz und gar glückliches Zeitalter hätte keine Literatur.«

Ich habe nicht nach äußerer Dramatik gesucht oder nach persönlicher Übereinstimmung. Ich halte jedes Leben für hinreichend interessant, um anderen mitgeteilt zu werden. Repräsentativen Querschnitt habe ich nicht angestrebt. Entscheidend war für mich, ob eine Frau die Lust oder den Mut hatte, über sich zu erzählen. Mich interessiert, wie Frauen ihre Geschichte erleben, wie sie sich ihre Geschichte vorstellen. Man lernt dabei, das Einmalige und Unwiederholbare jedes Menschenlebens zu achten und die eigenen Tiefs in Beziehung zu anderen zu bringen. Künftig wird man genauer hinhören und weniger zu Klischeemeinungen und Vorurteilen neigen. Vielleicht ist dieses Buch nur zustande gekommen, weil ich zuhören wollte.

*Maxie Wander*

CHRISTA WOLF
Berührung
Ein Vorwort


Dies ist ein Buch, dem jeder sich selbst hinzufügt. Beim
Lesen schon beginnt die Selbstbefragung. In den Nächten
danach entwerfen viele Leserinnen, da bin ich sicher
(nicht so sicher bin ich mir bei Lesern), insgeheim ihr
Selbstprotokoll – inständige Monologe, die niemand je
aufzeichnen wird. Ermutigt durch die Unerschrockenheit
der andern, mögen viele Frauen wünschen, es wäre jemand bei ihnen, der zuhören wollte: wie Maxie Wander
ihren Gesprächspartnerinnen.

Der Geist, der in diesem Buch herrscht – nein: am
Werke ist –, ist der Geist der real existierenden Utopie,
ohne den jede Wirklichkeit für Menschen unlebbar wird.
Zweifach anwesend, bewirkt er, daß diese Sammlung als
Ganzes mehr ist als die Summe ihrer Teile: Fast jedes der
Gespräche weist durch Sehnsucht, Forderung, Lebensanspruch über sich hinaus, und gemeinsam – wenn man das
Buch als Zusammenkunft verschiedenster, im Wichtigsten einiger Menschen sieht – geben sie ein Vorgefühl von
einer Gemeinschaft, deren Gesetze Anteilnahme, Selbst-
achtung, Vertrauen und Freundlichkeit wären. Merkmale
von Schwesterlichkeit, die, so scheint mir, häufiger vorkommt als Brüderlichkeit.

Nur scheinbar fehlt diesen neunzehn Protokollen das
zwanzigste, die Selbstauskunft der Autorin; aber sie ist ja
anwesend, und keineswegs bloß passiv, aufnehmend, ver-
mittelnd. Sie hat sich nicht herausgehalten, nicht nur intime Mitteilungen hervorgelockt (»intim« im unanstößigen
Sinn von »vertraut, eng befreundet, innig«), indem sie
persönlich, direkt, kühn zu fragen verstand: Wenn wir
das, was sie im Gespräch von sich selbst preisgab, zu
einem Band zusammenfügen könnten, hätten wir jenes

vermißte zwanzigste Protokoll. Ihr Talent war es, rückhaltlos freundschaftliche Beziehungen zwischen Menschen herzustellen; ihre Begabung, andere erleben zu lassen, daß sie nicht dazu verurteilt sind, lebenslänglich stumm zu bleiben.

Wenn Menschlichkeit heißt, niemals, unter keinen Umständen einen anderen zum Mittel für eigene Zwecke zu machen, so war Maxie Wander menschlich. Die Frauen, zu denen sie ging – einige kannte sie, andere nicht –, waren ihr nicht Vorwand für eigene Absichten: Hier wurde niemand »ausgefragt«, kein wohlkalkuliertes Unternehmen unter Dach und Fach gebracht; es sprechen Frauen miteinander, die einander brauchen, die sich selbst und die andere entdecken. Es gibt eine Konsumentenhaltung bei Autoren – oft qualvolle Versuche, ihr verzerrtes Verhältnis zu sich selbst, ihren Mangel an Empfindung, ihren Verlust von Unmittelbarkeit und ihr Erkalten durch Injektionen mit der Droge »Wirklichkeit« zu beheben. Einem solchen Interviewer hätten die Befragten anderes gesagt, und auf andere Weise.

Diese Texte entstanden nicht als Belege für eine vorgefaßte Meinung; sie stützen keine These, auch nicht die, wie emanzipiert wir doch sind. Kein soziologischer, politischer, psychotherapeutischer Ansatz liegt ihnen zugrunde. Maxie Wander, in keiner Weise umfrageberechtigt, war durch nichts legitimiert als durch Wißbegierde und echtes Interesse. Sie kam nicht, um zu urteilen, sondern um zu sehen und zu hören. – Jede produktive Bewegung erzeugt ein Spannungsfeld, aus dem neue Widersprüche, belangvoller als die alten, sich aufladen; ein solches Kraftfeld trägt die Beiträge dieses Buches und macht sie spannend, auch dann, wenn Alltägliches erzählt wird, was jeder zu kennen meint.

Nicht jenes »Wolle mich nicht berühren«, die Formel der Einsamkeit und des Selbstentzuges, der Offenbarungsscheu und der Zurücknahme ist das Motto dieses Buches; hier ist Berührung, Vertrautheit, Offenheit, manchmal bestürzende Schonungslosigkeit, ein erregender Mut, sich selbst gegenüberzutreten. Ein schmaler Grat ist zwischen Intimität und Peinlichkeit, Vertrauen und Selbstaufgabe. Sich unbekümmert auf diesem Grat zu bewegen, das ist kein technischer Balanceakt, kein Zugeständnis an den Geschmack der guten Stube. Es zeugt von Selbstvertrauen, und es zeugt von einer historischen Situation, die Frauen verschiedener Schichten eine solche Souveränität gegenüber persönlichsten Erfahrungen gibt, welche sie vor kurzem noch sich selbst und anderen verschwiegen.

Privates wird öffentlich gemacht: Mit Exhibitionismus hat das nichts zu tun. Aber so selbstverständlich ist es auch wieder nicht, daß niemand Anstoß nähme. Männer werden mit Unbehagen wahrnehmen, wie Frauen ihre traditionell »weibliche« Prägung loswerden, den Mann mustern, ihn entbehren können, erwägen, ihn »zu verabschieden«, »auf Empfang schalten«, die »seelische Berührung« eher erwarten als die körperliche und sich darüber lustig machen, wenn »Mann« ihr zur Scheidung Marxens ›Gesammelte Werke‹ schenkt ... Wäre es denkbar, daß manche Männer (es geht hier nicht um Zahlen ...) die Lustigkeit, die Ironie und Selbstironie der Frauen als schockierende Zumutung erleben? Ja aber, haben sie denn ihre Frauen so wenig gekannt? Mögen sie sie lieber, wenn sie, unvermutet mit dem Seitensprung des Mannes konfrontiert, in guter alter Manier in Ohnmacht fallen? Sie tun es, übrigens, hin und wieder, stehen dann aber auf und machen sich klar: Der Mann »braucht einen neuen Spiegel«.

Privilegien zu verlieren ist nie bequem. Nicht das geringste Verdienst dieses Buches ist es, authentisch zu belegen, wie weitgehend die Ermutigung, an öffentlichen Angelegenheiten teilzunehmen, das private Leben und Fühlen vieler Frauen in der DDR verändert hat. Zu spät ist es jetzt zu sagen: Das haben wir nicht gemeint. Es zeigt sich: Rückhaltlose Subjektivität kann zum Maß werden für das, was wir (ungenau, glaube ich) »objektive Wirklichkeit« nennen – allerdings nur dann, wenn das Subjekt nicht auf leere Selbstbespiegelung angewiesen ist, sondern aktiven Umgang mit gesellschaftlichen Prozessen hat. Das Subjekt treibt sich selbst heraus, wenn es dazu beitragen kann, aus den gegebenen Verhältnissen das Äußerste herauszuholen. Es wird in sich zurückgetrieben, wenn es auf entfremdete, destruktive Strukturen, auf unüberwindliche Tabus in entscheidenden Bereichen stößt.

Das Buch von Maxie Wander ist ein Glücksfall, aber ein Zufallstreffer ist es nicht. Nicht selten werden lustvolle Tätigkeiten – wie lernen, forschen, arbeiten, auch schreiben – der Lust beraubt, wenn sie um jeden Preis zu einem Ergebnis führen müssen. Dieses Buch war seiner Autorin wichtig, aber die Arbeit an ihm war ihr wichtiger. Und an diesen Texten *ist* gearbeitet worden. Niemand soll meinen, hier werde ihm eine mechanische Abschrift vorgesetzt, Material, Rohstoff. Maxie Wander hat ausgewählt, gekürzt, zusammengefaßt, umgestellt, hinzugeschrieben, Akzente gesetzt, komponiert, geordnet – niemals aber verfälscht. Die Texte, die so entstanden – Vorformen von Literatur, deren Gesetzen nicht unterworfen, der Versuchung zur Selbstzensur nicht ausgesetzt –, sind besonders geeignet, neue Tatbestände zu dokumentieren. Dabei nähern einzelne Beiträge sich literarischen Formen. Herausragend der Monolog einer Sechzehnjährigen (GABI). Hier wird auf neun Seiten ein sehr junger Mensch zwischen das Verlangen nach Selbstverwirklichung und die Gefahr der Entfremdung gestellt. Dieses Mädchen soll die Trauer um den Großvater vergessen, der, ein Ärgernis für die Mutter, sich umbrachte; es soll sich auf die Seite des ordentlichen »Onkel Hans« schlagen, mit dem Übereinstimmungsglück, die neue Schrankwand und der neue Fernseher in die tadellose Wohnung Einzug halten. Die Mutter, erpicht, daß »sich alles schickt«, sieht zu, daß die Tochter »vernünftig«

wird. Die hat zwar noch ihre »schwachen Momente«, aber »man paßt sich unwillkürlich an«. Nein, keine Probleme. Was Glück ist? »Als ich von meiner Mutti das Tonbandgerät bekommen hab.« Fast ein Kind noch, doch schon beinah gezähmt. Der unwiederholbare Einzelfall mit hohem Verallgemeinerungswert.

Das dem herrschenden Selbstverständnis Unbewußte, das Unausgesprochene, Unaussprechliche findet sich immer bei den Unterprivilegierten, den Randfiguren, den für unmündig Erklärten und Ausgestoßenen; da, wo Elend und Entwürdigung ein Subjekt, das sprechen könnte, gar nicht aufkommen lassen: bei jenen, die die niedersten und stumpfsinnigsten Arbeiten machen; in den Gefängnissen, Kasernen, in Kinder-, Jugend- und Altersheimen, in Irren- und Krankenhäusern. Und eben, lange Zeit: bei den Frauen, die beinahe sprachlos blieben. Ich halte es für falsch, alle Frauen zu einer »Klasse« zu erklären, wie manche Feministinnen es tun; aber wenn die Frauen der Arbeiter doppelt unterdrückt waren, so waren die der Herrschenden jedenfalls entmündigt – ob sie das wußten und wissen oder nicht. Auffallend, daß jene Frauen, die sich kurz vor und im Jahrhundert nach der Französischen Revolution ihren Eintritt in die Literatur erkämpften – oft unter Überanspannung ihrer Kräfte –, sich häufig in Tagebüchern und Briefen, im Gedicht, in der Reisebeschreibung ausdrücken, den persönlichsten und subjektivsten Literaturformen, auf Selbstaussage, Anrede und Dialog gegründet; Formen, in denen die Schreibende sich ungezwungener, auch gesellliger bewegen kann als in den Strukturen von Roman und Drama. Davon zu schweigen, daß die überwältigende – richtiger: überwältigte – Mehrzahl begabter Frauen weder jene äußeren Bedingungen vorfand noch das Minimum an Selbstbewußtsein aufbringen konnte, das allerdings Voraussetzung ist, um sich Zutritt zu jenem »Literatur« genannten Gebilde zu verschaffen (was etwas anderes als schreiben ist). Dafür – stellvertretend – gibt es im

19. Jahrhundert diese innigen Bündnisse zwischen Künstlern und gebildeten Frauen – Außenseiterbündnisse, zusammengehalten durch den Druck der Isolation, in die eine unerbittlich auf Effizienz eingeschworene Gesellschaft diejenigen ihrer Glieder treiben muß, die in zweckfreier Tätigkeit, zum Vergnügen und zur Ausbildung eigener Anlagen produzieren wollen. Einsamkeit, Esoterik, Selbstzweifel, Wahnsinn, Selbstmord: Lebens- und Todesverläufe schreibender Männer und Frauen, die als Muster, wenn auch vielfältig modifiziert, bis in unsere Tage wirken.

Auch wir können nicht – töricht, es zu leugnen – der Marxschen Voraussetzung für nichtentfremdete Existenz genügen: »Setze den *Menschen* als *Menschen* und sein Verhältnis zur Welt als ein menschliches voraus, so kannst du Liebe nur gegen Liebe austauschen, Vertrauen nur gegen Vertrauen etc.« Ja: Ökonomisch und juristisch sind wir den Männern gleichgestellt, durch gleiche Ausbildungschancen und die Freiheit, über Schwangerschaft und Geburt selbst zu entscheiden, weitgehend unabhängig, nicht mehr durch Standes- und Klassenschranken von dem Mann unserer Wahl getrennt; und nun erfahren wir (wenn es wirklich Liebe ist, was wir meinen, nicht Besitz und Dienstleistung auf Gegenseitigkeit), bis zu welchem Grad die Geschichte der Klassengesellschaft, das Patriarchat, ihre Objekte deformiert hat und welche Zeiträume das Subjektwerden des Menschen – von Mann und Frau – erfordern wird. Immer noch müssen viele Frauen sich verstellen, damit ihre Liebe zum Tauschwert für das unreife Liebesverlangen vieler Männer werden kann (»Man muß den Männern etwas vorspielen, sonst verschreckt man sie«).

Das Buch von Maxie Wander belegt, ohne darauf aus zu sein, eine bedeutsame Erscheinung: Erst wenn Mann und Frau sich nicht mehr um den Wochenlohn streiten, um das Geld für eine Schwangerschaftsunterbrechung, darum, ob die Frau »arbeiten gehn« darf und wer dann die Kinder versorgt; erst wenn die Frau für ihre Arbeit genauso bezahlt wird wie der Mann; wenn sie sich vor Gericht selbst vertritt; wenn sie, wenigstens in der öffentlichen Erziehung, als Mädchen nicht mehr auf »Weiblichkeit« dressiert wird, als ledige Mutter nicht von der öffentlichen Meinung geächtet ist: erst dann beginnt sie, belangvolle Erfahrungen zu machen, die sie nicht allgemein, als menschliches Wesen weiblichen Geschlechts, sondern persönlich, als Individuum betreffen.

Die gesellschaftlichen Widersprüche, die bisher die Tendenz hatten, sie aufzureiben, zu überrollen, treten jetzt in der subtileren Form des persönlichen Konflikts an sie heran, für dessen Lösung ein Rollenverhalten ihr nicht vorgegeben ist. Jetzt steht sie vor einer Vielfalt von Möglichkeiten, auch von möglichen Irrtümern und Risiken. Dieses Buch bietet Beispiele dafür, wie unterschiedlich ältere und junge Frauen auf diese Situation reagieren. Die siebenundvierzigjährige Jugendfürsorgerin (KAROLINE): »Unsere Selbstverständlichkeiten heute, die waren für uns Luxus, täglich Brot haben, sich Schuhe kaufen können, eben als Mensch behandelt zu werden. Aus diesem Grund kann es nur *meine* Gesellschaftsordnung sein.« ERIKA, die einundvierzigjährige Dramaturgieassistentin, fragt sich: »Vielleicht ist das Emanzipation, daß Dinge, die früher zu Katastrophen geführt haben, heute kein Problem mehr sind. Daß eine Frau sagen kann: Wenn du nicht mitmachst, dann mach ich es alleine. Obwohl das nicht einfach ist.«

Obwohl es nicht einfach ist, fangen diese Frauen an, klassische Tragödienstoffe andersherum zu erzählen: »Er ist mir gleichberechtigt, weil ich ohne ihn ja auch leben könnte.« Der einfache Rollentausch macht sie nicht glücklich. »Ich habe mich männlich verhalten, habe die Vorrechte der Männer genützt«: weiblicher Don-Juanismus, der zum gleichen Ergebnis führt – oder die gleiche Ursache hat – wie der männliche: Unfähigkeit zu lieben. Obwohl es nicht einfach ist, unterdrücken Frauen das angelernte Schutzbedürfnis und »stehen ihren Mann«; entdecken, daß es nicht immer ihre Schuld ist, wenn sie sexuell unbefriedigt bleiben; finden heraus, daß Frauen »mit ihrem ganzen Körper begreifen« müssen. (Diese Entdeckung, noch sehr verletzlich, sehr wenig gefestigt, sollten wir hüten; sie könnte, vielleicht, dazu beitragen, den erbarmungslosen, menschenfremden Rationalismus solcher Institutionen wie Wissenschaft und Medizin wenigstens in Frage zu stellen.) Obwohl es sehr schwierig ist, finden sie heraus, daß auch Frauen einander lieben, miteinander zärtlich sein können. Daß sie den Rückzug des im Außendienst starken Mannes auf infantiles Verhalten in ihren Armen nicht mehr decken wollen. Also fliehen sie das »enge Schlafzimmer«, in das sie mit ihrem Mann »verbannt« sind, finden sich mit der Gefühlsverkümmerung nicht mehr ab, an der viele Männer durch generationenlangen Anpassungszwang an »zweckmäßige« Verhaltensweisen leiden, verweigern die Mutterrolle und lassen sich scheiden.

Sie zahlen für ihre Unabhängigkeit mit einem schwer erträglichen Schmerz, oft mit Alleinsein, immer mit zusätzlicher Arbeitslast, meist mit schlechtem Gewissen gegenüber Mann, Kindern, Haushalt, Beruf, dem Staat als Über-Mann. Erst wenn wir – unsere Töchter, Enkel – nicht mehr schlechten Gewissens sind, werden wir wirklich gewissenhaft handeln, erst dann werden wir den Männern helfen können, jenen Unterordnungs- und Leistungszwang wahrzunehmen, der vielen von ihnen, historisch bedingt, zur zweiten, verbissen verteidigten Natur geworden ist. Erst dann werden die Männer ihre Frauen wirklich erkennen wollen. »Ich habe noch keinen gekannt, der dahinterkommen wollte, wie ich wirklich bin und warum ich so bin.«

Diese Frauen sehen sich nicht als Gegnerinnen der Männer – anders als bestimmte Frauengruppen in kapitalistischen Ländern, denen man ihren oft fanatischen Männerhaß vorwirft. Wie aber sollen sie gelassen, überlegen, möglichst noch humorvoll sein, wenn sie der primitivsten Grundlagen für eine unabhängige Existenz entbehren? Besonders, wenn eine starke Arbeiterbewegung fehlt, werden Frauen in sektiererische, gegen die Männer gerichtete Zusammenschlüsse getrieben; meinen sie, die Männer mit den gleichen Mitteln bekämpfen zu müssen, mit denen die Männer jahrhundertelang sie bekämpft haben. Aber sie sind ja – glücklicherweise – nicht im Besitz dieser Mittel; sie sind im Besitz eines durchdringenden Ohnmachtsgefühls; entrechtet, versuchen sie ihr Selbstgefühl den Männern zu entziehen; ihr Weg zur Selbstfindung führt oft über den Rückzug auf das eigene Geschlecht; es muß ihnen schwerfallen, in ihren Entwürfen die ganze Gesellschaft zu umgreifen. Und doch: wieviel Solidarität untereinander, wieviel Anstrengung, die eigene Lage zu erkennen, wieviel Spontaneität und Erfinderlust in ihren Selbsthilfeunternehmen, wieviel Phantasie, welche Vielfalt. Ich kann nicht finden, daß wir in der DDR gar nichts davon zu lernen hätten.

Durch viele Anzeichen, nicht zuletzt in diesem Buch, kündigt sich nämlich bei uns ein Ungenügen vieler Frauen an: Was sie erreicht haben und selbstverständlich nutzen, reicht ihnen nicht mehr aus. Nicht mehr, was sie haben, fragen sie zuerst, sondern: wer sie sind. Sie fühlen, wie ihre neue Rolle sich schon zu verfestigen beginnt, wie sie sich in den Institutionen plötzlich nicht mehr bewegen können; ihre Lebenslust ist groß, ihr Wirklichkeitshunger unersättlich. Also berühren sie, tastend noch, die neuen Tabus, denn die Veränderungen werden immer da am heftigsten weitergetrieben, wo sie am tiefgreifendsten waren. Die Möglichkeit, die unsere Gesellschaft ihnen gab: zu tun, was die Männer tun, haben sie, das war vorauszusehn, zu der Frage gebracht: Was *tun* die Männer überhaupt? Und will ich das eigentlich? – Nicht nur, daß sie kritische Fragen an Institutionen stellen – die Jüngeren unter ihnen besonders an die Schule –; nicht nur, daß sie sich auflehnen gegen Verantwortungsentzug am

Arbeitsplatz, der zu Resignation führt: »Wenn einer die Zusammenhänge nicht sehen darf, kann er auch nicht verantwortlich gemacht werden, dann kann er auch keine anständige Arbeit leisten.« Sie beginnen darüber nachzudenken, was ihr Leben aus ihnen gemacht hat, was sie aus ihrem Leben gemacht haben. »Wenn man sich lange auf Leistung trimmt, zerstört man etwas Wichtiges in seiner Persönlichkeit.« – »Wenn ich nicht arbeite, bin ich mir selber fremd.« – »Man ist nicht glücklich, wenn man so gespalten ist wie ich.« – »Ich bin vollkommen verkrustet.« Dagegen, als Abwehr der neuen Losungen jüngerer Frauen: »Spontaneität ist eine Angelegenheit von verrückten Männern und Frauen.« Und – ein Kleistscher Satz, gesprochen von einer Kellnerin –: »Aber auf einmal fühle ich mich so fremd unter den Menschen.«

So spricht die Minderzahl. Mit anderen Sätzen, die man finden kann, dagegen ins Feld zu ziehen, hätte keinen Sinn. So äußert sich ein neues Zeit- und Lebensgefühl (übrigens auch bei jungen Männern). Frauen, durch ihre Auseinandersetzung mit realen und belangvollen Erfahrungen gereift, signalisieren einen radikalen Anspruch: als ganzer Mensch zu leben, von allen Sinnen und Fähigkeiten Gebrauch machen zu können. Dieser Anspruch ist eine große Herausforderung für eine Sozietät, die, wie alle Gemeinwesen des Zeitalters, ihren Gliedern mannigfache Zwänge auferlegt, zum Teil auferlegen muß; immerhin hat sie selbst, wissentlich oder nicht, diesen Anspruch geweckt; mit Frauenförderungsplänen, mit Krippenplätzen und Kindergeld *allein* kann sie ihm nicht mehr begegnen: auch damit nicht, glaube ich, daß sie mehr Frauen in jene Gremien delegiert, in denen überall in dieser Männerwelt, auch in unserem Land, die »wichtigen Fragen« von Männern entschieden werden. Sollen Frauen es sich überhaupt wünschen, in größerer Zahl in jene hierarchisch funktionierenden Apparate eingegliedert zu werden? Rollen anzunehmen, welche Männer über die Jahrhunderte hin so beschädigt haben? Obwohl es ja Frauen gibt wie jene Dozentin und Abgeordnete (Lena, 43), die die »Fassade« solcher Rollen niederreißt, die Berührungsangst durchbricht: »Ich verringere den Abstand systematisch, bis ich den Menschen ein Vertrauter bin. Diesen ganzen Autoritätszauber halte ich doch für eine Farce, für die kein vernünftiger Mensch Bedarf hat. Diesen Widerspruch gibt es bei allen, die öffentlich wirksam sind. Man wird ständig in Zwiespalt kommen zwischen Autoritätsdenken und dem Sich-selbst-Geben.«

Hoffentlich wird erkannt, wie wichtig die Sensibilität von Frauen für solche Widersprüche uns allen sein muß. Die Verhältnisse in unserem Land haben es Frauen ermöglicht, ein Selbstbewußtsein zu entwickeln, das nicht zugleich Wille zum Herrschen, zum Dominieren, zum Unterwerfen bedeutet, sondern Fähigkeit zur Kooperation. Zum erstenmal in ihrer Geschichte definieren sie – ein enormer Fortschritt – ihr Anderssein; zum erstenmal entfalten sie nicht nur schöpferische Phantasie: Sie haben auch jenen nüchternen Blick entwickelt, den Männer für eine typisch männliche Eigenschaft hielten.

Ich behaupte nicht, Frauen seien von Natur aus mehr als Männer vor politischem Wahndenken, vor Wirklichkeitsflucht gefeit. Nur: Eine bestimmte geschichtliche Phase hat ihnen Voraussetzungen gegeben, einen Lebensanspruch für Männer mit auszudrücken. Natürlich wird Aggression und Angst frei, wenn man alte Bilder – besonders die von sich selbst – zertrümmern muß. Aber wir werden uns daran gewöhnen müssen, daß Frauen nicht mehr nur nach Gleichberechtigung, sondern nach neuen Lebensformen suchen. Vernunft, Sinnlichkeit, Glückssehnsucht setzen sie dem bloßen Nützlichkeitsdenken und Pragmatismus entgegen – jener »Ratio«, die sich selbst betrügt: Als könne eine Menschheit zugleich wachsende Anteile ihres Reichtums für Massenvernichtungsmittel ausgeben und »glücklich« sein; als könne es »normale« Beziehungen unter Menschen irgendwo auf der

Welt geben, solange eine Hälfte der Menschheit unterernährt ist oder Hungers stirbt. Das sind Wahnideen. Es kommt mir vor, daß Frauen, denen ihr neu und mühsam erworbener Realitätsbezug kostbar ist, gegen solchen Wahn eher immun sind als Männer. Und daß die produktive Energie dieser Frauen deshalb eine Hoffnung ist. »Die großen Sachen«, sagt eine von ihnen in diesem Band, »die stehen ja doch nicht in meiner Kraft, ich mach mir da keine Sorgen!«

Zwei ihrer Gefährtinnen treten mit ihr in einen Dialog. Die eine, RUTH, eine zweiundzwanzigjährige Kellnerin: »Ich frage mich manchmal: Welche Gesellschaft bauen wir eigentlich auf? Man hat doch einen Traum. Ich träume: Die Menschen werden wie Menschen miteinander umgehen, es wird keinen Egoismus mehr geben, keinen Neid und kein Mißtrauen. Eine Gemeinschaft von Freunden. No ja. Jemand wird doch dann da sein, der ja zu mir sagt.« Und die Wissenschaftlerin (MARGOT, 46), die jetzt malen muß: »Ich würde meine Vision malen: die Angst, wie das menschliche Leben entarten kann, wie die Dinge die Menschen aushöhlen. Wie Menschen massenweise in ihren Betonzellen hausen, und keiner hat Zugang zum andern ... Wieder Isolation.«

Zwischen solchen Alternativen leben wir, Männer, Frauen, besonders die Kinder. Wie können wir Frauen »befreit« sein, solange nicht alle Menschen es sind?

Irgendwo hab ich gelesen von einem, der auf der Suche ist nach einem unverbildeten Menschen und einer unzerstörten Landschaft. Das traf bei mir ins Mark. Jetzt hängt es über meinem Bett, damit ich es nicht vergesse. Ich hab immer irgendwas dort hängen, was mich sehr angeht. Schon als Kind habe ich das getan. Ich habe sogar Seiten aus Büchern herausgerissen. Diesen unverbildeten Menschen hab ich vorläufig in meiner Tochter, und ich will alles tun, um zu verhindern, daß sie verbogen wird. Meine Eltern haben es mit mir genauso gemacht, sie sind klug und unverdorben, ihnen habe ich alles zu verdanken. Später habe ich mich immer gewehrt, etwas aufzunehmen, was mir nicht entsprach. Ich weiß nicht, ob du das verstehst. Das Strammstehen in der Schule, diese äußerliche, sinnlose Disziplin, Fahnenappell, Augen links, Augen rechts. Was hat das mit Sozialismus zu tun? Das widerstrebt mir total. Ich kam mir wie vergewaltigt vor. Du weißt, daß es Eltern gibt, die in bester Absicht ihren Kindern raten, alles mitzumachen, um nicht unangenehm aufzufallen. Das ist unverantwortlich. Meine Eltern sagten immer: Du darfst nichts tun und nichts sagen, was du nicht ehrlich meinst. Sie haben mich gegen die Heuchelei erzogen. Meine Schwierigkeiten bewegten sich in den Grenzen des Zumutbaren, da mein Vater ein alter Kommunist war, über jede Verdächtigung erhaben. Insofern hab ich es leichter gehabt als andere, die brauchten mehr Zivilcourage. Dabei war ich keine Leuchte. Ich begriff alles, wenn ich zuhörte, doch ich merkte mir nichts. Ich war nur scharf auf Abenteuer. Ich bin das einzige Kind, aber meine Eltern haben mir nie Puppen aufgezwungen und haben mich nie von den anderen Kindern abgekapselt. Auf unserem Gang allein wohnten zehn Kinder, da

standen uns praktisch alle Türen offen. Wenn meine
Mutter Steine klopfen war, bin ich eben in irgendeine
andere Wohnung gegangen, wo gerade eine Mutter zu
Hause war oder eine Großmutter. Mit fünf Jahren
schickten mich meine Eltern schon zu den Großeltern.
Da konnte ich noch nicht allein die Waggontreppen hin-
aufsteigen. Je mehr Freiheiten man gehabt hat, desto lie-
ber kommt man wieder nach Hause zurück. Mein Vater
ist inzwischen gestorben. Töchter neigen dann dazu, ihre
Väter in den Himmel zu heben. Meine Mutter ist zusam-
mengebrochen, mein Vater war für sie der wichtigste
Mensch auf der Welt. Ich war nie eifersüchtig, denn mein
Vater hatte Platz für viele, sein Herz war weit, sagt meine
Mutter, sie hat ihn schon im Blut.

Ich glaube, ich habe meinen Mann auch schon im Blut.
Wir sind seit zehn Jahren zusammen, und ich kann mir
einen anderen Mann nicht denken. Robert ist ein Stiller,
einer, den man nicht hört. Er spricht leise, und er macht
auch sonst keinen Lärm. Wenn er Holz sägt, im Hof ist
ein Schuppen, dort hat er seine Werkstatt, wenn er Holz
sägt, ist es das angenehmste Geräusch. Er geht leise, man
hört ihn oft nicht hereinkommen. Manche Menschen behaupten, ich spiele ihn an die Wand. Doch die kennen
uns schlecht. Robert hat nur einen Fehler, er kümmert
sich nicht um unsere Tochter, er liebt mich mehr als sie.
Am liebsten ist er mit mir allein. Auch wenn wir in Gesellschaft sind, ist er mehr mit mir beschäftigt als mit
anderen Menschen. Ich denke nicht darüber nach, ob mir
das angenehm ist oder nicht, es ist eben so. Es kommt
vor, daß er mir begeistert von irgendeinem Mann erzählt,
was das für ein Kerl ist. Dann muß ich diesen hervorragenden Mann auch kennenlernen. Und es ist seltsam:
Diese Männer gefallen mir nie. Robert ist immer ge-
spannt, wie ich reagiere, und dann ist er verwundert oder
enttäuscht, wenn er merkt, daß ich andere Maße habe als
er. Irgendwie erleichtert es ihn auch, als wollte er mich
nur auf die Probe stellen. Diese ständige Vergleicherei

beschäftigt ihn enorm, da er im Grunde mit sich unzufrieden ist. Er hat in seinem Kopf irgendein Männlichkeitsideal, meistens sind das enorm athletische Körper, mit Gesichtern wie Wildwesthelden. Für mich total reizlos – diese zupackenden, undifferenzierten Mannsbilder. Es ist aber auch noch was anderes. Robert hat eine kleine homosexuelle Ader. Daß er gerade auf mich verfallen ist, ist kein Zufall, er sieht an meiner Mutter, wie knabenhaft die Frauen in unserer Familie bleiben. Das kann auch ein Grund sein, warum er unserer Tochter gegenüber so zurückhaltend ist. Sabine ist eine Wilde, so wie ich als Kind war. Das bringt Robert durcheinander. Es kommt vor, daß er sie anschaut, wenn sie schläft und ihm nicht entwischen kann, als wolle er sie im Schlaf ergründen. Er spricht nie darüber, er ist enorm verschlossen, wie viele Männer. Er kann sich schlecht mitteilen, er überlegt sich tagelang, was er einem Menschen sagen will. Ich habe oft beobachtet, daß Frauen viel spontaner sind als Männer und viel direkter.

Ich gehöre nicht zu den Frauen, die sich einbilden, nur mit *einem* Mann glücklich sein zu können. Ich treffe ständig Männer, die mir gefallen und denen ich gefalle. Wenn tatsächlich nur zwei Menschen füreinander in Betracht kämen, unter den ...zig Millionen auf der Welt, wie fänden diese beiden zueinander? Nein, man hat einfach seine Wahl zu treffen, und dann wird er eben der Einmalige sein, der einen glücklich macht. Aber glaube nicht, daß du von mir was enorm Spannendes für dein Buch erfährst. Ich neige nicht zu leidenschaftlichen Ausbrüchen, ich bin neugierig, ich bin unruhig, ich bin wie ein Kind, sagt mein Mann. Und ich habe wenig Hemmungen, sage ich. Konkret, ja? Konkret gehe ich gelegentlich mit einem Mann ins Bett oder auf die grüne Wiese. Seltsam, daß ich dir das eingestehe. Es ist seltsam, da ein Mann so etwas ohne weiteres eingesteht, es würde sogar sein Prestige aufpolieren. Poliert dieses Geständnis *mein* Prestige auf? Nein. Ich verberge diesen Teil meines

Lebens vor anderen Menschen, da ich weiß, wie sie über Frauen wie mich urteilen und wie schlecht mein Mann dabei wegkommt. Die Tugendrichter sind ja weniger die Männer, denen man oft zu Unrecht nachsagt, sie würden sich an unsere Emanzipation nicht gewöhnen. Meistens gehen Frauen auf die Barrikaden, die neidisch sind und ihren Neid hinter moralischer Entrüstung verstecken. Ist ja ein alter Hut.

Aber es ist nicht so, daß ich bei Robert zu kurz komme. Robert arbeitet sehr schwer mit seinem Körper. Wenn er abends nach Hause kommt, bin ich meistens schon da. Dann gehen wir zusammen ins Badezimmer, das ist ein großes Zimmer, das wir vor kurzem umfunktioniert haben. Nun ist das eine große Sache für uns, dieses herrliche Bad! Es kommt vor, daß auch Sabine hinein will, und wir lassen sie herein. Und es kommt vor, daß wir Sabine wieder hinausschicken. Mit keinem anderen Mann war ich so frei wie mit Robert. Er hat mir noch nie etwas verweigert. Wir kennen unsere Bedürfnisse. Sexualität hat ja nicht nur mit Liebe zu tun, mit Streicheln und Lächeln, sie hat auch etwas mit Gewalttätigkeit zu tun, mit primitiven Trieben. Und genau das ist es, was die meisten Menschen nicht sehen wollen, es kommt ihnen unmenschlich vor. Was für ein Unsinn! Ich habe nicht zufällig diesen Arbeiter genommen. Ich will keinen Intellektuellen, der mit seinem Körper nichts anfängt. Ich hätte so einen haben können. Der war Chefingenieur. Ging mit einem weißen Mantel herum, mit schmalen weißen Samtpfoten, und nach Feierabend hat er Tennis gespielt und ist mit diesen albernen Standfahrrädern in seiner Wohnung beschäftigt gewesen. Als er scharf auf mich war, hat er zuerst eine halbe Stunde geduscht und sich mit Körperspray eingenebelt. Inzwischen war mir alles vergangen. Und dann sollte ich auch unter die Dusche, vorher! Oh! Über das Laken, halte dich fest, hat er zwei Handtücher gelegt, damit das Laken nichts Schlimmes abbekommt. Ich habe diese heilige Handlung einmal über mich ergehen lassen, aus Neugier. Wie er beim zweiten-mal, eine Woche später, die gleiche Zeremonie startete, bin ich abgehauen. Das arme Mannsbild hat jetzt Komplexe, er windet sich, wenn er mich sieht.

Du glaubst, du hast mich jetzt ertappt, ja? Warum trägt sie ihre Sexualität aus dem Haus, wenn's mit ihrem Mann so gut klappt, ja? Weiß ich nicht, weiß ich wirklich nicht. Ich kann dir nicht sagen, warum ich *nicht* mit ihnen schlafen soll. Es ist doch so: Man trifft unentwegt Menschen, in unserem großen Betrieb mit den vielen Beziehungen ist das beinahe unüberschaubar, und man ist doch nicht blind und taub. Ich habe gerne direkten Kontakt zu Menschen, die ich mag, auch zu Frauen. Frauenhaare und Frauenhaut sind was Phantastisches. Das geht bestimmt vielen Frauen so, sie gestehen es sich nur nicht ein, weil ein Drall zum Lesbischen gleichbedeutend mit seelischem Kranksein ist. Ich sehe also gerne Frauen, die große Brüste haben, sie müssen nicht einmal schön sein. Man geht mit so vielen Menschen in die Kantine, ins Kino oder spazieren, am Fluß entlang, sitzt in Versammlungen zusammen, lacht, streitet ... Hundert Beschäftigungen, die man mit anderen tun kann, wenn man sich sympathisch findet. Gibt es einen einleuchtenden Grund, warum man ausgerechnet den Sex ausklammern soll? Weil unsere Großmütter das tun mußten? Ja? Alles, was natürlich ist, ist gut für mich.

Oh, das Bedürfnis nach Treue, das hab ich auch. Ich werde mit keinem andern Mann leben und keinem andern Mann mein Innerstes anvertrauen. Das weiß ich genau, viel genauer als manche Frauen, die sich einreden, mit keinem andern Mann pennen zu können. Sicherlich gibt es viele Gründe, warum Frauen sich das einreden. Sie sind so erzogen worden. Dann mag es wirklich Frauen geben, die können nur mit einem, wunderbar. Und die andern, die wollen vielleicht, daß ihnen ihr Mann Gleiches mit Gleichem vergilt und auch bei der Stange bleibt. Und manche Frauen sind einfach feige, nicht bereit zum

Risiko. Es sind ja immer diese Abenteurertypen unter den Frauen, die ausprobieren wollen, was bisher den Männern vorbehalten geblieben ist. Na schön, und nun erleben wir eben die gleiche Ernüchterung wie die Männer. Mit manchen ist die Liebe genauso öde, wie wenn man mit ihnen heiße Würstchen am Stand ißt. Unerfahrene Frauen machen ein Drama daraus, wenn die wüßten ...

Etwas fällt mir ein, das wirst du sonderbar finden. Wir schlucken jetzt alle diese grüne Pille zum Frühstück, die uns die Freiheit gebracht hat, ja? Ich weiß genau, ich gehe kein Risiko mehr ein, wenn ich mit einem Mann schlafe. Weißt du was? Wenn ich einen Mann liebe, dann *will* ich dieses Risiko eingehen! Weil der ganze Sex sonst auf die Dauer öde wird. Da wird eben was Wichtiges ausgeklammert, eine große Erschütterung. Man wird flach ohne dieses Risiko. Sex ist für mich ja nicht nur ein Spaß, sondern gelegentlich etwas Totales. Im Sex drücke ich meine ganze Persönlichkeit aus, viel direkter als sonstwo, ja? Ich bin keine Sexmaschine, ich bin eine Frau. Und es geht wunderbar, sobald ein Mann das begriffen hat. Enthemmung ist hervorragend, doch es bleibt eine Leere, die schlimm sein kann, wenn das alles überhaupt nichts mehr mit Verantwortung zu tun hat.

Eine gesunde Sexualität muß dem Menschen anerzogen werden. Wer denkt darüber denn nach? Ich bin der Auffassung, daß man alles lernen kann, die Liebe wie den Sex. Kleine Kinder haben schon ihren Sex, und den müssen wir erziehen wie alles andere auch.

Als Sabine fünf war, lebte eine Weile ihr kleiner Freund bei uns, dem war die Mutter sehr krank geworden. Die lagen zusammen im Bottich, ich sehe noch ihre seligen Gesichter. Der kleine Mann hatte einen Ständer und machte mich darauf aufmerksam, daß er jetzt alles mögliche darauf hängen könnte. Heute ist die Sabine acht, dritte Klasse, da bekommt sie von ihrem Banknachbarn einen Brief, in dem wird angefragt, ob sie mit ihm ficken will.

Sie fragt mich, was das heißt, ich erkläre es ihr, sie kannte den Vorgang, nicht das Wort, das wir nicht verwenden, damit hat sich die Angelegenheit. Würde die Lehrerin oder die Mutter von Christian auch so reagieren, was glaubst du? Welche Erfahrungen machen die Kinder mit uns Erwachsenen, und auf welche Weise werden Tabus erzeugt? Jetzt beenden wir das schöne Thema, ja? Mein ganzes Geheimnis ist eben, daß ich herausgefunden habe, was ich zum Leben brauche. Ich brauche das Hinausgehen ebenso wie die Geborgenheit zu Hause. Und weil beides gut funktioniert, geht es mir gut. Das ist alles. Wie mein Mann sich dabei fühlt? Ach je, der Stärkere wird immer den Schwächeren beeinflussen oder der Aktive den Passiven. Wenn das mit Takt geschieht, wüßte ich nichts dagegen einzuwenden. Ein Beispiel: Mein Mann ist ein enorm sinnlicher Typ, wie die meisten gesunden Männer, aber Feingefühl für die Frau hat er nie gehabt. Das habe ich ihm anerziehen müssen.

Ach, ist ja grausam, was ich da von mir gebe! Gewisse Dinge entwickeln sich eben ... Was heißt Überlegenheit? Ich führe ja nicht gerade ein feines Leben durch meine sogenannte Überlegenheit. Ich bade doch alles alleine aus, Elternbeirat, Gewerkschaft, betreue die Alten im Haus, erledige die Wege zu den Ämtern. Es ist nicht die Arbeit, die einen schafft, es ist die Verantwortung, die man alleine tragen muß. Ich gehöre nicht zu den Frauen, die ihr Leben lang gegen Windmühlen reiten. Ich habe früh begriffen, wie ich mit Robert zurechtkomme, was ich ändern kann und was nicht. Es muß doch auch eine Arbeitsteilung geben. Dieses Badezimmer, das wir jetzt genießen, ist Roberts Werk. Warum soll ich das nicht würdigen! – Ach, wir haben schon Streit. Es geht nicht immer friedlich zu. Robert sagt, ich explodiere wie eine Handgranate. Aber der Zündstoff ist schnell verbrannt und richtet kein Unheil an. Danach hat sich nicht wesentlich was geändert. Die Stillen wie mein Robert, die setzen sich mit Schweigen durch, so ist das. Wenn ich ehrlich sein soll, muß ich gestehen, daß ich gelegentlich enorm mutlos bin. Es gibt vieles, was ich verändern will, was ich nicht so hinnehmen kann. Aber ich *kann* es nicht ändern, nicht mit Robert, der so konservativ ist. Wenn man Dinge, die für einen wichtig sind, absolut nicht verändern kann, wird man müde. Das kennst du doch, das ist im Kleinen so wie im Großen. Die Menschen hauen auf die Pauke, aber dann geht ihnen die Puste aus. Das ist eine normale Abnutzung, über die man sich nicht wundern darf. Was ich in unserem Betrieb tagtäglich erlebe, das läßt mich vor Ehrfurcht staunen, was Menschen zustande bringen, über wieviel Reserven sie verfügen. Aber es stimmt mich traurig, es macht mir angst, wenn ich sehe, welch Schindluder damit getrieben wird. Die Menschen wollen im Grunde gute Arbeit leisten. Nun sieht die Wirklichkeit in unseren Betrieben gelegentlich anders aus. Wie kommt diese Resignation, auf der nichts Gutes mehr gedeiht?

Trotzdem, ich bin ein optimistischer Mensch, ich glaube daran, daß man durch größere Offenheit vieles reparieren könnte. Man muß über Fehler sprechen! Man kann nicht eine Sache falsch machen und immer weiter falsch machen, egal aus welchen Gründen, und den Arbeitern einreden wollen, es hätte alles seine Richtigkeit, sie wären nur nicht imstande, die Zusammenhänge zu überschauen. Wenn einer die Zusammenhänge nicht sehen darf, kann er auch nicht verantwortlich gemacht werden, dann kann er auch keine anständige Arbeit leisten. Ich halte dieses Fachidiotentum, auf das wir zusteuern, für enorm gefährlich. Es liegt nicht in der menschlichen Natur, es schließt Verantwortung aus. Das begreift ein Kind. Unsere leitenden Kader aber sind so in dem Dreh drin, die haben die Kraft nicht, irgendwelche Konsequenzen zu ziehen oder ein Risiko einzugehen. Wenn es nicht wenigstens eine Handvoll richtiger Menschen gäbe, wie zum Beispiel unseren Gewerkschaftsvorsitzenden, ich sage dir, ich wäre schon Friedhofsgärtner geworden. Oder ich hätte mir einen Haufen Kinder angeschafft und mich in meiner Datsche verkrochen. Sieht diese Entwicklung denn keiner? Oder zieht man die falschen Schlußfolgerungen? Sitzen die falschen Leute in den Schlüsselstellungen? Das muß man sich doch fragen. Das Schlimme ist, daß man sich das *nicht* mehr fragt. Man bleibt in den Gesprächen hübsch an der Oberfläche, man dringt nicht zu ihrem Wesen vor. Ich habe ein kleines, ganz kleines bißchen Philosophie gelernt, in meiner Abendschule, und unsere Direktoren haben enorme Parteischulen hinter sich. Was haben die ihnen genützt? Einerseits sind wir unentwegt mit Schulungen und Versammlungen gesegnet, die man heimlich verflucht, weil da immer das gleiche passiert. Leute hören sich gerne reden und haben nichts Neues zu sagen, nur Phrasen, die ihnen aus dem Maul sprudeln, während das Hirn schlummert, ja? Andererseits erleben wir täglich schlimme Dinge, die einem angst machen müßten, die aber so gut wie keiner beachtet. Da kommt auf einmal etwas hoch, was man für bewältigt gehalten hat, diese Gedankenlosigkeit, diese Voreingenommenheit und Dummheit! *Wir* haben ja keine Vergangenheit zu bewältigen, nicht? Wir haben ja mit der Gründung unseres Staates automatisch den Faschismus ausgerottet und die ganze deutsche Misere. Ich habe diesen hervorragenden amerikanischen Film ›Das Urteil von Nürnberg‹ noch einmal gesehen, von Stan Kramer, der ging mir derartig unter die Haut, weil ich viele Verhaltensweisen wiedererkenne. Keiner hat mit der ganzen Sache irgend etwas zu tun gehabt, keiner hat etwas gewußt, nicht? Keiner konnte für etwas verantwortlich gemacht werden. Gestern in der Kantine. Einer ruft irgendwas wie: Du, die und die fährt nach Ravensbrück. – Oh, schreit eine Frau vergnügt, dort gehört sie auch hin! Niemand hat sich dabei was Schlimmes gedacht. Niemand hat was dazu gesagt, ich auch nicht. Ich friere ein, wenn ich so was höre. Ich denke an meinen Vater, und ich sage mir: Ihn hat es betroffen, und mich betrifft es auch noch ein wenig, ja?

Dann wird auch unsere Generation aussterben. Und wer wird sich dann erinnern? Wer? Fängt die Menschheit dann mit ihren Fehlern wieder von vorne an?

Über das alles kann ich mit Robert sprechen, er reagiert gefühlsmäßig, aus Sympathie zu meinem Vater. Aber es beunruhigt ihn nicht, er findet mich ein bißchen überdreht. Für ihn ist unsere Gesellschaft ganz in Ordnung, weil alle zu essen haben, weil wir persönlich weiterkommen, uns mit Sachen eindecken, Auto, Badezimmer, Kühlschrank, Datsche, Waschautomaten, die unsere Gewässer ruinieren und Wasser vergeuden. Roberts Vater ist im letzten Kriegsjahr gefallen, da war Robert drei. Seine Mutter hat sofort einen anderen geheiratet, um ihre vier Kinder zu versorgen, der war ein kleiner Mitläufer, der alles verdrängt hat. Sie haben sich also zu Hause nie mit solchen Problemen herumgeschlagen. Die hat Robert erst kennengelernt, als er zu meinen Eltern gekommen ist. Wir haben zwei Jahre bei ihnen gewohnt, und Robert liebt meine Eltern. Zu seiner eigenen Mutter geht er nur, wenn sie Geburtstag hat. Dann ziehen sie eine Familienshow ab, mit Kindern und Kindeskindern, und ich mache auch mit, aus Solidarität zu Robert, der enorm darunter zu leiden hat, wie beschränkt doch seine Familie ist.

Hier ist so ein Spruch von meinem Nachttisch. »Ich habe etwas gegen das Enthüllungsspiel. Man kann der Zwiebel alle Häute abziehen, und dann bleibt nichts. Ich werde dir sagen: Man beginnt zu sehen, wenn man aufhört, den Betrachter zu spielen, und sich das, was man braucht, erfindet: diesen Baum, diese Welle, diesen Strand...« Ich erfinde mir auch, was ich brauche. Ich sehe in Menschen was hinein, was möglicherweise nicht da ist. Das macht man, wenn man liebt. Meinen Mann sehe ich gelegentlich so schön, daß mir ein anderer sagen könnte: Du bist blind, der ist nicht so. Wer sagt dir, daß er nicht so sein *könnte*? Mit der Wahrheit und mit der Gerechtigkeit ist das so ein Ding. Denn jeder Mensch hat seine *eigene* Wahrheit, sein eigenes Lebensgesetz, dem er folgen muß. Das kannst du bei allen möglichen klugen Leuten nachlesen, ich weiß, aber ich sage es dir mit meinen Worten, und darauf bin ich stolz. Mit der Wahrheit kommt man nicht weit, wenn man wie ein Richter von außen die Menschen beurteilt. Diese Selbstgerechten, weißt du, die nie zweifeln; schon gar nicht an sich selber, die sind die Pest in den menschlichen Beziehungen.

Da habe ich mir noch etwas herausgeschrieben. »Sehen, das ist doch nicht zu den Akten nehmen. Man muß doch bereit sein zum Widerruf. Du gehst weg und kommst zurück, und etwas hat sich verwandelt. Laß mich in Ruhe mit den Protokollen, die Form muß schwanken, alles muß schwanken, so brav ist das Licht nicht . . .«

Das ist richtig, das spüre ich in meinen Eingeweiden. Und so halten wir es auch in der Ehe. Jeder von uns hat das Recht wegzugehen und als ein anderer wiederzukommen. Meinem Mann muß es manchmal geschaudert haben, wenn ich zurückgekommen bin, von einer Dienstreise oder von einem Abend, zu dem ich mich allein auf die Socken gemacht habe. Doch er hat mich nie heruntergemacht oder ausgehorcht wie einen Dieb. Robert hat die Zeit darübergehen lassen und gewartet, bis ich wieder bei ihm angekommen bin. Wir haben uns nie damit aufgehalten, uns gegenseitig bei Widersprüchen zu ertappen: Du hast aber gestern das und das gesagt, was stimmt denn nun? Man kann sich etwas nicht zusammenreimen, und sofort kriegt der andere seinen Stempel: undurchsichtig, unsauber, verlogen, verrückt, unmoralisch – kleinbürgerlich! Und dabei bleibt es.

Unser familiäres Klima, das wiegt alles andere auf. Ich könnte es ja auch so wie gewisse Frauenrechtlerinnen machen, die wie die Wilden schießen, weil man es ihnen erlaubt hat, die über ihre Männer schimpfen, weil sie ihnen den Abwasch nicht abnehmen oder die Scheißwindeln von den Kindern. Sie rennen Amok, die kommen nie zu einer Verständigung mit ihrem Mann. Man muß lernen, die kleinen Veränderungen beim andern wahrzunehmen, und sich vor allem selber ändern. Ohne Liebe bleiben diese ganzen Emanzipationsversuche ein Krampf. Was nützt es den Frauen, wenn sie sich *gegen* ihren Partner emanzipieren? Ich sehe eine Menge Zerstörerisches. Alles, was hemmt, sich einem in den Weg stellt, Leiden verursacht, das eigene Glück beschneidet, wird bekämpft. Ich glaube, man kann nur von Kompromiß zu Kompromiß gehen. Wenn man aus einer Bindung aussteigt, muß man bei einer neuen wieder von vorne beginnen, denn man läuft ja nicht vor sich selber davon. Die Schwierigkeiten, die man hat, überträgt man auf den anderen. Ist man selber ungeduldig, lieblos oder gemein, bezichtigt man natürlich den Partner, ungeduldig, lieblos oder gemein zu sein. Ist auch ein alter Hut. Eine kluge Frau hat gesagt, daß wir uns auf die alten humanistischen Ideale besinnen sollten. Nachgeben, Gütigsein, Dienen sind in schlechten Ruf gekommen im Zeitalter der Emanzipation. Man müßte aufpassen und unbeirrbar tun, was man für richtig erkannt hat.

Ich bin Sekretärin, schön und gut, aber ich bin auch ich, ich bin Rosa, Tochter von A. R. Daß in mir noch eine Menge drin ist, das ich nicht ausschöpfen kann, das spüre ich, und das macht mir Mut zum Weitermachen. Die Sekretärin ist purer Zufall, es gibt Schöneres, als Handlanger für ehrgeizige Männer zu sein. Aber ich habe keinen Ehrgeiz, ich kann gut zurückstecken. Ich kann mir nicht vorstellen, was sich groß ändern würde, wenn ich Kranführerin wäre oder Geflügelzüchterin oder Dichterin. Ich finde es beschämend, was manche jungen Menschen an Weltschmerz verdampfen, nur weil sie ihren Traumberuf nicht kriegen oder weil ihnen einer Schwierigkeiten macht. Damit rechtfertigen sie ihre Unfähigkeit, mit irgendwas selbständig fertig zu werden. Unsre Schulen sind da nicht schuldlos. Jetzt haben sie mir einen Chef vor die Nase gesetzt, nachdem der gute Alte an Hirnschlag gestorben ist, der ist unfähig zur kleinsten Entscheidung. Ich habe ein selbständiges Arbeitsgebiet, und wenn ich es gut mache, verliert er kein Wort, dafür werde ich bezahlt. Aber wenn ich einen kleinen Ausrutscher mache, dann wird Gericht gehalten, vor versammelter Mannschaft, allein ist er zu feige. Er hat es mit der Gerechtigkeit, das macht mich verrückt. Was er da macht, ist zwar eine Gemeinheit, aber gerecht, eine Gedankenlosigkeit, aber gerecht, grausam, aber gerecht. Ein Theoretiker, frisch von der Hochschule, voller Rosinen. Mich nimmt er nicht ernst, weil ich so blöde praktisch bin und mich auf Erfahrungen verlasse. Männer haben eben einen weitreichenden Verstand, und Frauen sind für die praktischen Dinge zuständig. Das ist vielleicht ein Affe! Papiere, Mitteilungen, Verordnungen, Protokolle, Berichte, Bestätigungen, Erlasse, alles schriftlich, obwohl es auch ein Telefon gibt. Auf das Telefon ist aber kein Verlaß. Ich habe eine Nase entwickelt für das, was man wegwerfen kann, ohne daß ein Hahn danach kräht. Mein Chef toleriert das schweigend, weil die Vorteile auch für ihn auf der Hand liegen, wenn aber solch ein Schriftstück doch noch einmal gebraucht wird, kriegt er glasige Augen und teilt mir schriftlich mit, was er davon hält. Der scheut jede Konsequenz. Konsequent sein, das war doch eine der stolzesten männlichen Eigenschaften. Mütter sind weich und nachgiebig und ein wenig dumm; Väter sind hart, konsequent und klug, nicht?

Da habe ich gerade durchs Fernsehen vernommen, welche Eigenschaften für uns Frauen typisch sein sollen, das haben westliche Wissenschaftler entdeckt: Passivität, Abhängigkeit, Konformismus, Ängstlichkeit, Nervosität, Narzißmus, Gehorsam. Ich bin also ein Mann, dem nur das Stückchen Schwanz fehlt. Oder ich lebe in einer anderen Welt, in der man sich schon andere Charaktereigenschaften zulegen darf. Und den Herren der Schöpfung wurde folgendes zugebilligt: Aggressivität, Gefühl für soziale Rangordnung, größere Risikobereitschaft. Erhöht sich allerdings die Aggressivität der Männer, sinkt ihre Intelligenz. Das kann ich bescheinigen. Bei den

Frauen liegts andersherum. Höhere Aggressivität ist mit höherer Intelligenz gekoppelt. Soll eine Angelegenheit der Hormone sein. – Wo sind wir stehengeblieben? Ach ja, unser sozialistischer Konformismus. Wie soll eine Gesellschaft weiterkommen, die nicht mehr in Frage stellt, nicht mehr verändern will, Risiken scheut? Da hätten wir doch den lieben Gott und die Dogmen unserer Großeltern übernehmen können. Zweifeln, Forschen, Fragen, das sind alles Dinge, die uns abhanden gekommen sind.

Schon mit den einfachsten menschlichen Beziehungen hapert es. Wenn einer Kummer hat, wenn es bei einem ans Sterben geht, wenn einer Krebs hat oder wenn er Pole ist – ich weiß, was ich sage –, wenn einer irgendwie aus der Norm heraustanzt, da versagen wir. In unserem Hof ist ein Kind ertrunken, beim Spielen in die Regentonne gefallen. Die Leute haben einen Riesenbogen um die armen Eltern gemacht, sie haben sich gewunden, in eine andere Richtung geguckt oder Dummheiten geredet. Es war bestimmt nur Hilflosigkeit, aber woher kommt denn die, woher kommt dieses feige Verhalten, wieso sind wir so schlecht aufs Leben vorbereitet, was lernen wir eigentlich in den Schulen? Das sind doch Fragen, nicht? Und denkst du, bei gebildeten Leuten ist das anders? Wir haben hier ein paar Intellektuelle wohnen, die sind mit Scheuklappen auf die Welt gekommen. Ich könnte dir sagen, geh zu Frau Sch., die führt ein interessantes Leben, die soll auch mal auspacken. Aber das wird sie nicht tun, das kann sie gar nicht, weil sie ihre Lage überhaupt nicht begreift. Die leidet stumm wie ein Fisch und verbittet sich jede Annäherung. Stolz und mißtrauisch, die braven alten Bürger! Man geht natürlich zu den Parteiversammlungen und läßt keine falsche Diskussion aufkommen, so wie ihre Eltern früher in die Kirche gegangen sind und keine Fragen über Gott zuließen. Wenn du ein bißchen an der roten Farbe kratzt, kommt der ganze alte Mist hervor, eine Tapete nach der andern, zurück bis zu Kaisers Zeiten.

Ich habe andere Häuser kennengelernt. Meine Mutter wohnt noch heute in dem Haus, wo ich aufgewachsen bin. Dort hat man mir von klein auf beigebracht, wie Menschen einander beistehen können, nicht nur mit Salz und Mehl. Im Krieg haben die Frauen den Luftschutzwart entlassen, weil er sie bespitzelt hat, und nichts ist ihnen geschehen, weil es so viele waren. Wir Kinder haben während der Bombenzeit in den Kellern gelebt. Das wäre überhaupt nicht möglich gewesen, ohne daß wir schweren Schaden genommen hätten, wenn dieser hervorragende Zusammenhalt unter den Frauen und den alten Männern nicht gewesen wäre. Heute noch finde ich es wunderbar, wenn ich in dieses Haus gehe, wenn die alten Frauen ihren Kopf aus dem Fenster stecken und über den Hof rufen: Die Rosi ist wieder da. Darf man denn noch du zu dir sagen, Rosi?

Wenn sie an einen geraten, der nicht nein sagen kann, dann hat man auf einmal tausend Verpflichtungen auf dem Hals. Da muß man sich die Zeit stehlen, um seinen Interessen nachzugehen: Handarbeiten, Muster entwerfen für Wandteppiche, lesen oder mit Ihnen dieses Tonband besprechen. Das Band läuft schon? Ach je. Wenn ich mich nicht beobachte, habe ich eine sehr läppische Aussprache. Da kriege ich Zustände, wenn ich mich selber höre. Man muß sich kontrollieren.

Wollen wir uns nichts vormachen: Die Überbelastung des Lehrers ist groß. Er muß der kommenden Generation auf den Weg helfen, von seiner Einstellung zur Gesellschaft wird viel mehr verlangt als von anderen Berufstätigen. Das ist richtig, aber manchmal hat man die Kraft nicht, da denkt man sich: Laßt mich bloß zufrieden, schreibt, was ihr wollt, denkt euch was aus, aber laßt mich zufrieden. Ich weiß nicht, wies an anderen Schulen ist, aber an unserer Schule wird die Persönlichkeitsentwicklung der Kinder sehr ernst genommen. Wenn es Schwierigkeiten gibt, wird jeder Lehrer erst mal nach den Ursachen fragen und den Fehler bei sich selbst suchen. Das ist bestimmt noch nicht typisch, aber es ist typisch für unsere Schule. Darum fühle ich mich dort sehr wohl und geborgen. Ich meine, solche schwachen Momente, wo man einfach Zettel an die Eltern schreibt oder Eintragungen ins Hausaufgabenheft macht, weil man nicht weiterkommt, die haben wir auch. Wenn wir aber merken, daß so etwas ein Lehrer intensiv betreibt, dann sprechen wir mit ihm und suchen andere Wege.

Unser Chef ist kein besonders guter Leiter. Ich meine, ein Leiter muß auch mal treten können. Ja, ich meine wirklich treten! Nicht seine engsten Mitarbeiter. Meinetwegen, wies bei uns war, daß Schüler strafversetzt werden in unsere Schule, wir wollen sie aber nicht. Unser Chef kann nie nein sagen, er kann nie widerborstig sein. Er hat sehr viele menschliche Vorzüge, viel Geist, macht alles auf die ruhige, menschliche Tour. Das ist für die Kinder gut. Aber da wir noch nicht im Kommunismus leben und noch zu unterschiedlich sind und oft Eigenarten haben, die für einen Lehrer nicht gut sind, kann man nicht alles laufenlassen. Manchmal machts Spaß mit ihm, weil man mitregieren kann. Aber wiederum möchte man auch wissen: Mach ich meine Arbeit gut, ist man zufrieden mit mir? Unser Chef hat die Devise: Du weißt ja selbst, was du zu tun hast, ich verlasse mich auf dich.

Warum ich Lehrerin werden wollte? Kann ich Ihnen auf Anhieb sagen. In der Unterstufe hatten wir einen Lehrer, der war nicht beliebt, der hat Schüler vorgezogen, andere ungerecht behandelt und hat Kümmernisse der Kinder als Lappalien abgetan. In der fünften Klasse kam ein neuer Klassenleiter. Probleme, die ich mit meiner Mutti hatte, hat er geklärt, wie ein Vater, und nicht nur bei mir, sondern bei allen. Der hat gewußt, daß man Schule und Freizeit nicht trennen kann und daß man immer da sein muß für seine Klasse. Das hat dann solche Ausmaße angenommen, daß von siebenundzwanzig Schülern dreizehn Lehrer werden wollten. Und nur einer ist angekommen. Ich bin auch nicht angekommen. Aber mein Traum wars eben. Ich wollte werden wie er. Da mußte ich eben den gleichen Beruf haben, mußte Genosse werden, ich mußte alles so machen, wie er es gemacht hat. Nun hatte ich ein bißchen Fähigkeiten in Chemie, da hab ich erst mal bei Erdgas angefangen. Dann wars aber so, daß mein Mann, den ich schon kannte, von der Armee zurückkam und wir beizeiten ein Kind gekriegt haben. Damals wars mit Krippenplätzen noch schlecht, da hieß es: Was wollen Sie denn? Sie haben doch einen Ernährer. Da bin ich zu Hause geblieben. Hab bei Schwiegermutter gewohnt, und die Großmutter von meinem Mann hat auch da gewohnt. Wenn so viele Generationen in zwei Zimmern hausen, gibts Krieg. Und wenn man die Schlacht nicht kämpfen darf, dann geschiehts eben im ehelichen Bett, ist Fakt. Da läßt man den Mann gar nicht mehr ran vor lauter Gnatz. Ich sah nur einen Ausweg: Wir bewerben uns in einer Neustadt, dort bieten sie uns am schnellsten eine Wohnung und einen Krippenplatz. Na ja, zu einer guten Ehe gehört eben auch Geld. Bin erst mal Pionierleiterin geworden, hab einen schweren Start gehabt, aber immer den großen Traum vor Augen: Einmal Lehrer sein! Die FDJ hat es sich damals einfach gemacht, indem sie Pionierleiter einstellte, die keine pädagogische Ausbildung hatten. Die haben sie auf die Kinder losgelassen. Ich hatte immerhin fünfhundert Mark ausbezahlt, da verdienen die Frauen bei Erdgas ihr Geld schwerer.

Dann hatten wir erst mal eine schöne Zweizimmerwohnung. Wir sind nicht prüde, nicht, daß ich mit Stefan nicht bade oder nie nackt herumlaufe, aber Stefans Bett stand neben unseren Ehebetten, und dann gabs ja auch Zeiten, wo das von uns betrieben wurde, und Stefan immer daneben, der war schon drei. Da hab ich gesagt: Wir ziehn um! Haben durch Zufall nach N. getauscht, die Zweizimmerwohnung gegen diese Dreizimmerwohnung. Alles bestens. Zu der Zeit habe ich auch mit der Ausbildung angefangen. Zuerst ein halbes Jahr Direktstudium, dann drei Jahre Fernstudium. Stefan war während des ersten halben Jahres bei meinem Mann. Der hat voll die Pflichten übernommen, daher resultieren seine Kenntnisse im Kochen und bei der Wäschepflege.

Werner ist von Beruf Werkzeugschlosser, hat ein Studium angefangen, hat es wieder aufgegeben, mir zuliebe, weil ich weiter wollte. Aber es war auch Ausrede, er hat wenig Lust zum Studieren. Er übt seinen Beruf ja gerne aus, verdient auch ordentlich Geld damit, und so ist alles bestens.

Es bringt natürlich Probleme mit sich. Als ich mit dem

Studium angefangen habe, war ich klein und unwissend. Ich bin wirklich mit dem Studium gewachsen, das hat Werner erlebt. Als er allein hauste, hat er mir Geld geschickt, recht knapp, und ich hab mir das gefallen lassen. Ich meine, zu Hause konnten wir auch keine großen Sprünge machen, und während des Studiums mußte man maßhalten, die Wohnungseinrichtung zusammenkriegen, Kostgeld im Internat bezahlen. Nach den drei Jahren ließ ich mir aber in nichts mehr dreinreden, ich akzeptierte keine Zuteilungen mehr. Ich wollte endlich raus aus der Enge, egal mit welchen Mitteln. Ich bin keine Feine. Da gabs dann Momente von Kaufwut, wo ich einfach für zweihundert Mark Bücher und Schallplatten kaufte, um ihm zu beweisen: Ich bin wer!

Wir haben oft eine Woche nicht miteinander gesprochen. Dann habe ich wieder wortstark versucht, die Gleichberechtigung durchzuziehen. Wenn man gut verdient, muß man nicht auf dem Geld sitzenbleiben. Man muß nicht unbedingt auf ein Auto sparen, man kann sich ja auch geistige Nahrung verschaffen. Was ich auch nachzuholen hatte, war modische Kleidung. Wir stritten uns immer um Geld. Dieses Problem ist jetzt geklärt, dafür kommen andere auf uns zu. Meinetwegen, daß sich schlechte Charaktereigenschaften bemerkbar machen. Ich meine, in der Schule stellt man was dar, da muß man eben ab und zu kommandieren. Und das kann ich zu Hause oft nicht abstellen. Stefan kennt das, der richtet sich darauf ein. Aber bei Werner ist das so, daß er irgendwie doch Mann sein will. Er ist ein ruhiger Partner, aber oft wird es ihm zu viel. Eigentlich spreche immer ich, und er sagt ja oder: Ach hör auf, du willst immer recht haben. Und damit ist die Auseinandersetzung gelaufen. Es geht mir wie manchem Arbeiter, der seinen Verbesserungsvorschlag macht, und der Chef hat nie Zeit. Dann sagt man sich: Du kannst mich mal. So ists bei uns. Wir haben uns lieb, keiner hat die Absicht, sich scheiden zu lassen. Aber: Laßsiedochplappern, laßdochallessoweiterlaufen!

So richtige Trotzreaktionen, daß man meinetwegen mal fremdgeht, weil man so gnatzig auf den andern ist, die gibts bei uns nicht. Ich hatte nur ein einziges Erlebnis. Vor Jahren war unser ganzes Pionierleiterkollektiv in der ČSSR, lauter Weibchen, wie das so ist. Wir waren auf einer Berghütte, und da gab es ebendiesen Urlauber aus Prag, groß, blond, braungebrannt. Auf diesen Typ flog die ganze Pionierleitermannschaft. Für mich stand das Problem Fremdgehenwollen überhaupt nicht. Ich war einfach das erstemal im Ausland, weg von meinem Mann, ohne Pflichten. Ich war außer Rand und Band. Und ausgerechnet mich hat dieser Mann als die Schönste empfunden, ist Fakt. Nun kann man in einem Kollektiv schlecht irgendwelchen Zauber veranstalten. Es gab Küßchen mit Spazierengehn und Händchenhalten, jawohl. Aber das war so intensiv, daß ich im Mai darauf, zu meinem Geburtstag, eine Fahrt nach Prag wünschte, die mir mein Mann finanzierte.

Vielleicht wars gut, vielleicht wars schlecht, ich weiß es nicht; am Tag, als ich fahren sollte, da hat mein Mann alles erfahren. Er kam angebraust, hat die Wohnungstür zugeschlossen, Schlüssel weg, und draußen wartete das Taxi. War das affig! Ich habs aufgegeben. Männer sind ja triebhafter als Frauen, als ich diesen Tschechen nicht so bald wiedersehen konnte, schlief eben von seiner Seite alles ein.

Jedenfalls hab ich dann gewußt, daß die Arbeit, die ich mit Kosmetik leiste, etwas nützt. Damit wir uns verstehen, Flirt reicht mir. Vielleicht bin ich nicht an den richtigen Mann geraten, oder ich bin wirklich so, ich weiß es nicht, ich mag weder gern küssen noch gern einen Beischlaf haben. Mein Mann ist zum Glück ein ausgeglichener Partner. Ich weiß nicht, ob ers braucht, jedenfalls wird das bei uns selten betrieben. Nur als wir ein Baby wollten, wurde das so intensiv, daß es sogar ihm zu viel wurde. Werner hat sich das abgewöhnt in den dreizehn Jahren. Und ich vermisse nichts. Ich sage, wies ist. Vielleicht haben wir die Technik nicht raus. Werner hat vor der Ehe viele Frauen gehabt, wie das bei der Armee üblich ist, aber für mich war er der erste Mann und wird es auch bleiben. Ich habe nichts vom Beischlaf, warum soll ich mir noch einen anderen suchen? Ich empfinde es einfach nicht als schön, es ist eine Belastung. Ich tu so, als ob ich mich hingebe, um Werner eine Freude zu machen. Zuerst hab ich gedacht, er kriegt das mit, aber er glaubt daran. Zärtlichkeiten ja, die habe ich gern. Wenn Werner nach Hause kommt, wenn ich mich auf seinen Schoß setzen kann, um ein wenig gekuschelt zu werden ... Aber das artet dann gleich so aus! Da könnte ich das erstbeste Stück nehmen, so wütend werde ich. Früher war nichts Schlimmes dabei, wenn eine Frau kalt war. Heute macht man sich Gedanken darüber, weil so viel über diese Dinge gesprochen wird, und wie wichtig sie angeblich sind. Ich meine, ich habe nicht direkt Komplexe deswegen, ich müßte nur mehr an mir arbeiten. Mein Mann ist aber nicht gerade der überzeugende Liebhaber, der mich allmählich dahin führt. Entweder brutal oder: Na ja, lassen wirs. Einmal ist er tief beleidigt gewesen, weil ich das Licht angemacht und geguckt habe, wie spät es ist. Bist du denn noch nicht fertig? Da wars aus. Ich hab gedacht, er braucht mal so einen Schock, anders krieg ich ihn nicht nüchtern. Aber daß die Ehe darunter leidet, kann man nicht sagen. Ich meine, dort, wo Liebe ist, ist auch Eifersucht, und die muß man nähren, in Maßen. Wobei ich wahrscheinlich zu eifersüchtig bin. Mein Mann arbeitet oft länger, um Geld fürs Auto hereinzukriegen. Heute abend kommt er erst um sieben, und so geht es die ganze Zeit, und manchmal ist das so, daß ich direkt was heraufbeschwöre: Na, wo warst du denn? Wie riechst du denn?

Ach, dieses Telefon! Morgen hat ein Lehrer Geburtstag, da mache ich wieder den Clown vom Dienst. Ich bin sehr kontaktfreudig, ich könnte jeden Tag viele Leute um mich haben. Meinem Mann behagt das nicht so sehr, er mag das Behaglich-Häusliche mehr. Manchmal geht er in den Klub mit, aber da muß er sich sehr überwinden, er hat nicht den Unternehmungsgeist wie ich.

Freunde haben wir eigentlich nur auf meiner Seite. Das hört man oft, daß Frauen die Aktiveren sind. Wenn ich mal ganz hoch sprechen will, meine Freundschaften reichen von Direktoren bis zu unserem Schulwart. Aber es artet nicht aus. Konservativ sind wir vielleicht, wir besuchen unsere Freunde nur, wenn wir eine direkte Einladung haben. Das ist in Neustädten so. Da ist man eben nicht so schnell von einer Tür zur anderen, meinetwegen aus dem Gefühl heraus: Heute könnste mal einen Affen loslassen. Das passiert nicht. Den Affen muß ich zu Hause loslassen. Wenn es mir richtig schlecht geht, ich weiß nicht, ob ich dann eine wirkliche Freundin habe. Aber es geht mir ja nicht schlecht. Es gab mal eine Freundin, das war – vielleicht ist das anrüchig – Liebe auf den ersten Blick. Aber wir haben uns so selten sehen können. – Stefan, gehst du in die Kaufhalle, wir haben keine Eier. – Mit dieser Freundin bin ich oft alleine ausgegangen, Männer fangen, tanzen, trinken. Vielleicht ist es so, daß ich mich im Geben und Nehmen noch sehr ungeschickt anstelle. Freundschaft will ja auch gelernt sein. In N. habe ich jedenfalls noch niemanden gefunden, seit diese Freundin weggezogen ist. N. hat mir in erster Linie eine Qualifizierung geboten, eine schöne Wohnung und einen bequemen Arbeitsweg. Ein bißchen ist mir diese Stadt schon Heimat geworden. Es ist eine junge Stadt, und die Leute, die hier wohnen, sind auch jung. Letztendlich ist es eine Chance für uns alle. Mit dem Herziehen begann eigentlich mein Erwachsensein. Ich ließ alle Verwandten und Freunde zu Hause zurück. Meiner großen Schwester, die viel für mich getan hat, bin ich jetzt über den Kopf gewachsen.

Sehr vermisse ich auch unser Theater. Weil ich ein freundlicher Mensch bin, zieht mich besonders die Oper an, sie ist oft traurig und sentimental, das ist mein Ausgleich. Jazz mag ich, ich tanze aber nicht gern. Ich sammle Märchenbücher, weil ich der Meinung bin, daß ich über die Märchen die Völker und ihre Eigenarten kennenlerne, und weil ich auch die Kinder dann besser verstehe. Es ist vielleicht komisch, aber ich liebe unheimlich Turgenjew. Der hat eine Sprache, so romantisch und lyrisch, daß ich mir wünsche, so sprechen zu können im Unterricht, um die Phantasie der Kinder anzuregen, damit sie ihr Innerstes aufs Blatt bringen. Ich lese auch gern Gedichte. Die neue Art zu schreiben liebe ich nicht, ich habe die Einstellung nicht dazu. Vielleicht hat sich die Welt so verändert, daß die Schriftsteller anders schreiben müssen, dann bin ich eben von gestern. Unserem Leben fehlt die Poesie, die vermisse ich am meisten. Da nehme ich Zuflucht zu den alten Russen, die hatten noch Gefühl. Vielleicht ist das eine sehr einseitige Liebe, aber die Menschen brauchen nicht viele Bücher. Den ›Wundertäter‹, Teil 1, liebe ich auch, den habe ich schon ein paarmal gelesen, da ist unheimlich viel Eigenes drin. Das hat mich zurückversetzt in eine schöne Zeit meiner Kindheit. Ich hatte einen väterlichen Freund, einen alten Schäfer. Dem ist ein Sohn gefallen im Krieg, er wollte mich am liebsten adoptieren. Ich bin überallhin mitgezogen, ich war im Stall und habe zugesehen, wie die Lämmer geboren wurden. Die Lämmer streicheln, das ist ein wunderbares Gefühl. Und der Schäfer streichelte mich wiederum. Seine Frau hat geweint, wenn ich wieder da war, vor Freude. Jetzt sind sie Rentner, und als ich sie letztens besuchte, war ich das kleine Mädchen: Ziehst du dich auch warm an, Dorle? Bist du noch immer so wild?

Mir hat ja immer der Vater gefehlt. Ich leide darunter, nie einen besessen zu haben! Ich habe mich immer danach gesehnt, daß mein Mann mir auch ein Vater wird. Aber dafür ist Werner zu jung. Mein Vater war Fremdarbeiter bei Hitler. Meine Mutter war früher verheiratet gewesen, mit dem Vater meiner Geschwister. Ich weiß keine Einzelheiten, jedenfalls wurde die Ehe geschieden, und meine Mutter lernte meinen Vater kennen, der im französischen Lager gelebt hat. Ich habe nach dem Krieg Freßpakete übers Rote Kreuz bekommen, von meinem Vater, aber ich habe ihn nie gesehen. Meine Mutti wurde bald auf Rente gesetzt, weil sie immer krank war. Wobei sie es so arg trieb, daß wir meinten, sie hat einfach Angst vor den Menschen und verzieht sich in ihr Schneckenhaus. Das war immer schrecklich für mich. Ich hatte eine sehr ernste, leidende Mutter. Später habe ich Ersatz gefunden in meiner Schwester, die zwölf Jahre älter ist, und in meinem Bruder, der aber bald seiner Wege gegangen ist. Manchmal holte mich ein Cousin meiner Mutter, der war sehr lustig und hatte vier Mädchen, und ich war furchtbar eifersüchtig, weil die einen Vater hatten. Ich war ganz selig, wenn er mich in die Luft warf oder zum Abschied küßte. Aber das ging bald in die Brüche, weil man sich einiges vorzuwerfen hatte in der Familie. Seine Frau warf meiner Mutti vor: Wer weiß, von wem die Kleine stammt, du Hure! Weil meine Mutti das zuerst für sich behalten wollte, es war ja ihre große Liebe. Mich hat das verrückt gemacht, daß ich nicht wußte, woher ich stamme. Ich weiß nicht, warum meine Mutter sich so hineingesteigert hat in diesen Verlust. Mein Vater hat in Frankreich wieder geheiratet. Ich meine, man darf in eine Sache nicht mehr hineinlegen, als rauszuholen ist. Wenn ich mich im Krieg mit einem Ausländer einlasse und damit rechnen muß, von der Gestapo geschnappt zu werden, dann muß ich letztendlich auch so weit denken, und meine Mutti ist ja keine Dumme, daß mal Schluß sein wird. Ich meine, wenn das mit dem Tschechen was geworden wäre, dann hätte ich das auch durchgestanden, ohne meine Umgebung damit zu belästigen. Das gibts doch gar nicht. Meine Mutti kann ihr Letztes hergeben, aber Wärme strahlt sie nicht aus. Als ich schwanger war, wurde ich direkt hinausgeekelt: Der heiratet dich sowieso nicht, du mußt dankbar sein, wenn dich überhaupt einer nimmt. Das hab ich mir anhören müssen, immer so herabsetzend. Meine Schwester hat mir viel geholfen. Heul nicht, Doris, hat sie gesagt, unsere Mutter hat meinen Vater schon mit fünfzehn Jahren gehabt, du hast erst mit siebzehn angefangen, sie tut dir unrecht. Meine Mutti war schon nett zu mir, sie hat mir sogar Haferflockensuppe gekocht, bevor ich in die Schule ging, und hat mich mit Kuß entlassen. Aber je mehr ich mündig wurde, um so mehr Gnatz gab es. Vielleicht aus Angst, mich auch noch zu verlieren. Am liebsten hat sie es gehabt, wenn ich in der Wohnung war und nicht wegging. Sie mußte belogen werden, damit ich überhaupt mal hinauskonnte.

Meine Schwester ist früh aus dem Haus gegangen, die wurde unser Ernährer, und von meinem Bruder kam auch ab und zu Geld. Denn mit hundertfünfzig Mark Invalidenrente, für mich bekam sie ja weder Alimente noch sonst was, ist das Leben sehr schwer. Viele haben die Kraft, sich aus diesen Verhältnissen zu befreien. Aber meine Mutti blieb immer drin, sie hatte überhaupt keinen Lebenswillen. Als ich nach Erdgas ging, hab ich gut verdient, da hab ich mein ganzes Geld abgegeben, dreißig Mark bekam ich als Taschengeld. Meine Geschwister sagten: Mutti wird bestimmt für deine Aussteuer sparen, Doris. Aber war nicht so. Als wir heirateten, fingen wir mit nichts an. So daß bei allen guten Tochtergefühlen, die ich habe, auch Vorwurf und ein bißchen Verachtung da ist, weil sie aus ihrem Leben nichts gemacht hat. Und weil sie sich auch nie überwinden konnte, den Rat von andern objektiv anzuhören. Ich meine, das Geistige fehlt ihr. Auf diesem Gebiet waren meine Geschwister für mich Vorbilder, die haben beizeiten dafür gesorgt, daß ich mich mit der ernsten Kunst befaßte. Die Klassiker, die jetzt dort stehn, das waren meine Traumbücher in der neunten Klasse, die hab ich von meiner Mutti bekommen. Sie mußte sich die vom Munde absparen. Bloß, sie konnte das alles nicht mit mir gemeinsam verarbeiten. Sie blieb immer draußen. Und ich wollte weiter.

Jetzt hat sie wieder geheiratet, und dieser Mann hätte mir ein Vater sein können. Sie hat uns geschrieben: Ich heirate, denkt nicht schlecht von mir, ich habe gewartet, bis ihr alle aus dem Haus seid. Bloß, sie wußte doch, wie sehr ich auf einen Vater gewartet habe! Warum hat sie nicht früher geheiratet? Letztens hat sie mir eine Eifersuchtsszene vorgespielt, weil ich ihm einen Kuß geben wollte aus Freude darüber, daß er mir was geschenkt hat. Als ob ich mit einem alten Mann was anfangen könnte, wo mich nicht einmal ein junger befriedigen kann. Und ihr Mann ist auch nicht der Typ, der sich lächerlich macht.

Ein Mann möchte ich aber nicht sein. Jede Frau kann heute selbst ihren Mann stehn. Trotzdem bleibt sie umschwärmt und im Mittelpunkt. Na ja, manchmal, wenn ich meine Regel habe, dann könnte ich verrückt werden. Warum kriegt *er* denn das nicht? Ich glaube, eine Frau, die sich ihre Position erkämpft hat, die hilft schon mit, daß der Mann ein bißchen gedrückt wird und seine Rolle nicht mehr so ausüben kann wie mal im Bürgertum. Das bringt die Männer in Konflikte, klar. Neu ist die Situation auch für uns Frauen, aber wir sind stärker und ehrgeiziger, wir haben nachzuholen. Da kann man nicht so viel Rücksichten nehmen. Wenn man die Prüfung in der Ehe bestanden hat und die eigene Meinung verteidigen kann, dann gewinnt man natürlich auch Standfestigkeit im Beruf. Dann empfindet man die Männer in manchen Momenten als ein Nichts. – Stefan, hast du frische Eier bekommen? – Ich kenne die Argumente der Männer und weiß, hier kannst du sie widerlegen durch dies und jenes. Die meisten Männer sind doch verheiratet, ich weiß ungefähr, wie die Gedanken ablaufen hinter solchen Stirnen, ich hab ihnen dann was voraus und kann kontern. Ich fühle mich natürlich sehr wohl, wenn ich auch in beruflichen Dingen den Mann besiegt habe.

Wenn Frauen im Beruf was darstellen wollen, dann fängt das mit ganz primitiven Mitteln an, die beim Mann überhaupt keine Rolle spielen. Kleidung, Auftreten, Kosmetik, wir brauchen diese Mittel, um anerkannt zu werden. Wenn man Menschen nach ihrem Innern beurteilen will, braucht man viel mehr Zeit. Manchmal habe ich nicht die Ruhe, so lange vorm Spiegel zu stehn oder zum Friseur zu gehn. Manchmal habe ich auch gar nicht das Verlangen danach. Aber ich weiß, was von mir erwartet wird. Es ist oft wie ein Wettrennen. Ich meine, wenn ich jetzt zum Kreisschulrat muß, dann verwende ich mehr Zeit vorm Spiegel, um inneren Halt zu bekommen und das richtige Auftreten. Ich weiß, vom Äußeren her kann mir niemand was.

Ich glaube, daß ich mein Leben selbst gestalten kann. Letztendlich muß man auch mal an den Tod denken. Ich denke manchmal daran, weil ich wissen möchte, wie mein Mann reagiert, wie der Stefan reagiert oder wie andere Menschen auf meinen Tod reagieren, einfach aus dem Motiv heraus: Was bist du ihnen wert? Was würde der Welt fehlen? Wenn ich irgendwelche Entscheidungen treffe oder zu Hause Gnatz habe, das ist eine merkwürdige Angewohnheit, da kann ich mittendrin anfangen zu lachen, weil ich mir einbilde, das Ganze wird gefilmt. Wenn ich in einem so komischen Film die Hauptrolle spiele, da kann ich nicht mehr böse sein. Da denke ich mir: Mensch, Doris, wie kommt das bei den Zuschauern an, wenn du dich so hysterisch aufführst und immer auf dein Recht pochst?

Angst vorm Altwerden habe ich nicht, obwohl ich schon dreißig bin. Die Frauen haben heute alle Mittel in der Hand, um jung zu bleiben. Wenn man in der Sybille sieht, wie Frauen mit fünfzig wirken können, dann weiß ich heute schon, daß ich immer mit der Mode gehen werde.

Was mich eine Zeitlang beschäftigt hat, das ist die Sache mit dem Glauben. Meine Geschwister sind in der Kirche, und ich habe einen anderen Glauben. Wir haben aber im Grunde genommen die gleiche Auffassung, was zum Menschsein gehört. Meine Geschwister sind so geworden, wie Mutti es wollte. Und ich bin durch den Klassenleiter eben zum Marxismus gekommen. Ich würde niemandem einen Vorwurf machen, der an Gott glaubt. Aber wenn Menschen, die Genossen sind und eine Sache begriffen haben, keinen festen Standpunkt haben, *das* mache ich ihnen zum Vorwurf, abgesehen davon, ob alles richtig ist oder nicht. Man kann nicht beides vereinbaren: den kirchlichen Glauben und den marxistischen Glauben!

Die größte Rolle spielt letztendlich die Arbeit in meinem Leben. Und dann die Rolle als Mutter. Ich habe ein sehr enges Verhältnis zu meinem Sohn. Er weiß vieles von mir, daß es meinetwegen diesen Tschechen gab, was er meinem Mann nie erzählen würde. Es ist vielleicht nicht richtig, aber ich möchte das so haben, weil ich dieses Vertrauensverhältnis in meiner eigenen Erziehung sehr vermißt habe. Die Rolle als Hausfrau gefällt mir nicht. Abwaschen, staubsaugen, das machen Stefan und Werner viel besser als ich. In der Rolle als Ehefrau und Geliebte bin ich auch nicht glücklich, weil ich weiß, daß ich große Schwächen habe und noch vieles verbessern könnte. Damit ist eine Seite des Glücks zu kurz gekommen. Vielleicht stürzt man sich deshalb so in ein anderes Glück, das man besser bewältigt.

Wenn ich einen Wunsch offen hätte? Materialistisches wollen Sie nicht hören, nein? Ich meine, man wünscht sich ja immer Geld. Man denkt immer: Wenn ich viel Geld habe, kann ich mir viel kaufen. Man will ja in erster Linie glücklich sein, nicht? Ich würde mir auch sehr wünschen, daß ich einen Studienplatz kriege für Diplompädagoge, um später Direktor zu werden. Ich möchte nicht mein Leben lang Unterstufenlehrerin bleiben. Ich will testen, wo meine Grenzen sind. Manche Bekannte sagen: Wo die Grenze ist, weißt du nie. Warum nicht? Man wird doch mal an eine Grenze kommen, wo man sich sagen muß: Jetzt passe ich.

Letztendlich, wenn ich mal achtzig bin, dann hat sich alles so reduziert, stelle ich mir vor, dann kann ich mich nur mehr an Momente erinnern, wo ich glücklich war, auf der Arbeit oder mit Stefan. Das Gute behält der Mensch ja Gott sei Dank länger im Gedächtnis als das Schlechte. Das nennt man retrospektive Verfälschung. Glücklich war ich auch, als ich ein Paar Stiefel im Exquisit bekommen habe. Das sind Momente, die wichtig sind für eine Frau. Man kann Glück vielleicht besser definieren, wenn man älter und erfahrener ist. Was Glück für mich bedeutet, kann ich nicht so sagen, ich weiß nur, daß ich nicht unglücklich bin.

## BARBARA
Schaut her, hier ist auch eine!

Warum wollen manche Frauen nicht erkannt werden? Wenn ich mich gebe, wie ich bin, können die andern doch besser eingehen auf mich, weil sie wissen, ich bin eben so. Wenn ich mich verstecke, sind auch die Menschen anders, dann komme ich nie zurecht. Ich bin offen, aber ich erzähle nicht viel. Einem sagt mans, weil man weiß, es kommt was anderes von ihm zurück. Beim andern fragt man sich: Warum soll ichs ihm denn sagen? Bloß, daß ers weiß? Oder damit ichs loswerde? Wenn ich nach Hause komme, dann erzähl ich eigentlich immer, ohne daß sie lange fragen müssen. Dadurch, daß ich viel unterwegs bin, bin ich oft so erfüllt, und da reagieren die Eltern schön, sie freuen sich richtig, das macht Spaß, nicht?

Während des Studiums habe ich Karin kennengelernt. Karin ist eigentlich der erste Mensch, na, wie denn, der erste richtige Freund. Wenn einem das bewußt wird, das ist schön. Wie ist denn das mit uns? Jeder hat Achtung vor dem andern, trotzdem will jeder jemand sein, nicht nur ein Teil vom andern. Wir sagen uns nur, was wir für gut empfinden, was gediegen ist. Dadurch ist das ein richtig edles Verhältnis. Wir sind auch zärtlich zueinander. Wenns richtig schön ist, wenn man sich wohl dabei fühlt, nicht? Was dann die andern denken, ach! Irgendwo sind wir mächtig verwöhnt.

Karin und ich sind oft unterwegs, und das ist schön, wenn beide dieselben Erlebnisse haben, was gleich empfinden, im selben Moment. Ich merke eigentlich immer mehr, wenn man mit so einem Menschen zusammen leben, wenn man sich gegenseitig interessant bleiben will, dann muß die Arbeit das allerwichtigste sein. Jeder muß mächtig mit sich zu tun haben, um aus sich was zu machen. Damit breitet sich ja auch die Atmosphäre nach Feierabend aus, nicht? Es muß schon sein, daß jeder für sich in seiner Arbeit steckt, daß da zwei Wege sind, die zusammenkommen und wieder auseinandergehen und wieder zusammenkommen und so. Nicht, daß jeder vom andern was erwartet, um froh zu werden. Man darf nicht ein schlechtes Gewissen kriegen, weil man was macht, und der andere wartet, daß man auf ihn eingeht. Er muß schon selber jemand sein. Da war ein Nicki, von der Armee, mit seiner Tusnelda. Und zuletzt war sie nicht mehr da. Nun will er den ganzen Tag mit mir zusammen sein, so wie vorher mit seiner Tusnelda. Das geht aber nicht. Erstens will ich nicht so in der Stadt herumziehn wie die beiden, und dann kann ich nicht den ganzen Tag mit so einem Nicki zusammen sein, nicht?

Jetzt ist ein Georg da, das ist ein ganz Guter. Der hat aber mächtig mit sich zu kauen. So richtig auf die Dauer, er und ich, das bewältigt er nicht. Das macht mich traurig. Aber ich akzeptiere es, ich kann ja nichts erzwingen. Irgendwie spornt es auch mächtig an, wenn einer, den man mag, so viel macht und so neugierig auf alles ist. Wenn einer gleich so einen Besitzinstinkt hat, wenn einer gleich bleiben will, na ja, wie werd ich denn da? Da werd ich ein bißchen kalt und abweisend. Da weiß ich nicht, was das soll.

Manche halten es für gut, richtig abschalten zu können von der Arbeit. Das geht überhaupt nicht. Ich hab gelesen, die Arbeit ist der Stoffwechsel zwischen Mensch und Natur. So empfinde ich das. Mein Beruf ist eigentlich ideal, weil das alles eben zusammengeht. Auch wenn wir herumziehen, mit Zeichnen wird nicht viel, aber man guckt ja, man saugt sich richtig voll. Jetzt schaffe ich eigentlich nur so herum. Ich arbeite mal bei der Post, mach Telefondienst im Betrieb, dann hab ich wieder ein bißchen Geld und kann zeichnen. Manchmal steh ich Modell. Sechs Mark die Stunde. Es ist mächtig anstrengend. Ich muß mich jedesmal überwinden, hinzugehen.

Aber oft kann ich lesen dabei, so daß ich nicht den ganzen schönen Tag verliere. Diese Jobs, die sind nur zum Essen und Mietebezahlen da. Vorher habe ich in einem Verlag gearbeitet, Zeitungsseiten entwerfen und kleine Zeichnungen hineinbringen. Das war alles so hektisch, man konnte nichts wirklich gut machen. Da bin ich weggelaufen, obwohl ich einen Vertrag hatte.

Eigentlich habe ich in meinem Leben nie richtig Zeit gehabt, in mich hineinzuhorchen, was ich will. Ich will mich nicht so schnell festnageln lassen. Weil das Studium *mich* so gehabt hat, ich war nicht richtig da. An sich bin ich kein Schulmensch. Wenn das Studium ein Jahr länger gedauert hätte, wäre ich wahrscheinlich geschmissen worden. Jeden Tag mußten wir acht Stunden in der Schule absitzen. In der Entwurfszeit, wo sich jeder was ausdenken soll, geht das nicht, sieben Leute in einem Raum. Der eine braucht Musik, nicht? Der andere muß hin und her laufen und rauchen. Das ist ein Krampf gewesen. Irgendwie läßt man etwas ganz Wichtiges beiseite, etwas Heiliges. Das muß man danach wieder hervorkramen und richtig stark machen. Wenn ich die Schnauze voll hatte und dem Heulen nahe war, bin ich hinausgelaufen, das war schön. Einmal hab ich unterwegs eine alte Frau getroffen, ganz weiß und winzig, die viele Kartons in den Händen hielt, und sie wollte in ein Haus hinein, und ich hab ihr die schwere Tür aufgehalten. Da hat die Frau zu mir hochgeguckt mit ihren blauen Augen, das hat völlig gereicht, da konnte ich wieder in die Schule gehn. Überhaupt rede ich viele Leute an. Weil das so absurd ist, wie die Leute hintereinanderstehn, und keiner sagt was. Man kann ruhig ein bißchen laut sprechen, weil es schön ist, wenn sie sich freuen.

Für mich habe ich schon ein bißchen illustriert, die ›Zwei Schwestern‹ von Busch. Die Adelheid, die immer roten Wein trank, und das Käthchen, dem schenkt sie Wasser ein. Dann kriegt aber das Käthchen einen Prinzen, weils so gut ist und einen Frosch küßt, weil der

Frosch geküßt werden will, und da wird er ein Prinz. Und die Adelheid, die muß unter Wasser sitzen. Ich sing richtig beim Sprechen, nicht? Manchmal denken die Leute, ein bißchen Mecklenburg, manchmal, ein bißchen Sachsen. Wenn ich irgendwo bin, wos richtig schön ist, dann gehört die Sprache mit dazu. Wenn ich wie die Leute rede, dann empfinde ich auch ein bißchen wie die Leute. Jetzt war ich sechs Wochen bei einem Bildhauer in Dresden, dort fühlte ich mich zu Hause. Aber eine richtige Heimat habe ich eigentlich nicht, weil ich so viel herumziehe. Ich schlafe überall schnell ein, mit dem Schlafsack auf dem Feld oder in fremden Betten. Hauptsache, ich habe tagsüber meine Arbeit gemacht.

Ich habe mir vorgestellt, was so in meinem Leben passieren müßte. Entweder ich lebe auf dem Land, oder ich bin draußen in der Welt. Ich hab mal einen Finnen kennengelernt, da wollte ich nach Finnland, das ist so schön weit und voller Wälder und Seen. Ich hab mich nur mit Finnland beschäftigt, hab mir ein Wörterbuch gekauft, um zu sehen, wie die Sprache ausschaut. Wenn ich einen Menschen interessant finde, will ich alles wissen.

Zu Hause bin ich jetzt auch in meinem Berliner Zimmer. Ich hab keine Gardinen dran, und jeder kann sehn, wenn ich hin und her gehe. Oder ich habe eine Kerze im Fenster stehen, die sagt, schaut her, hier ist auch eine. Ich darf nicht das Gefühl haben, in vier Wänden eingeschlossen zu sein. Wenn ich rausgucke, habe ich eine Silhouette von Schornsteinen und viel, viel Himmel. Ich habe schon auf den Dächern gesessen. Man kann so schön im Geviert herumwandern zwischen den Schornsteinen, wie ein Kater, man kann in die Höfe hineinschauen und von einem hohen Baum die Blätter abzupfen. Mein Zimmer hat ein ganz großes Fenster. Und ich habe nichts weiter drin. An richtigen ernsthaften Möbelstücken nur einen Schreibtisch, den hab ich in einem Hof gefunden. Dann hab ich einen runden Tisch, den hab ich nur ein bißchen kürzer gemacht. Man muß die alten Sachen achten, zu denen man eine Beziehung hat. Zwei Matratzen habe ich zusammengelegt, das ist mein Bett. Ein Reißbrett an der Wand und ein Regal mit Büchern. Und sonst spielt sich alles auf dem Teppich ab. Den hab ich auf dem Müllplatz gefunden, wo Schutt abgeladen wird aus alten Häusern. Die Wände habe ich weiß gestrichen. In der Küche, die ist groß und hell, habe ich zwei Türen von einem alten Kleiderschrank mit Stricken an die Decke gehängt. Jeder schlägt die Hände überm Kopf zusammen und sagt, das darf ja überhaupt nicht halten. Da hab ich aber ganz viel Papier und Pappe drauf. Die Jungs haben mir geholfen, die Tapete herunterzureißen. Da waren noch Zeitungen aus den zwanziger Jahren darunter, und da haben wir Zeitung gelesen. War mächtig interessant. Zuerst waren furchtbar viele Möbel drin, wie ich eingezogen bin, die waren aber nicht gut. Da haben wir alles hinausgeschmissen auf den Hof. Couches und Küchenschrank und Stühle. Und dann kam die Gerümpelaktion. Ach ja, und ein herrliches schwarzes Ofenrohr ist auch da, das geht so und so und so in die Wand hinein.

Zuerst habe ich lange den weißen Raum angeschaut, nur die zwei Matratzen und ich im Zimmer. Dann hab ich ein Bild hingehängt, mit Stecknadeln, ein Bild von einem alten Mann, richtig schön. Rahmen und Glasscheiben sind mir zu abgeschlossen. Schrank habe ich keinen, ich habe ja keine Kleider. Der braune Samtrock ist schön, nicht? Hab ich von Oma, nur enger gemacht, man fühlt sich wohl darin, nichts darunter. Und mit den Jesuslatschen und barfuß, solange es geht. Man muß merken, auf welchem Boden man läuft und wie beweglich man ist. Das ist schön. Sachen anziehn, die nicht schnüren, sich gerne ausziehn, nackt herumlaufen.

Letztes Wochenende war ich hinter Wittenberge. Mit Pferden hatte ich es schon immer. Das ist aber so teuer, nicht? Na ja, da sind wir Sonnabend zweieinhalb Stunden geritten und Sonntag wieder. Ich habe zum erstenmal auf einem Pferd gesessen. Und am Sonntag bin ich über die

Felder galoppiert, es war herrlich. Es ist auch das Gefühl, daß man was ganz schnell aufnehmen kann, wenn man mit dem ganzen Körper engagiert ist, nicht? Was fangen Großstadtmenschen denn mit ihrem Körper an? Ich hab mich richtig schön geschunden, hinterher war alles wund. Ich wollte nicht, daß die Jungs auf mich Rücksicht nehmen. Na ja, nun kann ichs.

Mit achtzehn bin ich aus dem Haus hinaus, eigentlich schon mit sechzehn, da habe ich meine Lehre als Offset-Retoucheur gemacht. Um vier mußte ich aufstehn, und abends um fünf erst zu Hause. Da war ich nur mehr zum Schlafen zu Hause. Und dann das Studium. Einer hat mir sein Zimmer angeboten in Berlin, da hab ich Wirtschaft geführt für mich, hab heizen gelernt und ein bißchen kochen, das war schön. Wir sind sehr früh selbständig geworden, meine Schwester und ich. In der ersten Klasse hab ich schon Stullen geschmiert und Milch warm gemacht, für die Katze auch. Ich hatte eigentlich ganz schön zu knabbern als Kind. Hanka hat nur rumgetobt, und von mir wurde verlangt, daß ich vernünftig sein soll, weil ich die Ältere bin. Einmal war Hanka sechs Wochen lang im Kinderheim an der Ostsee, weil Mutti verreist war. Und ich beneidete sie leidenschaftlich. Ich mußte immer zu Hause bleiben, weil ich so brav war. Das fand ich gemein. Und auch die Schule, die war nie richtig schön. Ich weiß genau, daß ich als Kind für später gelebt habe. Richtige Freundin hatte ich nicht, Marina, die war die einzige, mit der ich manchmal zusammen war. Die ist jetzt dick und hat Kinder und sitzt immer vorm Fernseher und ist in die Partei eingetreten, ganz solide. Keine Probleme mehr. Die war schon immer anpassungsfähiger als ich. Aber es hat ihr ein bißchen weh getan, weil bei mir auf einmal so viel passierte, und bei ihr wars eben vorbei.

Ich glaube, ich war vernünftiger als die andern, ich habe mehr Verständnis für die Lehrer gehabt. Valentin, der hatte Mathe bei uns. Wenn ich meinen Rechenschieber immer wieder vergessen habe, tat mir Valentin richtig leid. Aber ich hab ihn auch herausgefordert. Der war ein richtiger Mann. In der zehnten Klasse, kurz vor den Prüfungen, also, wer traut sich, den schönen Valentin zu küssen? Na ja, ich traue mich, ich küsse gern. Fünfzig Mark waren auch zu kriegen, das war doch was, nicht? Einmal nimmt er mich an die Tafel, und die ganze Klasse lauert. Wenn man so blöd in Mathe ist wie ich, dann ist das sowieso schon aufregend, nun soll man auch noch ans Küssen denken, nicht? Bin einfach losgerannt, auf ihn zu – und der hat sich das nicht gefallen lassen, ging in Deckung, ach je! Und ich habe meine fünfzig Mark nicht gekriegt.

Ich stromere jetzt viel herum und lerne mächtig viele Menschen kennen. Das verbindet mich sehr mit meinem Vati, der ist auch immer unterwegs. Was mich noch mit Vati verbindet, ist das Zeichnen. Als Kinder haben wir oft an seinem Tisch gesessen, Mutti auch, das hat uns mächtig Spaß gemacht. Und wenn Vati gearbeitet hat und wir malten, sind wir oft hinübergegangen zu ihm. Da legte er die Arbeit zur Seite und guckte sich das an, das dauerte uns viel zu lange, so sehr machte er da mit. Na ja, dieses Gefühl, daß das alles zusammengeht, daß es gut ist, was man macht, und ganz wichtig! Meine Eltern haben beide ihr Gebiet, das sie ausfüllt, und jeder hat sein Eigenleben. Deswegen vertragen sie sich so gut. Mit Mutti wars manchmal ein bißchen schwierig, wenn sie so kaputt nach Hause gekommen ist. Da hat sie nur gesagt: Kinder, ihr müßt jetzt schnell weggehen, sonst brülle ich euch an, das geht nicht. Das hat sie uns in einer ruhigen Minute erklärt, und wir haben das verstanden. Mutti konnte in Ruhe Luft ablassen, und wir sind uns eigentlich nie richtig in die Wolle geraten. Unser Vati hat ein einziges Mal in seinem Leben toll zugeschlagen. Da hat Hanka die Türe geknallt, und Vati hat gesagt: Hanka, das geht nicht, das ist laut, der Putz fällt runter und so. Na ja, die Hanka knallt wieder mit der Tür. Da hats Vati noch einmal gesagt, nicht? Und Hanka knallt auch die nächste Tür, und Vati sagt: Hanka, guck mal, wir können nicht schon wieder ausmalen, wenn du es noch einmal machst, muß ich dich schlagen. Und die Hanka hat die Türen wieder geknallt. Da hat Vati sie toll gedroschen. Ich mußte die Luft anhalten, es war ganz schön beeindruckend. Hanka hat nicht wieder mit den Türen geknallt. Aber sonst, ich weiß nicht, sonst war nichts richtig schlimm in meiner Kindheit. Wenn ich Kinder hätte, würde ich es nicht viel anders machen. Diese Ehrlichkeit zu Hause, mit nackt herumlaufen und so, daß man die Eltern eben in der Badewanne zusammen findet. Und daß sie Fehler machen und das auch sagen. Mutti hat eine Zeitlang an mir gezweifelt, ob ichs richtig mache, was ich für ein Leben führe und so. Sie macht sich leicht Sorgen, dann kann die liebe Barbara sagen: Ach je, Mutter! Aber sie schreibt uns nie was vor. Ihre Sorgen macht sie sich mehr im stillen, sie belästigen uns nicht. Unsere Eltern haben uns eigentlich nie ihre eigenen Vorstellungen vom Leben aufgedrängt, vielleicht haben sie keine sehr festen Vorstellungen. Sie haben sich mehr dafür interessiert, was wir machen. Wir haben immer das Gefühl gehabt, mächtig ernst genommen zu werden. Das war für uns Kinder gut, nicht? Prinzipien und so, das ist doch nichts.

Während des Studiums, das war richtig schön, da hab ich meine Mutti in die Schule geholt, damit sie uns was aus ihrem Leben erzählt. Als Kind hat sie mir manchmal was erzählt, aber nur ein bißchen, sie macht sich ja nie groß, und es hat mich nicht interessiert. Und auf einmal hat das gerieselt und gebebt in mir, ich weiß nicht, ich war am meisten berührt von allen. Dieser Mensch da vorne, der ist so jung und lebendig, da guckst du, du kannst es nicht fassen, daß das deine Mutter ist. Die ist richtig schön und groß in dem Moment. Und du bist so froh, daß du dazu gehörst, nicht?

Mein Vati und ich sind uns auch sehr interessant, obwohl wirs nicht lange miteinander aushalten. Wenn wir im Bus fahren, erklärt er mir immer, was draußen vorgeht. Und das sehe ich ja auch, nicht? Dann werde ich kribbelig, aber das ist eben so. Das Problem Emanzipation hat es für mich eigentlich nie gegeben, dazu kann ich nichts sagen. Man muß Gefühl und Verständnis füreinander haben, das ist alles.

Was ich ganz schön finde: Wir waren in Rumänien, Karin und ich, und wir haben beim Trampen zwei Jungs kennengelernt, die aus dem Kaukasus kamen. Wir haben dann eine Nacht zusammen verbracht, haben Lagerfeuer gemacht, die Jungs hatten mächtig viel zu tun, und wir haben für die schönen Sachen gesorgt, für Musik und Vorlesen und so. Lange, lange, lange. Bei uns wars auch so, daß Vati die schönen Sachen machte, der war der ruhige Pol, wie das bei Männern so ist, und Mutti kümmerte sich um alles. Am nächsten Morgen waren die Jungs zeitig wieder auf, da haben sie Mais gepflückt, gekocht, Blätter darüber gelegt, damits warm bleibt. Irgendwie, ich weiß nicht, hatten wir keine Lust, mit ihnen zu schlafen, aber niemand hat das vermißt, es war richtig schön. Wenn man miteinander schläft und sich nicht weiter kennt, das müssen ganz gute Leute sein. Die Schönheit der Körper genießen, ach, das ist wunderbar.

Manchmal ists schwierig, manchmal bin ich traurig. Da kenne ich den Stefan. Stefan ist verheiratet. Zuerst wars nur wegen der Wohnung, dann haben sie ein Kind gekriegt. In Stefan war ich richtig toll verliebt. Mensch! Wenn ich in der Schule so eine trockene Aufgabe hatte, und ich hätte alle umarmen können und lachen vor Freude, wer soll da ein Fachbuch gestalten, wenn er so verliebt ist! Mit Stefan ist es eigentlich nie richtig zu Ende gegangen. Und jetzt denke ich, es geht eigentlich nicht mehr, es ist vorbei. Wegen seiner Frau hab ich mir nie Gedanken gemacht. Wenns wirklich schön und ehrlich ist, dann wärs doch schade, wenn man es nicht gemacht hätte, nicht?

Eifersucht, i wo, die ist mir fremd. Wenn mich einer

vernachlässigt, dann stimmts eben nicht mehr, da kann ich nichts machen, als selber aktiv zu werden. Bei Menschen, die ich sehr achte, kann ich mich ganz toll freuen, wenn sie sich an jemand anderem freuen, ich kann als Dritter miterleben, wie was Schönes zwischen ihnen entsteht.

Ein Leben zu zweit kann ich mir überhaupt nicht vorstellen. Irgendwie denke ich mir, daß wir mal zu viert leben werden. Karin und ich, wir gucken schon gegenseitig unsere Männer an. Aber Männer teilen ist nicht drin, wir sind zu verschieden. Na ja, wir haben schon solche Sachen probiert, da haben wir bloß gekichert hinterher.

Mensch, Kinder müßten wohl auch sein, nicht? Das ist ein Problem! Vielleicht verteilt sich das besser in einer größeren Gemeinschaft, so daß einem nicht leid tun muß, was man alles nicht machen kann wegen der Kinder. Karin will eigentlich keine Kinder. Sie ist ganz anders als ich, ein bißchen untersetzt, hat ein männliches Gesicht und wenig Busen, hat aber ganz weiche kleine Hände und schönes kurzes Haar. Ist eigentlich ein sehr anspruchsvolles Gesicht.

Ich geh auch gerne allein zu Feten. Immer einen an meinen Fersen, das mag ich nicht. Ich bin in keinem festen Kreis drin. Die bleiben immer so in sich, die sind zu wenig offen nach außen. Eine Zeitlang tanzen sie, dann haben sie wieder ihre Diskutierzeit, dann langweilen sie sich miteinander. Ach, und tanzen! Da kommts vor, daß ich zu Hause eine Weile gesessen habe, dann muß ich rumtoben. Einmal bin ich in den Studentenklub gerannt, kannte keinen, hab mir einen Jungen ausgesucht, mit dem ich tanzte. Das war für die andern ein bißchen komisch. Mensch, die Jungs haben zu tun in den Tanzpausen, um sich jemand zu suchen, die haben ja für nichts anderes Zeit, das ist ganz schön blöde, nicht? Ich gehe deshalb selten in die offiziellen Tanzgaststätten, schon die Atmosphäre, dieser Lärm die ganze Nacht. Die schauen einen nicht richtig an, die reden kein Wort mit einem! Als Frau hat man das eigentlich nicht mehr nötig. Es kommt vor, daß ich irgendwo rumtobe, und alle anderen sitzen und gucken mir zu. Mir machts Spaß, weil ich Platz habe, und die andern freuen sich. Ich empfinde das überhaupt nicht als überheblich. Früher hätte man mir das bestimmt so ausgelegt.

Ach, bei mir sprudelts heute richtig. Ich rede sonst nie soviel. Mitteilungsbedürfnis habe ich eigentlich nie, so was muß erst wachsen und groß werden, bevor ich einem anderen was sage. Beim Trampen ist es oft blöd, da fragt mich jeder dasselbe. Wenn einer mal was anderes sagt oder wenn die Fahrt aus Flöten besteht und aus Singen, das ist schön. Ich spiele ein bißchen Flöte, da spiel ich vor mich hin, wo ich gerade bin.

Wir denken uns auch sonst vieles aus. Einmal haben wir ein Puppenspiel bei Karin veranstaltet. Wir haben viele Leute eingeladen. Der Harry ist ein richtiger Puppenspieler, und die Puppenbühne ist rot, ganz rot und geht fast bis zur Decke, und im Puppenfenster sind viele Kerzen und Spitzen und Federn und so. Nun wird gebimmelt, lange, bis es ganz leise ist. Und in den Pausen wird geflötet. Eine richtig edle Stimmung, den ganzen Abend kein falscher Ton. Wir haben auch andere Puppentheater erlebt. Beim Schweinebraten in Berlin war mal ein Puppenspieler, und das war schlimm. Die Leute quatschten, die konnten nicht zuhören! Wenn Leute so stumpf sind, wie werd ich denn da, da werd ich kribblig, da geh ich weg.

Ich hab in Berlin zum erstenmal gesehen, was es an Leid gibt, ach, da hatte ich tüchtig zu kauen. Drauf war man ja nicht vorbereitet. Bloß, es nützt nichts, wenn einen das kaputtmacht, das muß andersherum gehen. Man muß die Kraft haben, dem zu begegnen, den Menschen zu zeigen, daß es auch was anderes gibt, nicht?

Mit Politik, vielleicht ist das eine Schande, fange ich überhaupt nichts an. Irgendwie kann ich da nur aha sagen, das sind doch nur Informationen. Warum muß ich denn auf dem laufenden sein? Um darüber schwatzen zu können? Na ja, diese Leute, die so viel reden können über alles, mit denen fang ich nichts an. Die leben nur außen, und innen sind sie leer. Oh, manchmal rieselts, da erreicht es mich schon, aber ich darf nicht dazu gezwungen werden. Es muß alles aus mir selber kommen, sonst stimmts nicht, sonst nützt es auch keinem. Nur wenn man mit Menschen zu tun hat, ist es gut. Ich hab den Dagerman gelesen, ›Der Mann, der nicht weinen wollte‹. Der hat als Kind seine Eltern verloren, lebte bei den Großeltern, sein Großvater ist dann von einem Verrückten umgebracht worden, seine Großmutter ist an dem Schock gestorben. Und sein Freund ist in den Bergen umgekommen. Darüber schreibt er. Und mit einunddreißig hat er sich das Leben genommen. Das versuche ich nachzuerleben, da bekomme ich einen Einblick in andere Lebensverhältnisse, das ist Politik für mich.

Was ich gerne machen möchte, ist Fliegen. Im Traum bin ich schon viel geflogen. Einmal bin ich auf einer Fußbank geflogen, wie eine Hexe, hab eine Wäscheleine hinter mir hergezogen, bin über die Stadt geflogen und hab die Wäsche getrocknet. Und über die Obstbäume am Puhl, die Zweige streicheln gerade so meinen Bauch, und dann hinunter ins hohe weiche Gras, ganz, ganz langsam, wie unter Wasser. Am Erlenweg hat ein Rotschopf gewohnt, so ein frecher Junge und sommersprossig, vor dem habe ich als Kind mächtig Angst gehabt. Ich hab mir immer gewünscht, hopsen zu können wie ein Känguruh. So hopse ich heute noch, in ganz hohen langsamen Sprüngen, wenn ich Leute treffe, die ich eigentlich nicht treffen möchte, quer über den Alexanderplatz, oder wenn ich einem zeigen möchte, was ich alles kann.

Was ich noch gerne mache, lesen. Hölderlin, ein bißchen Rilke. Und ›Nur einen Seufzer lang‹ von der Anne Philipe, das habe ich schon ein paarmal gelesen. Ich kann mir vorstellen, wie der Garten aussieht, in dem Gérard und Anne gelebt haben, ich wünsche mir, daß es ihn noch gibt. Und Anakreon mit seinen Gedichten, die sind so schön! Der Anakreon, der ist schon alt, und er freut sich über junge Mädchen und träumt von ihnen. Er will hingehen zu ihnen, da kommen die jungen Burschen, und die Mädchen laufen mit den Burschen weg. Und Anakreon wacht auf und ist ganz aufgeregt und kann nicht wieder einschlafen. Da kommt ein schöner Jüngling, der schenkt ihm einen Kranz, und Anakreon ist ganz verliebt in den Jüngling.

Sonst habe ich wenig gelesen, ich habe überhaupt keine Allgemeinbildung. Ich kenne Thomas Mann nicht, den ›Tod in Venedig‹ nur vom Film, und so geht das weiter. Manchmal ärgert mich das. Ich finde es aber gut, wenn mir einer sagt: Mensch, Barbara, da hast du noch viel Schönes vor dir, was andere schon hinter sich haben, freu dich doch. – Und das tu ich dann. Einer hat mich mal narzißtisch genannt. Aber das berührt mich nicht. Wie soll ich denn leben? Selbstverleugnung ist vielleicht den Alten zugestanden.

Was ich noch im Leben machen möchte: herauskriegen, was mit den Leuten in den Gefängnissen und Irrenhäusern geschieht, in der ganzen Welt. Das hat mich schon immer mächtig interessiert. Da hat einmal einer über mir in Untermiete gewohnt. Der hat einen Traktor gefahren, hat nur acht Klassen gehabt, keinen Vater und einen Haufen kleinere Geschwister. Und der ist manchmal zu mir hereingekommen, weil er gemerkt hat, ich bin auch allein. Ich hab aber nicht immer Zeit für ihn gehabt. Ich hab ihn auf mein Bett gesetzt, weil nichts anderes da war, und hab ihm ein großes Stückchen Papier und einen Stift gegeben, und dann hat er gezeichnet. Hat vorher nie gezeichnet, fand das blöd und hat auf einmal Gefängnisfenster gezeichnet, richtig mit Perspektive und so. Er hat mir erzählt, er hat mal mächtig randaliert, weil nichts in seinem Leben zusammenpaßte, ich weiß nicht, was noch, jedenfalls hat er gesessen. Nun war er wieder mit denselben Leuten wie vorher zusammen. Der spielte wieder

Karten und trank Bier, der wußte doch nicht, was er anfangen sollte. Auf einmal hat er gemerkt, es gibt noch was anderes, der kam mit seinen Leuten nicht mehr klar. Einmal war ich mit ihm im Kino, in einem richtig guten Film, wo der sonst nie hinging. Da hat er mich gefragt, ob er mich küssen darf. Einmal ist er nachts gekommen und hat gefragt, ob er bei mir schlafen darf, er wird sich neben mein Bett legen und wird gleich einschlafen. Ich war so blöd, ich hab nein gesagt. Und da hat er den Gashahn aufgedreht, in derselben Nacht. Wollte nicht mehr allein sein. Ich lief zur Beerdigung, ach, Mensch! Die Mutter, ganz allein, und noch vier Jungs, die sitzen alle in Abständen. Der Junge hat doch nicht nur die Gefängnisfenster gemeint, für ihn war alles ein Gefängnis, sein ganzes Leben, aus dem er nicht herausgekommen ist.

Ich hätte sehen müssen, was er da zeichnet. Der hat nach Hilfe geschrien. Ach, Mensch! Wenn alte Leute sterben, drückt mich das wenig. Ich weiß ja, daß wir alle sterblich sind. Deshalb soll man auch nicht so lange trauern, sondern soll was Schönes machen, was dem Toten auch Freude gemacht hätte.

RUTH
Warten auf das Wunder

Ich glaube, mein Zwiespalt ist der: Ich lebe in einer Zeit,
wo vieles schon möglich ist für eine Frau, aber ich bin
feige. Ich suche erst Verbündete, damit wir uns gegenseitig stützen können, weil ich allein überhaupt nichts tauge.
Dieser irre Zwiespalt zwischen den Möglichkeiten und
meiner Angst, der bringt mich um. Ich schwindle viel,
aber nicht mit Absicht, ich bin einfach gewöhnt, den
Leuten was vorzumachen. Laß nur, ich bin auch irre kritisch mir gegenüber. Früher war ich das nicht, früher hab
ich mir nicht selber weh getan, nur den andern. Immer
wenn es mir schlecht gegangen ist, bin ich aggressiv geworden, ein Teufel, no ja. Ich geh jetzt in so eine Grup-
pentherapie, wo man aufhören muß, gescheite Reden zu
führen. Das geht nur, wenn die Leute ehrlich zu sich
selber sind. Die sagen, ich schwindle mir so viel vor, weil
ich das Leben, wie es ist, nicht ertrage, ich gebe mich
immer viel mutiger, als ich bin. Aber ich schone mich
nicht, ich muß es immer irre schwer haben, sonst reizt es
mich nicht. Ich jammere sonst nicht, das mußt du mir
glauben. Ich spiele allen Leuten vor, was für eine tolle
Person ich bin. Bei meinen Kunden im Café bin ich der
reinste Müllschlucker. Da kommt keiner auf den Gedanken, daß ich auch meine Probleme habe. Alle laden sie bei
mir ab. Das halte ich nicht lange durch. No ja, zuerst
spiele ich den Clown, den nichts umwirft, aber auf einmal
fühle ich mich ... fühle ich mich so fremd unter den Menschen. Manchmal, manchmal setze ich mich in die Stra-
ßenbahn oder in ein fremdes Restaurant und mache ein
Gesicht, so eins ... Ich stelle mir vor, welchen Ausdruck
die Schauspieler auf der Bühne in ihr Gesicht legen, wenn
sie verzweifelt sind oder traurig. Ich sitze da, es ist ja nicht
gespielt, es ist nur, damit jemand es merkt. Aber

niemand merkt was, niemand. No ja. Hinterher bin ich darüber froh. Wenn ich so bin, so schwach und hilflos, da verachte ich mich. Es gibt doch Menschen, die sind nie unten.

Willst du noch Tee? Schönen starken Tee, ja? Wenn einer so irre viel Tee trinkt wie ich, dann verstehe ich mich mit ihm automatisch ... So ein Mensch, so ein Mensch, der nie unten ist, no ja, das ist mein Vater. Der steht wirklich über den Dingen. Ich hab meinen Vater nie wütend gesehn, immer still ... nie Stimmungen. Vielleicht weil er seinen eigenen Weg gegangen ist. Nun lebt er in der Dichtung ... Ich weiß nicht, ob man das sagen kann. Der lebt mit unwahrscheinlich vielen Büchern zusammen. So wie meine Tante mit ihren Vögeln. Das, was er in den Büchern findet, das findet er im Leben nicht. Manchmal, manchmal schleiche ich um ihn herum, weil ich es sehen möchte. Aber das ist alles unsichtbar.

Du mußt mich daran erinnern, daß ich nachher den Kleinen suche. Der treibt sich schon herum, wie ein Mann! Die Nachbarin wollte auf ihn aufpassen, aber die ist ihm auch nicht gewachsen.

Mein Vater ... der lebt im Haus von meiner Mutter. Ich nenn sie sonst nie Mutter, nur dir zuliebe. Mein Vater ist zu gut, der kann ... der kann nicht einmal ihr was antun. Er lebt in diesem Haus, in seinem Zimmer, das ist eigentlich ein Gartenzimmer und ziemlich kalt, aber er lebt da, mit seinen Büchern, und manchmal, da hat er so ein Leuchten im Gesicht ... Was ist, warum schaust du so? Man kann es nicht genauer erklären. Es kommt alles auf das Gefühl an, das einer hat. Die äußeren Verhältnisse, in denen einer lebt, die sind vollkommen gleichgültig. Ja, die waren zuerst schlimm für meinen Vater, jetzt sind sie ihm gleichgültig. Ein Mensch kann so weit kommen, wenn er will! Ich bin doch auch nirgends zu Hause, ich *will* nirgends zu Hause sein. Am wenigsten in dieser Neubauwohnung. Weißt du, wie ich mich hier fühle? Ich sitze in meinem neuen Sessel vor dem Fernseher, und da sehe ich ganz deutlich, wie in jeder Wohnung einer auf so einem Sessel vor so einem Fernseher sitzt. Die könnten doch miteinander reden, könnte man doch, aber man kennt sich überhaupt nicht. Das macht mich kaputt. Über mir wohnt einer, den sehe ich manchmal im Fahrstuhl oder in der Kaufhalle. Der sieht unwahrscheinlich gut aus, und abends, wenn ich im Bett liege, träume ich von ihm. Aber denkst du, ich hätte schon einmal Guten Tag! zu ihm gesagt? Nicht einmal unsere Blicke treffen sich, das tut man in solchen Häusern nicht. Im Café bin ich ja auch nicht auf den Mund gefallen. Aber dieses verdammte Riesenhaus, das verändert einen so.

Manchmal, manchmal komme ich mir selber unwirklich vor. No ja. Ich meine, der Körper, der hat mit mir auf einmal nichts zu tun, den beobachte ich nur so. Schau her, diese langen dürren Finger, was die mit den Männern anstellen, die sind ja wie Tiere, Spinnen oder so was. Und wenn ich auf meinen Busen schau, unter diesen Herrenhemden hab ich doch nichts an: Was die für kleine Blumen hat, durchsichtige, wie Malven, kennst du Malven? Ich würde mich lieber haben, wenn ich richtige Brüste hätte. Bei mir verändert diese blöde Pille überhaupt nichts. Vielleicht würde ich eine richtige Frau werden, wenn ich richtige Brüste hätte. No ja, das geht mir oft durch den Kopf.

Wie soll ich dir das alles erklären? Mein Vater... der ruht eben in sich. Wenn man in seine Stube kommt, nun ist er sechsundsechzig und geht zu keiner Arbeit mehr hinaus, da kann man nicht einfach von sich erzählen, wenn man so ein Gefühl für ihn hat. Das würde ihn stören, weil es uninteressant ist, was man erzählen will. Ich habe einen eigenen Sessel in seiner Stube, aus dunkelgrünem Leder, ganz abgeschabt, da habe ich schon als Kind gesessen, wie ich noch durch die Ritzen hineinfallen konnte. Der riecht so gut, der Sessel. Manchmal liegt seine Strickjacke da, in die wickle ich mich, weil die auch so gut riecht. Ich habe nur einmal einen Mann getroffen, der hat so einen Geruch gehabt wie mein Vater, und bei dem habe ich mich ganz irre verhalten. Der hat natürlich gar nicht herausfinden wollen, was mit mir los ist, der ist einfach nicht wiedergekommen. Man muß Männern wirklich immer was vorspielen, sonst verschreckt man sie. Ich habe noch keinen gekannt, der dahinterkommen wollte, wie ich wirklich bin und warum ich so bin. Die haben alle was Bestimmtes mit mir vorgehabt.

Natürlich kennt mich mein Vater. Wie kommst du denn darauf? Ich kann doch zu ihm kommen, wann es mir paßt. Ich schaue mir seine neuen Bücher an, und er holt Tee für uns. Er hat ein unwahrscheinliches Vertrauen zu mir. Aber das ist vielleicht was Komisches: Wenn ich ein Buch in die Hand nehme, nur so in die Hand nehme, dann macht es mir ein bißchen angst, als ob es beißen will. Ich habe natürlich Bücher gelesen, mußte ich doch, in der Schule. Jetzt lese ich unwahrscheinlich gerne Hesse und Henry Miller. Mein Vater hat so eine irre Beziehung zu Büchern, die kann ich natürlich nie erreichen. Manchmal verschlinge ich so ein Buch, dann spüre ich direkt, wie anfällig ich für so was bin. Ist das nicht komisch? No ja. Mein Vater bedauert es nicht, daß ich so wenig lese und so ungebildet bin. Der verlangt nie was von mir. Er hat Buchhändler gelernt, aber nach dem Krieg war er in der Volksbildung und zum Schluß Funktionär, ich weiß nicht genau, was. Es hat mit Buchhaltung zu tun gehabt, aber sein eigentliches Leben, das war immer woanders. Mein Vater ist zu gut für diese Welt. Er hat sich nie mit jemandem gestritten, so wie ich das manchmal gern mache. Der hat seine Arbeit getan, die weit unter seinem Niveau war, aber sie hat ihn nicht kaputtgemacht. Als ob er eine Haut um sich herum hat, die nichts Schlechtes durchläßt. So eine Schutzhaut, die unsereins nicht hat ... Ich müßte nach dem Kleinen sehn, der strolcht nur rum. Aber finden werde ich ihn sowieso nicht, das Neubauviertel ist zu groß. Der Bengel! Es hat doch keinen Sinn, mit dir über einen Menschen zu spre-

chen, den du nicht kennst. Wenn du mir nicht glaubst ...,
wie soll ich dir das erklären? Ich habe mir meinen Vater ja
nicht erfunden, ich kann nur sagen, was ist. Maßstäbe, no
ja, die sind durch ihn natürlich gegeben.

Meine Mutter? Laß nur, das lohnt nicht. Ich weiß
nicht, wie die ist. Ich möchte sagen, sie hält ihr Haus
sauber. Aber nicht einmal das macht sie richtig. Das Haus
verfällt, nichts ist mehr heil. Daraus mache ich ihr keinen
Vorwurf, ich habe doch auch nichts übrig für Leute, die
um fünf aus den Federn springen und in jeder freien Minute staubwischen oder Kuchen backen. Ich mache mich
doch auch nicht zum Sklaven meiner Wohnung, das
siehst du ja. Meine Mutter aber, die strahlt so einen widerlichen Optimismus aus, die ist so was von satt und
zufrieden mit sich, die lebt vom Schwatzen und vom gut
Essen und Trinken. Die trinkt furchtbar gern, dann
macht sie obszöne Witze, und wenn einmal in der Woche
die Sonne scheint, dann reicht ihr das vollkommen. Die
stellt keine Ansprüche ans Leben. Die hat auch nie begriffen, was für ein Mensch unter ihrem Dach wohnt.
Ach Gott, dieses Puppengesicht mit den braunen Locken
und den braunen Äuglein, alles niedlich und dumm. Und
älter wird so ein Gesicht auch nie. Ich bin so froh über
mein Pferdegesicht, daß ich schwarze glatte Strähnen habe. Auf keinen Fall möchte ich dieser Frau ähnlich sein!
Mein Vater hat sie immer wie ein Kind behandelt und sie
irre verwöhnt. Er ist ja achtzehn Jahre älter als sie. Ich
weiß nicht, was er an der Frau gefunden hat. Er hat ein
paar Fotos von ihr in seiner Stube hängen, da sieht sie wie
die leibhaftige Madonna aus. So unschuldig, ach nein!
Vielleicht war sie einmal so, oder sie hat es ihm vorgespielt, weil er solche Frauen liebt. Jetzt ist sie jedenfalls
eine ganz gewöhnliche Person, für die ich mich schäme,
wenn sie mich besuchen kommt. Einmal habe ich sie so
gereizt und hochgeschaukelt, da hat sie gesagt, sinnge-
mäß: Ich lasse mich bezahlen für das, was er mir nicht
bieten kann. Wenn er zu einer Prostituierten gehen wür-

de, die ihn in Schwung bringt, müßte er ja auch dafür bezahlen. Für dieses Geld kaufe ich mir schöne Sachen. – Wenn mein Vater vergißt, ihr zum Frauentag oder zum Geburtstag zu gratulieren, erwischt sie ihn gleich bei seinem schlechten Gewissen, und dann muß er ihr was schenken, da bleibt ihm gar nichts anderes übrig.

Es kommt im Leben aber auf ganz andere Dinge an als auf Geschenke, die man kaufen kann. Ich verstehe vollkommen, daß mein Vater darübersteht. Diese Geldgeschichten, die haben mich immer so angewidert, daß ich niemals von einem Mann was annehmen könnte. Wenn ich mit einem schlafe, kostet ihn das nie was. Ich werde wild, wenn ich sehe, daß mir einer Geld zuschieben will. Das ist das Letzte, was mir einer antun kann. Ich bezahle alles von meinem Geld, auch wenn es hinten und vorn nicht zusammengeht. Nur guten englischen Tee von drüben lasse ich mir schenken.

Weißt du, jetzt ist genug. Frag mich keine Einzelheiten mehr. Wenn mich was anwidert, dann diese amerikanische Art, über alles zu quatschen, das ist pervers. Man muß einige Dinge in Ruhe lassen. Ich hatte einmal einen Amerikaner, der wollte schon nach drei Tagen in meinen letzten Seelenwinkel kriechen. Der saß noch schneller vor der Tür als die andern. Kann ich dir sagen. Alles am Menschen muß schön sein, muß irgendwie Stil haben. Was fällt dir ein, wenn du *schön* hörst?

No ja, Stalin beispielsweise, der war ein schöner Mann. Meine Mutter hing sehr an diesem Mann. Sein Bild in ihrem Schlafzimmer – im goldenen Rahmen – jaja. Als sich das nicht mehr schickte, versteckte sie ihn in ihrem Wäscheschrank. Ach je, wie hockte ich als Kind unter der offenen Schranktür, und wie finster blickte Väterchen Stalin auf mich hernieder! Vor meinem Vater brauchte ich nie Angst zu haben, der kriegte überhaupt nicht mit, was ich anstellte. Aber vor Stalin hatte ich oft ein schlechtes Gewissen.

Die armen, armen Lehrer, die waren so was von hilflos.

Je entsetzter sie über mich waren, um so mehr bin ich aus der Rolle gefallen. Von allem immer das Gegenteil! Diese Erwartungen, mit denen sie einen behämmern, die sind was Irres. Ich denke an meine Kindheit wie an eine Straße mit lauter Verbots- und Gebotsschildern, nicht der kleinste Feldweg, wo du abirren kannst, ohne schlechtes Gewissen zu haben. Manchmal war ich voll von was Großem, ich kam mir wie ein Gott vor, aber die Lehrer sagten, ich hätte wieder nicht aufgepaßt, und quälten mich fortwährend mit ihrem langweiligen Gerede. Die Schule war eine Folteranstalt.

Wenn die Erwachsenen wüßten, wie furchtbar alleine die Kinder sind, die andauernd Unfug machen und keine Gefühle zeigen. Je störrischer ich war, desto unglücklicher fühlte ich mich. Manchmal aber war ich irre glücklich, das wissen die Erwachsenen auch nicht. So glücklich war ich später nie wieder. Man erlebt in der Kindheit alles wie in einem Rausch. Und die Erwachsenen stören fortwährend. Das bringt die Kinder um. Ich habe überhaupt nichts von mir hergezeigt. Niemandem. Heute noch halte ich Frauen für dumm, die keine Geheimnisse haben. Sie sind wie abgezupfte Blätter, niemand interessiert sich für sie. Man muß schon einiges auf die Beine stellen, um für die Leute interessant zu bleiben.

Aber ich falle ohnehin immer aus der Rolle, darum hab ich ja diese ganzen Schwierigkeiten. Ich mache alles wie eine Verrückte, irre lesen, irre lieben, dann wollte ich auf einmal studieren, obwohl ich nicht einmal den Zehnklassenabschluß habe. Kannst du dir vorstellen: Ich und studieren? Beinahe hätte ich auch das noch geschafft, da war ich zufrieden. Nur das Schwierige reizt mich.

Wahrscheinlich ist es das, was die Leute an mir für verrückt halten. Diese Leute, die es so mit der Wirklichkeit haben: Ich weiß gar nicht, was das ist, diese Wirklichkeit. Die Leute tun so, als ob das ein sicheres Ufer wäre, von dem man sich nur ja nicht entfernen darf, sonst ersäuft man. Aber man muß sich doch mal ins Wasser trauen oder ins Feuer. Und die Angst, die muß man eben überwinden. Ich habe irre Angst. Wenn die Leute wüßten, wie es manchmal in mir ausschaut, das würde die verängstigen. Hast du schon beobachtet, wie die Leute reagieren, wenn sie einen seelischen Knacks wittern? Dabei ist mir gerade das andere so unheimlich, wie die Leute so flau dahinleben können, wo das Leben doch so verwirrend ist, no ja, unwahrscheinliche Einflüsse aus allen Richtungen. Merken die das nicht?

Das ist auch so ein Zwiespalt: Ich will eigentlich immer weg von dem sicheren Ufer, ich möchte alles ausprobieren. Die Wirklichkeit ist kein Maßstab für mich, ich halte mich lieber an meinen inneren Traum. Aber die Leute in der Psychogruppe sagen, ich möchte immer Herr der Lage sein und keine Überraschungen erleben... Weißt du, was mich erschüttert? Ich sags dir. Da hab ich mich zur Nibelungensage verurteilt, die hat mir einer vermacht, an dem mir was lag. Nun komme ich von dieser Brunhilde nicht los. Dieses stolze unbesiegbare Weib, wie die von Gunther besiegt wurde, im Bett. Durch Siegfrieds List, weil der jetzt diese Kriemhild hatte. Dieser gemeine, hundsgemeine Betrug! Das ist irre, weil einem so was auch passieren kann. Eigentlich ekelt mir vor den Männern. Aber es ist mir eine unwahrscheinliche Befriedigung, wenn ich sehe, wie sie weich werden, wie sie die Beherrschung verlieren. Zuerst so stark und dann so schwach. Da kann ich sie nur verachten. Hemmungen habe ich überhaupt keine mehr. In diesem Sommer habe ich fünf Männer gehabt. Mit keinem länger als drei Tage. Seelisch bin ich eigentlich reif für den Strich.

Wenn dus aber genau wissen willst. Ich hab noch nie einen Orgasmus gehabt. Ja, ist wahr. Wenn ich einen kennenlern, im Café, denke ich aber sofort an Sex, weil ich mich da auskenne. Das ist mein Gebiet, verstehst du? Sobald einer an Bindung oder so was Komisches denkt, der braucht nur den Mund aufzumachen, da krieg ich Zustände, da schick ich den weg! Am liebsten sind mir

die Verheirateten. Andererseits, die sind auch die lang-
weiligsten. Hingabe – das Wort ist mir zuwider. Hat was
mit Schwäche zu tun. Ich hab gehört, daß die Steigerung
der Lust, wenn man die Pille nimmt, mit einer Steigerung
der Verletzbarkeit verbunden ist, mit einer Abhängigkeit
vom Partner, dem man sich nackt zeigt, seelisch nackt,
das erzeugt Angst. No ja, das wirds wohl sein, nicht?
Mach Schabbes draus.

Den Ausspruch hab ich von einer Bekannten. Das muß
ich dir schnell erzählen, weil das auch so eine Tragödie
ist. Sie ist ein bißchen jüdisch, weißt du, und sie hat so
herrliche Witze und irgendwie Weisheit, obwohl sie noch
jung ist. Die hat Dinge gemacht in ihrer Verrücktheit, der
Verstand war eben verrückt, nicht an der richtigen Stelle,
wo ihn die andern begreifen können. Sie hat alles ausgesprochen, was andere für sich behalten oder nicht einmal
mehr denken. Und sie lebte so gerne. Sie war für alle
Leute unheimlich gut und eigenartig. Wenn man mit ihr
zu tun hatte, war man selber weniger langweilig und nie-
dergeschlagen. Irgendwie war alles aus dem Zusammen-
hang gerissen, und man sah es mit Augen wie zum erstenmal. Weißt du, was mit ihr geschehen ist? Man hat sie mit
kaputten Frauen zusammengesperrt und sie mit Tablet-
ten vollgeschwemmt. Ich war einmal dort, es war das
Niederschmetterndste, was ich erlebt habe. Mitten unter
diesen erloschenen Gestalten unsere Sonja! No ja ... Jetzt
arbeitet sie wieder, was sie lange nicht konnte oder nicht
wollte! Wenn ich ins Café geh, schau ich manchmal bei
ihr hinein. Da sitzt sie überm Schreibtisch, immer dicker,
immer farbloser, kann nicht mehr lächeln, sagt kein interessantes Wort mehr, versteht die Menschen nicht mehr,
gibt sich mit allem zufrieden. Ich bringe ihr manchmal
Pralinen oder Torte vom Café. Die putzt sie weg wie
nichts. Manchmal säuft sie Schnaps, dann wird sie unangenehm. Nun ist sie wirklich eine Verrückte, mit der man
nichts zu tun haben möchte. Einmal gings mir mies, da
hab ich ihr gesagt, daß ich noch überschnappen werde.

Sie war doch die einzige, die das hätte verstehen müssen. Weißt du, was sie mir geraten hat? Ruth, das mußt du behandeln lassen, dafür gibts Medikamente. Da war ich so was von irre, ich hab mich beherrschen müssen, damit ich ihr nicht ins Gesicht schreie: So wie du! Lieber verreck ich!

Ach, der Kleine! Der ist mein ganzes Problem. Laß nur. Nun ist er schon fünf, und ich bin noch immer keine richtige Mutter. Ich verurteile mich, ja, ich verurteile mich selber zu den härtesten Pflichten. Und kein Mensch fragt danach, wieviel Überwindung mich das kostet. Ich kellnere zum Wochenende fast nie, obwohl mir dadurch das meiste Trinkgeld verlorengeht. Ich vergesse, wie jung ich bin, nur um den Kleinen rechtzeitig aus dem Heim zu holen. Dann verbringen wir die ganze Zeit zusammen, und ich sehe zu, daß mich keine Männer besuchen. Aber der Kleine hat Männer gern, weil er im Heim nur mit Frauen zu tun hat. Der ist ganz ausgehungert nach einem Vater. Ich lebe mit dem Kleinen wie Mann und Frau. Ich behandle ihn nicht wie ein Kind, weil ich das so furchtbar gefunden hab, wie sie mit mir umgesprungen sind. Ich gehorche ihm sogar, weil er so praktisch veranlagt ist und weil, no ja, weil ich es schön finde, wenn sich jemand um mich kümmert.

Ich kann dir einen Traum erzählen, den ich gehabt hab, weil der so typisch ist für mein Verhältnis zu dem Kleinen. Wir sind ja in dauerndem Protest gegen die Umwelt. Nun habe ich ganz schön Angst, daß er mir durch die Schule fremd wird. Da hab ich diesen Traum gehabt. Wir sind in einem Klassenzimmer und warten auf irgendwelche geheimnisvollen Männer. Schuldirektoren oder so. Und wir liegen angezogen in einer Badewanne, der Kleine und ich, und lassen die Beine über den Rand baumeln. Rotzfrech. Wenn einer der Herren hereinkommt, begrüße ich ihn mit den Worten: Ihr Chef beauftragt mich, Ihnen zu sagen, daß Sie sofort entlassen sind! Der Kleine neben mir platzt fast vor Lachen, und ich flüstere ihm zu:

Sei still, erst wenn wir sie alle los sind, sind wir in Sicherheit! Und manchmal kommt eine Bekannte und bringt eine Zuckertüte für den Kleinen, dann sage ich: Legs zum Leichentuch. Ich hab mir diese Sätze genau gemerkt. So was träumst du bestimmt nie.

Ich weiß, daß ich alles falsch mache. Ich tauge ja nicht einmal zum Bemuttern. Und das macht nicht einmal ein Tier falsch. Aber woher soll ichs denn haben? Sag mir das! Ich bin hart geworden. Manchmal empfinde ich überhaupt nichts, ich tu nur so. Ich möchte mich ins Bett legen und schlafen, nur schlafen, einen langen, langen Winterschlaf. Aber ich bin immer in Bewegung, damit keiner was merkt. Ich halte es nur in der Stadt aus, wo immer was los ist, am liebsten würde ich nach Berlin ziehn. In der Natur, die ja sehr schön ist, da werde ich immer traurig. Ich würde auch im Sommer in der Stadt bleiben, aber das verträgt der Kleine nicht. Seine Interessen und meine, die gehn vollkommen auseinander. Und es gibt keinen Menschen, der würdigt, daß ich es trotzdem versuche.

Ich bin, ich bin ... vollkommen verkrustet. Nun heule ich ... siehst du. Immer ... immer glaub ich noch, no ja, an die Wahrheit, an irgendwas, was noch kommen *muß*. Das kann doch nicht alles gewesen sein! Diese Leute im Café, und vormittags schlafen, und diese Wochenenden, allein mit dem Kind. Die Nächte sind mir am liebsten. Es ist keine Ordnung da, in die man sich pressen muß. Die Männer haben nachts Zeit für dich, die sind ganz anders als am Tag darauf, wo sie dich schon vergessen haben und an ihre Frauen denken und an ihre Arbeit.

Und immer, immer noch hoffe ich auf das Wunder. Einmal *muß* eine Frau doch so was erleben. Ich hoffe und hoffe, und ich glaube überhaupt nichts mehr. Ich glaube nicht, daß der Orgasmus die Offenbarung sein wird, und deshalb wehre ich mich gegen ihn. Ich fürchte mich davor, so ausgeliefert zu sein. Manchmal liege ich wach, weißt du, da fürchte ich mich so irre vor dem Sterben. Ich möchte jemanden haben, zu dem ich beten kann: Lieber Ichweißnichtwas, laß mich noch ein wenig glücklich sein. Ich zahle dir jeden Preis. Manchmal überlege ich mir jetzt, ob ich nicht mit einer Frau zusammenziehen soll. In der Therapiegruppe ist eine, mit der versteh ich mich großartig, die lebt in Scheidung und hat auch einen Sohn. Warum sollen wir nicht zusammen leben? Ihr Mann könnte meine Wohnung übernehmen, dann wäre doch allen geholfen, nicht?

Jetzt ist dieser Chilene da, schon eine Woche. Mit dem Kopf habe ich überhaupt nichts gegen ihn. Im Gegenteil. Er ist einfach gut. Aber ich bin schon wieder so kribbelig, weil der so zutraulich ist. Ich fühle mich für diesen Typ verantwortlich, weil er mir seine traurige Geschichte erzählt hat und weil ich ein paarmal mit ihm geschlafen habe. Und zwischendurch mit keinem andern! Ich könnte wütend werden! Ich weiß doch, wo das hinläuft. Der Kleine kriegt nie einen Vater! Mit mir nie! Stell dir vor: In zehn Jahren ist er fünfzehn, und ich bin erst zweiunddreißig, das wird doch irre.

Den Männern irgendeine Schuld zuschieben, ach du, darüber bin ich hinaus. Es hat ganz gute Typen gegeben, die es mit mir und dem Kleinen ausgehalten hätten. Aber irgendwie, ich weiß nicht, war immer der Wurm drin. Ich hab mir jetzt gedacht: Das sind so unterschiedliche Typen, und die fliegen alle so auf mich, weil ich selber noch nichts bin. Sie können ja alles in mich hineinsehen, und ich stelle mich auf jeden ein. Das ist ja das Irre. Mit meinen ersten Männern hab ich immer gleich Pläne geschmiedet, aber nie *meine* Pläne, immer nur ihre. Da war ein Töpfer, ein wunderbarer Typ, da wohnten wir in Gedanken schon in einem Bauernhaus im Erzgebirge und töpferten zusammen. Und ein anderer, das war ein halber Portugiese, aber schon ewig hier, der wollte ausgerechnet zur UNO nach Genf und Portugiesisch dolmetschen. Und ich mußte sofort Portugiesisch lernen, um auch nach Genf zu können. Das haben wir für ganz real gehalten.

Erst jetzt frage ich mich: Wo bleib denn *ich* eigentlich bei all diesen Geschichten? Was ist denn nun *meins?* Ich hab keinen blassen Schimmer. Ich hab so viele Leben kennengelernt, nur meines kenne ich noch immer nicht.

Ich habe immer Vorbilder gesucht, aber es waren immer nur Menschen da, die an mir herumzogen: Das machst du falsch, und das machst du auch falsch, und das siehst du nicht richtig, und schau dir doch die X an! Das war schon in der Schule so. Was in mir drin war, das sahen die nicht. Dabei bin ich überhaupt nicht schwierig, ich fresse nur nicht, was man mir vorsetzt. Ich möchte mich selber finden und nicht irgendeinen anderen, vielleicht so einen kleinen Spießer wie meinen Stiefbruder, den mein Vater mit in die Ehe gebracht hat. Den haben sie mir als Vorbild hingestellt, ein Mensch ohne einen eigenen Gedanken, nur mit dem Drang nach viel Geld, was darzustellen, Sicherheit zu haben. Solche Typen unterscheiden sich doch überhaupt nicht von meiner West-Oma. Dabei ist der in einer leitenden Stellung. Ich frage mich manchmal: Welche Gesellschaft bauen wir eigentlich auf? Man hat doch einen Traum. Die Menschen werden geboren und haben einen Traum. Ich träume: Die Menschen werden wie Menschen miteinander umgehen, es wird keinen Egoismus mehr geben, keinen Neid und kein Mißtrauen. Eine Gemeinschaft von Freunden. No ja. Jemand wird doch dann da sein, der ja zu mir sagt.

PETRA
Angst vor der Liebe


Ich war wahnsinnig unselbständig. Erst in der siebenten, achten Klasse ging mir ein Licht auf. Mensch, dachte ich, so doof bist du ja nicht, mach was Eigenes. Das kam ganz von selbst, verlangt wurde das nie von mir. Ich bin immer zu wenig gefordert worden. Verkrochen hab ich mich in meinem Zimmer, wenn Besuch da war, weil ich gar nicht wußte, was ich sprechen sollte. Wenn ich in Gaststätten essen sollte, konnte ich die Gabel nicht halten. Das war richtige Menschenangst. Warum, weiß ich nicht. Susanne, meine Schwester, ist zwar jünger als ich, aber Susanne ist auch frecher. Hach, die liebe, hübsche Susanne, so was zieht an, klar. In der neunten fand mich ein alter Junggeselle toll. Der hat zur Mama gesagt: Die Petra würde ich sofort heiraten. Und Mama hat gelacht und gesagt: Die kriegst du aber nicht. Seitdem fand ich mich nicht mehr so wahnsinnig häßlich. Mit einmal war ich locker, ich setzte einfach keine Besuchermiene mehr auf, wenn der kam. Hach, Petrachen, hol den Zucker, hol den Kaffee. Nun wars Sense. Dann sind wir umgezogen. Ich bin mit einmal viel tanzen gegangen und hab sogar welche gefunden, die mich nett fanden. Das hab ich ausgenutzt. Als Charly aufkreuzte, hab ich mit dem gemacht, was ich wollte. Er hat für mich die Arbeit geschwänzt und gelogen. Das fand ich schau, mit einmal so viel Macht über andere zu haben. Bei den neuen Lehrern dachte ich: Die werden meinen, ich bin so ein Mauerblümchen, denen werde ich gleich die richtige Rolle vorführen, damit sie wissen, was sie von mir zu halten haben. Klar, einen eigenen Freund, die Clique, die mich bewunderte, jetzt war ich wer! Und ich Doofe, ganz so schlau war ich doch nicht, lasse was davon durchblicken. Von dem Moment an war ich bei den Lehrern geliefert, da hatte ich meinen

Stempel weg: berechnend, unaufrichtig, hochnäsig. Hab mich nur herumgestritten in der Schule, direkt rabiat, keine Spur mehr von unterwürfig. In der achten hab ich mich noch nicht getraut, mich zu melden, wenn ich was wußte, hab immer nur vor mich hin geflüstert. Und mit einmal dieses sagenhafte Selbstbewußtsein. Ganz gesund war das ja auch nicht.

Die Zeit in der Clique war eigentlich schau. Wir waren sieben Jungs und ich als einziges Mädchen. Wir sind auf die Dörfer tanzen gefahren. Einer hat einen Trabi gehabt, der war gerammelt voll Leben. Mal sind wir auch mit den Fahrrädern gegondelt, je nach Wetterlage. Zum Fasching haben sie mich vollgehängt mit Luftballons und Papierschlangen. Ich hatte nie Geld, ich wußte genau, die kümmern sich um alles. Als ich Schluß gemacht habe mit Charly, mußte ich aus der Clique raus, und er hat sich eine andere Freundin gesucht. Die kriegt jetzt ein Kind von ihm. Klar, ein bißchen kränkt mich das. Dann hab ich mit Susanne alleine Streifzüge gemacht. Eine Clique ist aber was anderes, da weiß man genau, man kann sich alles erlauben, es gibt sieben Jungs, die einen beschützen. Heute würde mir diese Clique nichts mehr geben. Da herrscht so ein sonderbarer Geist. Innerhalb der Clique nimmt keiner den anderen richtig ernst, da wird praktisch alles toleriert, und wenns noch so ein Blödsinn ist. Dafür ist man gegen die Außenwelt um so genauer. Draußen sind alle doof, drinnen sind alle ganz schau.

In der Schule gings bergauf mit mir, als ich meine eigenen Wege ging. Ich hatte ja dauernd die Schule geschwänzt und wurde x-mal vors Kollektiv geladen, aber wie! Dann hab ich jedesmal krank gespielt, bis mein Lehrer zu schreien anfing: Deine widerlichen Ausreden, die kann ich nicht mehr hören, raus mit dir! Da war ich wieder draußen. Ich wußte ja selber nicht. Die Lehrer machen einen Fehler: Einerseits nehmen sie uns zu ernst, sie legen alles auf die Goldwaage. Während wir schon ein Stück weiter sind, reiten sie noch immer auf den alten

Geschichten herum. Andererseits nehmen sie uns zu wenig ernst, die sehen nur, was sie sehen wollen. In der zehnten hab ich mich ausgeruht, bis es beinahe zu spät war. Über Schwierigkeiten kann ich wirklich nicht klagen. Ich glaube, ein glatter Weg ist nichts für mich: Abi, Studium, Diplom, Beruf und irgendwann den Doktor. Aber man versucht ja immer, die eigene Situation zu rechtfertigen. Ich war einfach stinkfaul. Und jetzt merke ich, daß ich gar nichts kann. In der EOS sind wir hochgespielt worden, wir sind uns wie Elite vorgekommen. Wenn ich gleich mit dem Studium angefangen hätte, wäre ich jetzt unter Gleichaltrigen und hätte es leichter.

Jetzt mache ich ein bißchen Datenverarbeitung. Da ist ein Apparat, in dem sind Zahlen drin, und die Zahlen übertrage ich mit der Schreibmaschine auf Lochkarten. Das ist ziemlich stupide, und dann noch Akkordzulage. Ich hab gleich gesagt, ich denk nicht daran, mir meine Nerven kaputtzumachen, die sind schon kaputt, bloß wegen fünfzig Mark mehr im Monat. Jetzt hab ich einen qualifizierten Locher, der ist zu langsam für die anderen Frauen, bei dem gibts keine Leistungszulage, aber der kann mehr. Menschen sehe ich nur in den Pausen. Ich unterhalte mich also mit dem Ding. Heute, ich saß da, mit einmal tutet sie. Halt den Mund, sage ich, jetzt meckerst du nicht, ich muß das noch schaffen. Aber nein, sie fabriziert mir einen Kurzschluß! Die war beleidigt, weil ich nicht auf sie gehört habe. Die Arbeit mit der Maschine reizt mich, gerade weil ich ganz anders bin, ein bissel schludrig. Mein größter Wunsch wäre aber, eine Arbeit zu kriegen, die mich wahnsinnig beschäftigt. Genaue Vorstellungen habe ich nicht. Ein Mann ist nicht so wichtig, den kriegt man immer noch. Ich hab sowieso diesen Tick. Ich kann einen Film sehen, ein Buch lesen, immer denke ich: Die Frau kommt zu kurz gegenüber dem Mann. Ich sehe immer alles gegen die Frau gerichtet. Ich denke: Wenn ich einen richtig gut kennenlerne, muß ich ihn gleich heiraten. Die Ehe empfinde ich als Versicherungsinstitut, als Pension oder als Friedhof, je nachdem. Ich fühle mich zufriedener, wenn ich weiß, ich bin allein und muß stark sein. In dem Moment, wo ich einen Mann habe, werde ich bequem. Dann komm ich in den Trott wie alle anderen, dann bin ich geliefert. Ich sehs an meiner älteren Schwester. Ich versteh Claudia nicht mehr, seit sie verheiratet ist. Wenn sie die kleinsten Schwierigkeiten hat, schreit sie nach ihrem Mann. Einmal hab ich zu ihr gesagt: Komm, wir hauen ab, wir legen die Kinder hin und gehen schwimmen oder tanzen oder sonstwas. Und das hat ihr solchen Spaß gemacht! Bis ihr Mann zu mir gesagt hat: Du verdirbst mir meine Frau! Is 'n Ding, nicht? Claudia hat schon Komplexe, daß keiner mit ihr tanzen will, und die hat so viele Verehrer gehabt, sie ist ja die Schönste von uns. Jetzt wird es ihr genauso gehn wie den andern, die jammern, wenn sie alt sind: Hätte ich doch nur, und warum hab ich denn nicht? Ich hätte doch auch bei meinem Ersten bleiben können, aus dem hab ich mir viel gemacht. Aber in dem Moment, wos klar war, hab ich gedacht, hach, jetzt muß ich wieder eine Gegenleistung bringen. Deswegen haben sie mich so schnell ins Bett gekriegt. Ich konnte einfach schlecht nein sagen. Man darf aber Kapitulationen nicht hinnehmen, von beiden Seiten nicht. Manche Jungs haben sogar meine Fehler akzeptiert, da wars bei mir Sense. Noch was ist komisch bei mir, gerade wenn ich einen Jungen sehr brauche, wie damals Bert, dann habe ich das Bedürfnis, ihm zu zeigen, daß ich ihn *nicht* brauche. Dann geh ich tanzen mit anderen, und keiner versteht das. Ich auch nicht. Vielleicht will ich mir selber beweisen, daß ich nicht leben will wie die andern. Einmal hab ich einen so verletzt dadurch, er hat sich betrunken, und zu seinen Kumpels hat er gesagt: Die ist für mich gestorben, das laß ich mir nicht gefallen. Vielleicht wollte er einfach nicht klein beigeben.

Ich wollte immer ein Junge sein. Die können doch machen, was sie wollen, kein Mensch redet ihnen drein. Wenn ein Mädchen öfter den Partner wechselt, gleich hats einen schlechten Ruf, vor allem bei den Mädchen. Die haben keine eigene Meinung, die sind so wahnsinnig anpassungsfähig, die ordnen sich immer unter. Zu Hause konnte ich nie alleine in die Kneipe gehn. Susanne hat sich das erlaubt, aber bei ihrem Aussehen kann man sich alles erlauben. Einem Mädchen glaubt man einfach nicht, daß es sich nur so hinsetzt und sein Bier trinken will. Das legt man ihr so aus: Na, kommt denn keiner? Ich hab eigentlich keine Lust, allein in eine Kneipe zu gehn, es geht mir nur darum, daß ich es tun kann, wenn ich Lust dazu hätte. Für mich sind diese Freiheiten, die man im Prinzip hat oder nicht hat, sehr wichtig. Wenn ich nicht in diese Clique gekommen wäre, hätte ich mir bestimmt nicht so viel abgeguckt von den Jungs. Die sind doch alle der Meinung, Mädchen darf man nicht ernst nehmen, die sind nur zum Schlafen da und zum Spaß. Und ich hab gesehen, wie gut sie damit durchkommen. Da wollte ich auch so werden. Obwohl, es gibt ja auch welche, die eine Frau lieben, wenn sie mit ihr schlafen. Bloß, das bringt Verpflichtungen mit sich, und davor hat man Angst. Ich muß sagen, daß ich manchmal das Bedürfnis habe, mit einem einfach ins Bett zu gehn. Susanne würde das nicht verstehn, und Claudia auch nicht. Aber das ist doch ganz natürlich. Warum sollen Frauen nicht dieses Recht haben? Das Recht nehme ich mir einfach.

Vielleicht hast du recht. Manchmal braucht man auch einen Freund, mit dem man reden kann. Aber mit Freunden, die zum Reden gut sind, schlafe ich grundsätzlich nicht, auch wenn sie noch so gern wollen. Wenn man mit einem reden *und* schlafen kann, das ist schon Liebe, und davor habe ich Angst. Ich rauche wie ein Schlot. Ich mach alles wie ein Mann – trinken, rauchen, Partner wechseln, faul sein. Dabei weiß ich selber, das ist nicht gut für mich. Ich weiß nicht, wie sich das entwickelt hat, aus dem schüchternen Mädchen so ein Mensch, wie ich jetzt bin!

Das erstemal geküßt habe ich, da hat mich ein Armist

nach Hause gebracht, so einen kriegt man ja immer. Da war ich fünfzehn und fing zu heulen an. Ich dachte, nun gehts bergab, obwohl ich genau Bescheid wußte. Dann hab ich an der Ostsee wen kennengelernt, der hat sich wahnsinnig betrunken, und ich hab mich inzwischen in sein Zelt gelegt und hab mir gesagt: So, jetzt warte ich, ich möchte wissen, was kommt. Nackt. Ich fand gar nichts dabei. Mit einmal kam er an, guckte, dachte natürlich: Die will was von mir. Und da hab ich eine solche Angst gekriegt, ich hab ihn angeschrien, als ob er mich umbringen will, und bin abgehauen. So. Wieder nichts. Dann lernte ich Charly kennen. Der hatte noch nie mit einem Mädchen geschlafen, was sollte mir der schon beibringen? Aber er hatte einen Freund, und der hatte Erfahrung, so was merkt man ja. Da dachte ich: Bei dem brauchst du keine Angst zu haben, und bin eben eine Nacht bei ihm geblieben. Mann, was man da immer denkt, Wunder was, aber ich war nur wütend. Hau ab, hab ich gesagt, und dann haben wir uns nicht mehr gegrüßt. Die Konsequenzen hab ich nicht gleich gezogen, ich dachte, vielleicht lags an dem Jungen, daß es mir nicht gefallen hat, und da hab ichs mit Charly probiert. Ja doch, einen hab ich gefunden, bei dems schön war, aber da war von vornherein klar, daß wir nur zusammen schlafen wollten. Ich hätte ihn gerne behalten. Aber ein Junge kann praktisch mit jeder schlafen, warum soll der ein Mädchen behalten wollen?

Ich seh überall, daß wir Frauen zu kurz kommen. Unsere Mama hat vorhin ein paar Schoten losgelassen. Ein Fremder muß denken, eine toll emanzipierte Frau! Aber sie redet nur so, sie schimpft und macht einen Spektakel, und dann tut sie wieder das, was Papa will. Unser Papa ist eigentlich kein Herrschertyp, er möchte es nur gerne sein. Dabei ist er so komisch. Aber Mama ist auch selber schuld. Sie hätte mehr aus ihrem Leben machen können. Papa hat sie gar nicht so gedrückt. Er hat sich eben auch angepaßt, und das wurde eine Schraube ohne Ende. Mama hat diesen Spleen, hach, nun haben wir eine Abiturientin in der Familie. Sie macht so viele Sachen, die gar nicht zu ihr passen. Das ist ihr Emanzipationstick. Sie hat sich lange unterdrückt gefühlt, mit den vielen Kindern und dem Haushalt und nie genügend Geld. Nun möchte sie Papa eins auswischen und alles so machen wie die andern Frauen: arbeiten gehen, einen Liebhaber haben, in der Partei sein. Ich bin ein Mensch, der nie was hintenherum sagt, aber Mama steht auf dem Standpunkt: Alles machen, was von euch verlangt wird, und schön den Mund halten, Kinder, sonst kommt ihr auf keinen grünen Zweig. Sie ist wahnsinnig naiv und von jedem zu beeinflussen. Schon als Kinder haben wir genau gewußt: Wenn wir das sagen, geschieht das, und wenn wir das sagen, geschieht das. Das haben wir immer sehr reizvoll gefunden. Wenn ich bestimmte Dinge durchziehen wollte, habe ich am besten überhaupt nichts gesagt und sie einfach getan. Erziehung gabs in dem Sinne eigentlich nicht. Das ist ja die Gefahr, daß man sich alles verdirbt, wenn man so viel Freiheit hat. Anleitung haben wir nicht groß bekommen. Bücher schon. Die hat Papa mitgebracht, er hat selber viel gelesen. Susanne und ich haben uns gegenseitig Bücher empfohlen. Jetzt wird sie die ›Spur der Steine‹ lesen und wird auch begeistert sein. Das handelt von einer jungen Frau, die kommt in die Buna-Werke oder so einen Männerbetrieb. Da lernt sie einen Mann kennen, der ist verheiratet, ist Parteisekretär. Später gehen sie selber hin und sagen, daß sie ein Verhältnis miteinander haben. Daraufhin wird er aus der Partei ausgeschlossen, obwohl er so offen war. Dann ist noch der Balla, der vorher überhaupt nicht für unseren Staat ist, und in seiner Brigade lauter Mordskerle, die machen ihre Arbeit ganz dufte, aber sonst interessieren sie sich für nichts. Der Balla setzt sich mit dem Parteisekretär auseinander, und es dauert unwahrscheinlich lang, bis sie auf eine gemeinsame Ebene kommen. Der Balla wird dann ein ganz anderer Mensch, er sagt, er hat die Spur der Steine gesehen, vom Ursprung her. Ich hab da zum erstenmal Interesse an einem Mann gehabt, der nicht mehr so jung ist wie ich. Ich muß ehrlich sagen, in so einen habe ich mich verguckt, bei uns im Betrieb. Der ist bald vierzig, ist auch verheiratet. Richtig männlich, manchmal lustig, manchmal ernst, unheimlich vital, wie jemand, der im Leben steht und mit allem fertig wird. Und dann wieder so besorgt und väterlich und für alles verantwortlich. Wer hat sich denn gekümmert um mich? Ich kam her, da haben sie mich kurz eingewiesen, und dann war ich mir selbst überlassen. Die Frauen sind viel älter als ich und reden nur über ihre Kinder und was sie am Sonntag kochen. Nur dieser Mann kümmerte sich um mich. Wenn er kein Schuft gegenüber seiner Familie ist, dann sieht er doch, das geht nicht mit mir, auch wenn ich ihm schöne Augen mache. Dabei ist er nicht hübsch, er hat schon Falten und ist zu klein für mich. Mir kommts vor, als ob das von seiner Seite ein väterliches Verhältnis ist. Aber ich bin kein Kind mehr, ich hab ganz andere Gefühle. Oder?

## SUSANNE
Kernkraftwerk und Delphine

Meine Eltern halten mich zu locker. Wenn sie sagen: Um zehn bist du zu Haus, ganz forscher Ton, und ich komme erst um zwölf, dann heißts nur: Susanne, wenn das wieder vorkommt, darfst du die ganze Woche nicht raus. Was ist? Das nächste Mal das gleiche Theater. Papa schreit, Mammi sagt: Hach, Tochter, wie kannst du mir das antun. Aber es passiert absolut nichts; nichts. Ich sage immer: Ja, ihr habt recht! und warte darauf, daß sie mal konsequent sind und mich einsperren. Bestimmte Prinzipien, die müssen einfach sein. Schon als Kind habe ich versucht, meinen Kopf durchzusetzen. Ich ging einfach nicht in den Kindergarten. Da hat mir Papa Schokolade versprochen oder Radau gemacht. Aber ich war die Stärkere. Er hat immer alles gemacht, weil er sein Töchterchen lieb hatte. Einwandfrei. Kinder wollen aber, daß die Eltern manchmal stärker sind als sie. Das haben meine Eltern nicht verstanden. Oft habe ich lange Fernsehn geguckt, aber wenn Papa seine Launen hatte oder Magenkrämpfe, dann hat er einfach ausgemacht, und da wurde ich dermaßen hysterisch! Meine Freundin sagt: Meine Kinder, also, die werde ich nicht zu Duckmäusern erziehen, sondern ihnen alle Freiheiten lassen, damit sie ihre Persönlichkeit voll entfalten können. Aber schlechte Eigenschaften, die sind doch nicht angeboren. Ich habs heut nicht leicht mit meinem Charakter. Wenn ich Jürgen nicht hätte, wäre ich aus dem Schlamassel nicht rausgekommen. Jürgen kritisiert mich sehr, und ich sage ihm, was mir an ihm nicht gefällt. Ich finde es dufte, daß mir einer mal meine Fehler sagt, ich war ja dermaßen überzeugt von mir. Susanne die Größte, Susanne die Schönste, Susanne die Klügste. Ich hab den Clown gespielt.

Jetzt überlege ich mir, was ich sage und wie es auf andere wirken könnte. Und das Rauchen gewöhne ich mir auch ab. Das befriedigt unheimlich, daß ich so was zustande kriege. Selbstsicher bin ich noch immer. Die Lehrer sind direkt geschockt, weil sie das nicht gewöhnt sind. Eine Lehrerin hat einmal gesagt: Wenn ich die schon laufen sehe! Ich hab aber einen ganz duften Gang, ich weiß nicht, was sie damit sagen will. Wenn ich aus der Schule komme, gehe ich sofort weg, wohin, weiß ich noch nicht genau. Ich habe viele Ideen, vielleicht in ein Kernkraftwerk, das ist was Neues und hat Zukunft. In einer Kleinstadt kann man sich nicht so entfalten. Da muß man schon ein Mann sein, um was vom Leben zu haben. Ich setze mich manchmal allein in die Kneipe und denke mir, die sollen ruhig glotzen, mich stört das nicht. Aber Petra hat die Freiheit nicht in sich, das hängt mit ihrem Charakter zusammen.

Kinder möchte ich keine haben. Ich will viel reisen und viel erleben. Ich seh doch, was Mammi für ein Leben führt. Vor fünf Minuten hat sie noch groß gesprochen, was sie alles anstellen wird, und wenn Papa kommt, ist sie so klein. Beispielsweise ein Betriebsfest. Papa sagt: Klar, Hannchen, da gehste hin, den offiziellen Teil machste mit, und wenn sie zu tanzen beginnen, hauste ab nach Hause. Und Mammi macht das. Und hinterher erzählt sie uns das Blaue vom Himmel, was sie alles angestellt hat. Und Papa ist so dumm und fällt noch darauf herein. So ein Theater. Das kommt alles, weil sie die vielen Kinder hatte und so angebunden war. Nee, ich möchte keine Kinder. Ich würde auch nie einen Mann heiraten, der so eine Einstellung hat wie Papa. Ich will erst mal frei sein, damit man sich gegenseitig nichts vormachen muß. Manchmal tut mir Papa leid, wenn er so sinnlos herumschreit. Das hat er von Opa, der war ein Herrscher. Das hat Papa immer gesehen, drum wollte er genauso werden. Nun kommt er auf einmal nicht mehr durch damit. Meine Brüder sind aus dem Haus, Claudia ist verheiratet, aber noch in Reichweite, da sind wir vier Frauen gegen unseren Papa: Mammi, Petra, Claudia und ich. Das ist ganz neu für ihn, der Arme!

Die Mädchen in unserer Klasse halten sich alle an mich, weil ich meine eigene Meinung habe. Manchmal hab ich gar keine Meinung, aber dann tu ich so, als ob. Da hab ich erst mal meine Ruhe und kann nachdenken. Viele Mädchen wollen sich nicht als Frau fühlen, die wollen lieber wie die Jungs werden, weil Jungs sich noch immer mehr erlauben können. Die Lehrer sagen manchmal so einen Unsinn: Mädchen müssen ein Vorbild für die Jungs sein, immer brav, nie frech, nie unordentlich, nie laut. Manche Lehrer hinken toll ihrer Zeit hinterher. Jedenfalls, richtig unterhalten kann man sich nur mit jungen Leuten. Jürgen kann ich mir zum Beispiel gleichberechtigt vorstellen. Er hat keinen Vater, die Mutter hat ihn so erzogen, daß er dieselben Arbeiten wie eine Frau macht. Jürgen würde zu Hause bleiben, wenn mal ein Kind krank ist. Ich bin der Meinung, daß derjenige zu Hause bleiben soll, der am meisten pädagogisch ist. Gesetzlich ist das ja geregelt. In die Krippe würde ich ein Kind nicht geben. Die Gleichberechtigung soll ja nicht auf Kosten der Kinder gehen. Deshalb möchte ich lieber keine haben.

Wenn die Erwachsenen nicht so doof wären, dann hätte ich nie so schlechte Gesellschaft gesucht. Die hat mich dermaßen beeinflußt. Ich hab viel getrunken und geraucht und nachts Feten beigewohnt. Praktisch hab ich ja freie Entscheidungsmöglichkeit gehabt, weil meine Eltern mich nicht anbinden. Ich konnte allein herausfinden, was gut und was schlecht für mich ist. Wenn man immer kontrolliert wird, dann macht man schon aus Protest Unsinn, jedenfalls wenn man nicht ganz doof ist. Das stört mich so an den Erwachsenen, daß sie die Jugend zu Engeln erziehen möchten und ganz vergessen, wie sie selber waren oder gern gewesen wären. Wir wollen halt nicht so eintönig und spießig leben wie die Erwachsenen, ist ja furchtbar. Bis ich draufgekommen bin, daß wir uns gar nicht so von den Erwachsenen unterscheiden, wenn wir herumgammeln und saufen, das hat gedauert. Jedenfalls, ich hab das eine Weile mitgemacht, dann hab ich mir gesagt: Das kann doch nicht der Weg sein, um deine Ideale zu verwirklichen. Wos langläuft, weiß ich noch immer nicht genau, ich bin nur kritischer geworden, auch mir selber gegenüber. Das finde ich dufte. Jedenfalls, ich muß zugeben, und ich geb ja nicht gern was zu, daß ich von Jürgen sehr enttäuscht bin. Ich merke erst jetzt, wie spießig er ist. Es ist halt schlecht, wenn man mit einem Jungen gleich intim wird, obwohl man ihn noch gar nicht kennt. Der kann gut reden, aber Vorbilder hat er ganz andere. Ich hab so einen Einblick gekriegt, was der sich im Leben wünscht: einen Bungalow am Wasser und schön viel Geld raffen und Beziehungen haben, Beziehungen sind ganz toll wichtig, und immer alles für sich. Na gut, Kommune ist nicht jedermanns Sache, aber die Leute, die so was probieren, finde ich einwandfrei. Nicht nur pünktlich zur Arbeit kommen, das ist zu wenig, sein ganzes Leben überdenken, mal was anders machen als die Erwachsenen, das ist unheimlich gut. Darüber müßte man mehr im Fernsehen sehen oder in der Zeitung lesen. Ich sehs an meinen Brüdern, wie die es einfach nicht ertragen können, wenn irgendwo herumgeschlampt wird. Diese Einstellung hat Jürgen nicht. Ich hab ihm einen Brief geschrieben, da hab ich ihm alles gesagt, was ich nicht ausstehen kann an einem Menschen. Hör ich nichts mehr von ihm, ists nicht weiter schade. Leute, die so spießig leben, die sind für mich gestorben, die sind tabu. Ich meine das Enge, Begrenzte, nie über den eigenen Haushalt hinaus, nur für sich schaffen. Mammi ist zum Glück ganz anders, ich sehe praktisch keinen Erwachsenen in ihr, die ist so wie ich. Mit ihr kann ich auch über das Sexuelle reden, einwandfrei, drum hab ich keine Komplexe.

Schlimm ist für mich, wie Papa sich verhält. Ich hörs mir immer an, wenn er über die Arbeit schimpft, ich versuchs zu verstehen, aber es deprimiert mich, wenn er Ärger hat mit der Partei. In der Schule spricht man ja ganz anders. Was stimmt denn nun? Manchmal hab ich direkt Angst, weil ich nicht mehr so hundertprozentig an alles glauben kann wie als Kind. Ich hab so blöd von unserem Schuldirektor geträumt. Der predigt uns ja immer, wie wir sein sollen. Auf einmal wollte er uns erschießen. Das kommt daher, weil ich mir einbilde, ich falle durch, und die zehnte ist ja so wichtig. Das ist ein unheimlicher Druck, so daß man gar nicht ruhig schlafen kann. Im Traum hab ich unserem Direktor dann alles klargemacht, ich hab mit ihm verhandelt, wie ich das immer mache, und dann hat er uns leben lassen. Ich war mächtig aufgeregt, aber es hilft doch, wenn man sich für was einsetzt. In unserer Klasse sind eigentlich alle für den Sozialismus. Jeder versucht, den anderen zu überzeugen, wie sehr er selber überzeugt ist. Unser Staat macht Fehler, na gut, aber das Prinzip ist einwandfrei. Richtig fanatisch sind wir manchmal. Manche sagen: Sollen doch alle rübergehen, die wollen.

Ein großes Vorbild ist unsere Geschichtslehrerin. Schon ihr Äußeres: Sie ist immer modisch gekleidet, gar nicht wie eine Lehrerin, sie schaut immer frisch und ausgeruht aus, als ob sie mit uns überhaupt keinen Ärger hätte. Sie arbeitet nicht stur auf ein Ziel hin und jubelt uns nicht ihre eigene Meinung unter. Mit ihr sprechen wir über alles, auch über Westfernsehen. Sie sagt nicht, das ist falsch. Sie sagt, ist gut, daß ihr so ehrlich seid. Sie sagt, man kann nur zu einer eigenen Meinung gelangen, wenn man offen sein kann und sich auch irren darf. Sie geht nicht mit uns um wie Lehrer mit Untergebenen. In der neunten hab ich ganz schön gestört, durch die schlechte Gesellschaft, in der ich war, und unsere Geschichtslehrerin hat immer Geduld mit mir gehabt. Die ist ein wahres Glück für mich.

Es gibt auch Vorbilder in Büchern. Die beeinflussen mich unheimlich. Papa hat mir ein paar Bücher von Malamud mitgebracht. Die erzeugen dermaßen nachhaltige Gefühle, der glaubt so stark an den Menschen, daß man selber gut wird. Und er zeigt, wie Menschen über Widerstände hinwegkommen. Oder das Buch von Merle über die Delphine. Das finde ich unheimlich gut, dieses Verständnis zwischen Mensch und Tier. Es ist doch oft so, daß die Menschen rücksichtslos gegenüber den Tieren sind. Ich seh das nicht ein. Das Tier ist auch in der Natur und ein Lebewesen wie der Mensch, es muß doch auch Rechte haben. Für mich ist die ganze Natur unheimlich wichtig. Ich bin oft draußen und fühle mich da ganz frei.

Mit einem Mann kann ich gar nicht so glücklich sein wie allein in der Natur. Spaß machts mir schon mit Jürgen, aber richtig glücklich war ich noch nicht. Nie wieder mit einem Jungen schlafen, wenn ich ihn nicht richtig liebe! Petra hat mir das Sexuelle so grauenhaft gemacht, ich hab richtig Angst davor gekriegt. Petra hats schwer mit den Jungs. Die benehmen sich hier im Ort ja wie die Könige. Es gibt Mädchen, die geben den Jungs Geld, damit sie mal mit ihnen schlafen. Jungs glauben ja immer, daß sie untreu sein müssen. So ein Mann wie Jürgen, der wird schief angeguckt, weil er treu ist und das offen zugibt.

Glücklich bin ich auch, wenn mir meine Freundin alles erzählt, wenn sie Vertrauen zu mir hat. Man hat ihr jetzt ein Kind abgenommen, das hat sie fertiggemacht. Sonst hat sie es niemandem gesagt, nur mir. Glücklich machts mich auch, wenn ich in die Klasse komme und alle froh sind, daß ich wieder da bin. Oder wenn die Lehrerin akzeptiert, was ich sage, obwohl es mir schwergefallen ist. Wenn sie mich nicht zurückweist. Da bin ich ihr dankbar und möchte sie umarmen.

Ich erinnere mich an meine erste Verliebtheit, wie herrlich und wie traurig das war. Da war ich elf, da hat Lorenz, mein ältester Bruder, geheiratet, und wir haben drei Tage lang gefeiert. In die Freunde von Lorenz war ich dermaßen verknallt. Wie das zu Ende war und sie wieder abgefahren sind, war ich unheimlich traurig. Ich hab mir nicht vorstellen können, daß das Leben weitergeht.

An den Tod denken macht mich auch traurig. Petra hat mir immer erzählt, abends im Bett: Hach, ich hab solche Angst vorm Sterben, wenn ich daran denke, dann könnte ich verrückt werden. Als ich gesehen habe, wie sie sich fertigmacht, hab ich mir gedacht: Bloß weg von solchen Gedanken! Ich kann auch keine Krankengeschichten hören oder von Alten und so was, da wird mir eklig. Ich sag zwar zu mir, na ja, so wirst du auch mal, aber innerlich glaub ichs nicht.

Schönheit ist für mich nicht so wichtig. Ich habe eine häßliche Freundin, aber die ist so klug, die hat ihre eigene Meinung, gefällt mir eben, hat auch schon bei mir geschlafen. Mit der kann man über alles sprechen, auch über Politik, und dann nicht Hach Gott! und so. Und die Art, wie sie alles macht, die macht sie hübsch. An ihre Figur und wie sie aussieht, daran denkt man nicht mehr. Vielleicht bin ich so, weil Mammi zu viel Wert aufs Äußere legt und so schnell urteilt. Ich lasse meine Freundinnen an meine Schränke, die können sich alles nehmen. Nur meine bemalte Truhe kriegen sie nicht. Die hat mir Papa einmal mitgebracht, als ich sieben war und nicht zur Schule wollte. An der hänge ich unheimlich. Wenn ich mal ganz schnell packen müßte, wenn ein Feuer ausbricht oder so was, dann würde ich erst mal meine Hosen retten, mein Bilderalbum, meine Truhe jedenfalls und meine Liebesbriefe.

Meene Eltern, fortschrittliche Menschen, wa, aber die Erziehung von uns Kindern – furchtbar! Die Mädchen mußten schuften, die Jungs hatten 'n feinet Leben. Durch den Tod meines großen Bruders haben meine Eltern den einzigen Jungen, den sie nu hatten, noch mehr verwöhnt. Der is rechthaberisch und jähzornig jeworden, sonst aber lieb und jut, wa? Meene kleene Schwester, mit der kann man allet machen, Sabine, mach det, Sabine, mach det, und allet ohne Widerrede. Meene große Schwester, die regt sich über die kleensten Dinge mächtig uff. Wenn die een Tag nich schimpfen kann, isse nich jesund. Und meen großer Bruder, der tot is, bei dem gings da rin und da raus. Der hat oft tagelang nich mit meen Eltern jesprochen, der is immer 'n selbständiger Charakter jewesen, und meene Eltern haben det respektiert, wa?

Und icke, na ja, ick weeß ooch nich. Irgendwie hab ick zu Hause nie 'ne klare Position jehabt. Ick hab immer allet jemacht wie Sabine, hab mich wejen nischt uffjeregt und bin vollkommen in dem Dreh dringeblieben. Ick wohn noch zu Haus. Und ick weeß jenau, in vielem würde ick janz anders handeln, wenn ick mit siebzehn rausgegangen wär. Mit mir haben sie keene Schwierigkeiten jehabt, schulisch und so. Ick hab mir nie irgendwelche Sachen jeleistet, wo man tadeln könnte. Ick hab immer fleißig jelernt und ooch sonst allet jemacht, wa? Mensch, nach der Schule immer gleich nach Haus, hab saubergemacht, bin nie wegjegangen, tanzen erst mit siebzehn, aber dann um neune nach Haus! Der reinste Zirkus.

Der große Einbruch ist erst gekommen, wie ick det Kind gekriegt hab, wa? Da ist die Welt für meene Eltern eingestürzt. Der erste Mensch, dem ick erzählt habe, daß ick een Kind krieg, war mein großer Bruder. Dem hab ick immer allet anvertraut, der hat ein unheimlichet Verständnis jehabt. Wenn ick mit ihm spazierenjegangen bin, dachten alle, er wär mein Freund. Ick hab nu Geld verdient, wa, und er war Lehrling. Ick hab ihm sehr verwöhnt und sehr verehrt. Deshalb hats mich ooch am meisten getroffen, wie er gestorben ist. Ick bin furchtbar erschrocken, wie er uff eenmal aussah, so blaue Lippen und Fingernägel. Er kam zu mir in die Küche, er möchte wat trinken, wa? Die Lungenentzündung, die hat er überstanden jehabt, und uff eenmal ging det los. In eener Stunde wart vorbei. Ich hab noch 'n Arzt geholt, der hat Wiederbelebungsversuche gemacht, Lungenembolie, und aus. Unsere Eltern waren uff Arbeit. Irjendwie isset janz komisch, heute noch, ick kann von meen' großen Bruder nie reden, wie von eem, der tot is. Ick gloob immer, er is nur bei der Armee. Ick träum sogar von ihm, er steht da, und ick sag, wo warste denn so lange? Beim Grab war ick nur zweemal, det kann ick nich ertragen, det is, als ob det Schreckliche passiert wär, wat et überhaupt jibt.

Seitdem mein Bruder nicht mehr da ist, bin ick selbständiger geworden. Früher hab ick mich immer mit ihm beraten. Und uff eenmal war ick gezwungen, wat alleene zu tun. Meen Vater ist ooch nicht mehr der Größte, seit Ralph da is. Der spielt mit meen Vater Schach und jewinnt, da wird der Absolutismus von meen Vater janz schön anjekratzt. Er is unheimlich lustig, er trinkt gern een, und dann kriegt jeder allet von ihm. Keen Mensch tut ihm wat zuleide, zu allen hat er Vertrauen. Im Charakter bin ick ihm sehr ähnlich. Andererseits kann er ooch streng und konsequent sein. Früher fand ick et das Größte, det er immer allet wußte. Und wie er sich meiner Mutter gegenüber verhält. Meene Mutter is nich janz jesund, und da hat er ihr 'n Bungalow gebaut. Hat uff 'n Auto verzichtet, hat 'n Bungalow gebaut! Trotzdem isser der Herr im Haus. Erst mal isser meener Mutter geistig überlegen, und zweitens is ooch jewesen, det meene Mutter mit Geld schlecht haushalten kann. Und daraus hat sich allet andere entwickelt. Ick seh det so: Meene Mutter kommt aus Eisenbahnerverhältnissen, politisch wenig engagiert. Als mein Vater sie geheiratet hat, war sie een kleenet Mädchen. Meen Vater kommt aus der Senftenberger Gegend, Kohlenkumpel, wa? Der Opa hat so 'n Charakter jehabt: Also, mein Sohn, det machste nich, Nazipartei und so, machste einfach nich! Zum Schluß war mein Vater noch eingezogen, aber er ist zurückgekommen und hat beim Rat zu arbeiten angefangen.

Meine Mutter war die ganze Zeit Hausfrau gewesen. Sie haben sich laufend in die Wolle jehabt. Erst als meen kleener Bruder jeboren war, hat sie in der Kinderkrippe ausjeholfen. Sie hat gesehen, welche Probleme andere Frauen haben, und uff eenmal war det zu Hause allet nich mehr so wichtig. Später fing sie im Werk an, ganztags. Und da hamwa gestaunt, Mensch, Mutter macht sich! Sie is sogar Genossin geworden, und det war *ihre* Entscheidung. Manche Probleme verkraftet sie noch schlecht, zum Beispiel Parteilehrjahr. Schulbildung hat sie keene gehabt, und insofern schätze ick sie sehr, weil sie sich herausgemacht hat, aus so eener kleen Hausfrau, janz im Schatten meines großen Vaters, wa? Und uff eenmal tritt sie gegen ihn uff! Bloß manchmal is sie so wat von kratzbürstig, da kann ick sie nich leiden. Da schimpft sie zum Beispiel uff den ollen Bungalow, wat sie zu tun hat mit dem Ding. Dabei weeß sie gar nich, wie gut sies hat. Die kriegt in letzter Zeit so komische Anwandlungen. Nischt gegen ihre positive Entwicklung, aber nu ist sie in dem Dreh drin, nu muß sie sich ooch Sachen vom Exquisit koofen, det regt mich uff. Die hat uff eenmal keen Maß mehr, ick möcht nich leben wie meene Mutter. Dabei war ick früher ooch janz schön spießig, wa? Ich war zum Beispiel janz scharf uffs Heiraten, und allet jenau wie die andern. Det hat Ralph damals den Rest gegeben. Jetzt haben wir die Großfamilie vor. Die Idee is uns gemeinsam gekommen: Ralph und mir, Tom und Erni. Wir wollen zusammen wohnen, weil wir ooch sonst jern zusammen sind, wa? Nu haben wir so 'n Film jesehn, über 'ne Großfamilie. Die habens zwar falsch gemacht, aber unter unsere Verhältnisse müßte det doch besser jehn, wa? Mensch, zusammen hausen wie die andern Ehen, Fernsehn gucken, immer detselbe, immer zu zweit, und wenn man mal Gemeinschaft sucht, muß man die Kinder alleene lassen, oder die Frau muß zu Hause bleiben, nee! Zuerst dacht ick: Bloß mit gehn, damit ick Ralph nicht verlier. Denn meine Liebe zu ihm war größer gewesen als von ihm zu mir. Det hat sich inzwischen ausjeglichen. Inzwischen will ick die Großfamilie wirklich ausprobieren. Wir arbeiten alle Schicht. Da is immer eener zu Hause, der die Kinder betreut. Später möchte ick noch een Kind adoptieren, wenn ick mit dem Fernstudium fertig bin. Is ja ooch wejen der Fijur, wa? Ralph sagt: Wie du aussiehst, wenn du noch een Kind kriegst! Er is janz scharf uff 'ne jute Figur. Und meine is wirklich nich besonders. Det is eigentlich mein Handicap, ooch wenn ick an die Männer denke. Ick hätte det vielleicht schon mal ausprobiert, aber dann denk ick mir: Für den Mann ist det bestimmt keen Vergnüjen!

Erni ist noch skeptisch wegen Großfamilie. Die is janz anders geartet. Hausfrau und Eheweib. Aber sie hat sich in den letzten Jahren gewaltig geändert, muß man sagen. Det is janz interessant mit Erni und Tom. Tom ist ein Mann, wie er im Buche steht, wa? Aber der kocht und versorgt die Kinder, wenn Erni auf Schicht ist, macht allet wie 'ne Frau. Det paßt überhaupt nicht zu dem, wie er sich nach außen gibt. Nu, und Erni war Friseuse. Det kotzte Tom so an, er konnte det Getratsche aus dem Salon nicht mehr hören. Uff eenmal hat er sie geschnappt, vors Fernsehen gesetzt und jesagt: So, und nu keen Werbefernsehen, zur Abwechslung ›Aktuelle Kamera‹. Da hat sie geguckt, wa? Nächsten Abend wieder einschalten. Erni festhalten, bis sie sich dafür interessiert hat. Mädchen, hat er ihr gesagt, begreifst du nich, es jeht nich um Hobbys, sondern um Grundeinstellungen. Er wollt 'n

Partner, wa, und er hat 'n jekriegt. 's war fast wie bei uns. Eines Tages, wat macht Erni? Fängt an uff ihren privaten Friseurladen zu schimpfen, der Ausbeuter und so, und hat uffjehört bei ihrem kleen Meester. Jetzt wäscht sie keene schmutzigen Köppe mehr und macht nich für jede Mark 'n Bückling. Hat ihren schicken Kittel abjestreift, hat schmutzige Finger, beschissene drei Schichten, aber sie qualifiziert sich, und et macht ihr Spaß, unter Menschen zu sein, die nich nur Stuß reden. Nu hat sie Sorgen, wenn so 'ne Großfamilie auseinandergeht, wie sie da wieder zu ihrem Geld kommt, das sie ins Haus gesteckt haben. Det würde mich überhaupt nich stören. Meine Güte, ick verdien ja wieder Geld, ick steh doch nich vorm Ruin. Und allet andere, det müssen wir eben ausprobieren. Tom hat sich scheiden lassen wollen von Erni, erst durch unser Projekt haben sie wieder zusammenjefunden. Aber Erni will det nich einsehen, sie hat Angst, et könnte sich wat ändern. Wär doch gut, wenn sich wat ändert, wa?

Wenn wir uns 'n bißchen injerichtet haben, wolln wir anbauen und so wat wie 'n Jugendklub einrichten, wo man Musik machen kann und tanzen. Ralph will Gitarre lernen, ick spiel Akkordeon, damals in der Band hab ick ooch gesungen, und andere kommen dann mit ihren Instrumenten dazu, dufte! Ick brauch Menschen um mich. Ick hab richtige Sehnsucht nach Freunden, nicht nur in der DDR. Jetzt in Leningrad, da war ick eene Woche vom Betrieb, bin ick druffjekommen, was mir fehlt. Im Alltag geht alles sein' Gang, danach muß man sich aber nicht unbedingt richten. Wenn mir früher eener gefiel, da dachte ick, nee, det kannste nich machen, da machen die andern ihre Bemerkungen. Ick find et dufte, sich mit Ausländern zu unterhalten. Über Freiheit ham wa in Leningrad jestritten. Ob wir frei sind, hat mich een Holländer jefragt. Na klar, sage ick, wir sind frei. Aber ihr könnt doch nich hinfahren, wo ihr wollt. Nee, sage ick, also da müssen wa 'ne andere Uffassung von Freiheit ham, det müssen wa klärn. Ick bin frei von Ausbeutung, ick hab meen Recht uff Arbeit, ick werd ooch genauso bezahlt wie 'n Mann, und ick krieg 'ne Wohnung, wenn ooch allet nich so glatt geht, aber det tuts bei euch ja ooch nich, wa? Da hat er gefragt, ob ick glücklich bin. Ja, ick bin glücklich. Aber verdienste nicht zu wenig Geld? Nee, ick fühl ma wohl, so wie ick lebe.

's war wirklich dufte mit dem Holländer, der war janz vernarrt in mir. Aber wie ick wieder bei Ralph war, war der Holländer vergessen. Eigentlich hab ick jar nich det Bedürfnis, mit andere Männer ins Bett zu jehn. Mir machts Spaß zu flirten, bißchen Küßchen und so. Richtig jut im Bett isset nur mit Ralph. Inzwischen haben wir uns so erzogen, wie wirs beide gern haben. Ralph könnte dreimal am Tag, der hat unheimlich Energien. Mensch, ick bin jespannt, ob sich det hält. Ick hab Angst, daß er sich verausgabt. Aber wenn ick mir sein' Vater anguck...  Der, von dem ick det Kind hab, war Musiker in unserer Band. Aber echte Liebe wars nich gewesen, det war reine Dummheit. Da hat er mich mal eingeladen zu sich nach Haus, da war der Zug weg, nu kochen wir noch 'n schön' Kaffee. Und die liebe doofe Ute jeht ihm uffn Leim. Ach je. Det erstemal, wo ick mit em jeschlafen hab, gleich isset passiert. Globt mir keener. Ick fand det dermaßen absto-ßend. Der hat seine ganze Überredungskunst uffwenden müssen, und ohne Schnaps wärs überhaupt nich jegan-gen. Ick konnte den Typ nich mehr sehn, ick hab ihn richtig gehaßt. Von dem Kind hab ick ihm nischt erzählt, habs mir vielleicht nich getraut. Mein Bruder hat mir erst erklärt: Also, Ute, in den und den Tagen mußte uffpas-sen! In der Schule haben wir det wissenschaftlich erklärt bekommen, vom marxistisch-leninistischen Standpunkt, welche Verantwortung man trägt. Aber wie det nu in der Praxis aussieht, hat uns keener gesagt. Mit achtzehn noch so blöd, wa? Wenn es damals schon die Pille oder die freie Abtreibung jegeben hätte, wär Jens bestimmt nich da. Det Verhältnis zu ihm war janz komisch. Wat, det soll meen Kind sein, ach Jott, nee, kann ja nich wahr sein! Erst als er angefangen hat, Mama und Auto zu sagen, hab ich die berühmte Mutterliebe bemerkt.

Bevor ick schwanger war, hab ick jerade een Ökonomie-Studium angefangen. Ick bin vor Heimweh fix und fertig gewesen und denn die janze Uffregung wegen dem Kind. Ick kannte keen da unten. Wir wußten ooch jar nich, wat studieren wir denn eigentlich? Wenn wir nach vier Jahren fertig geworden wären. Diplom hätten wir gehabt, aber vom Tuten und Blasen keene Ahnung. Also, nischt wie nach Hause! Dann hab ick angefangen im Betrieb. In zwee Betrieben bin ick nich anjekommen: Schwangere können nicht Schicht arbeiten, demzufolge tuts uns leid. Det hat mich mächtig geschockt, det manche Betriebe es sich so leicht machen. Als ledige Mutter is man ganz schön benachteiligt. Vor vier Jahren hab ick mich für eine Wohnung angemeldet, weil es steht im Gesetzbuch, det ledige Mütter mit Kind als Familie gelten und eine angemessene Wohnung beanspruchen können. Obwohl sich viele Ehepaare später beworben haben als ick, haben die schon eine Wohnung, ick nich. Ick hab also Jens uff die Welt gebracht, und nach zwee Monaten hab ick ihn in die Wochenkrippe gebracht und bin Schicht gefahren. Kleene Kinder liegen viel im Bettchen und merken noch nich so, wat Sache is. Erst als er anderthalb war, da wollte er nich mehr weg von zu Hause, obwohl er in der Krippe 'ne Extrastellung hatte. Ach nee, der kleene Niedliche. Isser ooch, mit blauen Kulleraugen, janz nach mir. Drei Jahre isser im Wochenheim geblieben, dann hab ick ihn zu mir genommen. Det war det einzige Mal, wo ick zu Hause 'n Kampf siegreich zu Ende geführt hab. Meine Mutter hat zuerst gesagt: Ick hab jenug Kinder großgezogen, nu soll ick noch uffpassen, wenn du Spätschicht hast? Sie haben mir ja keene Normalschicht jegeben, und raus ausm Betrieb wollte ick nich.

Nu mach ick Fachschulstudium nebenbei. Ick bekom-

me een Studientag im Monat, zusätzlich zum Haushalts-
tag, und eenmal in der Woche, wenn ick zum Unterricht
geh, krieg ick ooch frei. Ick brauch so wat: wat lernen
und mich beweisen. Wenn mir eener mal ein Lob erteilt,
arbeite ick doppel so jut, Mensch, da bin ick wie umge-
wandelt, da hab ick gleich viel mehr Kraft. Ick hab 'ne
Menge Funktionen, manchmal wird mir det zu viel, aber
die Trägheit der andern, die regt mich so uff, die hält
mich in Trab. Da sind wir gleich bei eem janz duften
Problem: Wir schicken im Betrieb Leute zum Studium,
wa, von denen wir wissen, die machen keene gesellschaft-
liche Arbeet, die sind nur fachlich jut, bestenfalls, und
werden später staatliche Leiter. Damit haun wa uns praktisch selber in die Pfanne. Wat wollen wir denn von solchen Leuten erwarten? Die aktivieren doch keen andern.
Und det is nu immer wieder een Kreislauf. Ick hab eben
det Ziel, in mein Kollektiv die Leute so weit zu erziehen,
daß sie jenau wissen, warum sie arbeiten, und daß sie sich
für allet verantwortlich fühlen. Det möchten Ralph und
Tom ooch. Wenn man sich für 'ne Arbeit interessiert, so
daß man wat verändern will, dann muß ja nich sein, daß
man nur uff die Pausen lauert. Det könnte mich uffregen,
wenn ick seh, wie die Leute bei der Arbeit schlafen und in
den Pausen uffwachen. Manchmal ist man ja machtlos,
man kann die Leute nicht verantwortlich machen, wenn
uff eenmal keen Material da is, wenn die Produktion nich
läuft, det is det Traurigste von allem. Manchmal hab ick
det Gefühl, als ob ick gegen Windmühlen kämpfe. Wir
haben harte Brocken in unserem Kollektiv. Die sind dik-
ke da. Sozialismus hurra, die machen allet, wies uffgetra-
gen wird, nu guckt mal, wie jut wir sind! Aber im Grunde genommen denken die janz reaktionär. Die muß man
wissenschaftlich widerlegen und vor allen Dingen: Nie
zugeben, dat wat schlecht is. Sind ja ooch welche bei, mit
denen man vernünftig reden kann, det dauert nur länger.
Für Kompromisse bin ick nich, nich uff Arbeit. Mit
Ralph is det wat anderes, da muß man viel zurückstecken.

Ralph schätz ick sowieso als een ganz komischen Charakter ein. Der sieht vieles so richtig, und er hat eene unheimliche Allgemeinbildung. Ihm hab ich zu verdanken, daß ick endlich een klaren Standpunkt hab, eenen richtigen bejründeten Standpunkt, wa? So wat braucht der Mensch, Ralph is immer 'n Schritt voraus. Im Betrieb war er der erste, der sich mit Problemen der Produktion auseinandergesetzt hat, er war ooch der erste gewesen, der die Leitung kritisiert hat, als einzelner. Ideen hat er, sagenhaft. So wat reißt mit, wa? Er sagt zum Beispiel: Na schön, ick diktiere gern, aber ick merke, det du dich gerne diktieren läßt, und det jefällt mir nich, Ute. Oder er sagt: Sobald du druffkommst, daß Heiraten der größte Quatsch is, dann heirate ick dich, Ute. In anderen Sachen ist er wie 'ne Schlampe. Da wird 'ne Gardine angemacht, zack-zack. Ob die im nächsten Moment runterfällt oder nich, det is ihm scheißegal. Hauptsache, det Ding hängt erst mal. So wat kann ick durchaus nich haben. Alles provisorisch bei ihm. Ihn stört ooch nich, wat er anhat, wenns noch so schäbig is. Hauptsache, er hat wat an. Aber wenn erst mal eener da ist, der sich um ihn kümmert, der ihm sagt: Jetzt könnste dir wieder mal 'n Pullover koofen, denn macht er det ooch. Bloß dann hat er wieder so 'n Talent, sich solche Momente auszusuchen, wo wir blank sind. Über Geld redet man nicht. Geld muß man haben.

So is der! Seine Resolutheit in manchen Dingen verdeckt janz schön viel Labilität. Manchmal heult er wie 'n Schloßhund. Vielleicht sind alle Männer labil, so wie die Frauen, ick hab mir da nie Gedanken gemacht. Ick wollte immer 'n Mann haben, den ick anhimmeln kann. Ralph hat gleich gesagt, er will nicht dieser knallharte Typ sein, det stößt ihn ab, weil det unnatürlich und unehrlich ist, genau wie die Unterwürfigkeit der Frau. Aber ick hab det damals nich verstanden. Und denn is noch jewesen, daß er eifersüchtig war bis zum Gehtnichmehr. Ick war damals in 'ner Band, det wollte er mir verbieten, weil alle

Männer jeguckt haben uff mir. Wenn ick een jegrüßt hab im Café: Wat, mit dem haste ooch wat jehabt? Er hat mir schon 'ne Szene gemacht, wenn ick mich uff der Tanzfläche mit een jeküßt hab. Mit allen, die ick kenne, kannste det, sagt er, aber die ick nich kenne, mit denen darfste nich. Manchmal hat er 'n janzen Abend 'ne Gusche gezogen, wenn ick ihn mitjenommen hab. Det wurde schon 'ne richtige Beleidijung. Ick fang immer gleich zu heulen an, wenn er mir 'ne Szene macht. Hinterher sieht er ein, wat er falsch jemacht hat, aber Fakt war, det er wegen so 'n bißchen... Ick hab gesagt: Am besten, wir gehn auseinander, wird ja doch nischt. Da hat er jeheult, und in dem Moment war er so kleen für mich. Ick bin weg. Er hat in der Zwischenzeit 'ne andere gehabt, und ick hab ooch andere gehabt. Und trotzdem hats mich uffjeregt, wenn ick ihn mit der Christa gesehen hab. Die sah so jut aus, die ist heute noch mein Handicap. Da könnte ick so traurig werden, wenn er mir erzählt, daß er die Christa getroffen hat, janz uffjeregt ist er dann. Er hat mich verrückt gemacht mit Christa hin und Christa her. Andauernd hat er mir sie hingestellt, als müßt ick ooch so werden. Jetzt sag ick einfach: Na, denn geh doch zu deiner Christa! Und nu isset besser, nu bin ick icke, und Christa ist eben 'ne andere.

Det halbe Jahr, wie er bei der Christa war, hab ick richtig ausgenützt, det kam janz automatisch. In der Band, wa, alle um mich herum, du bist jut, Ute, du bist dufte, Ute. In der Schule haben sie mir immer prophezeit: schüchternet Mädchen, nie im Mittelpunkt. Die haben sich ganz schön verschätzt bei mir im Charakter. Mensch, hab ich mir gesagt, irgendwann stirbste, da gibts dich nie wieder, da mußte doch machen, waste am liebsten möchtest, ohne Rücksicht uff die andern, wa? Ick hab mal een Erlebnis gehabt, mit een Araber, det war furchtbar. Ick versuche immer, dagegen anzukämpfen, und Ralph hat mir det oft jenug ausjeredet. Der Araber hat mir aus der Hand gelesen. Vergangenheit, Gegenwart und Zukunft. Und allet hat er vollkommen gedeutet, wa? Auch daß mein zweites Kind sterben wird. War ooch so jewesen. Ick hab mir een Kind von Ralph wegnehmen lassen. Studium am Hals, Aussicht auf Wohnung war nich, und Ralph hat gesagt: Mensch, Ute, wir können noch so viele Kinder haben. Mir tuts heute noch leid. Wenn det 'n Mädchen geworden wär! Und det hat mir der Araber alles so gesagt und det ick mit fünfzig sterben werde!

Zwee Jahre hat det nu gedauert, bis wir uns so jut verstanden haben wie jetzt. Wat zerbrochen is, det kriegt man nie wieder ganz. Aber bei uns isset noch besser jeworden. Jetzt hat sich det allet so stabilisiert, det sich eener nach dem andern sehnt, wenn er eene Weile weg ist. Früher haben mich meine Eltern uffgestachelt: Ute, möchste nich endlich heiraten? Und da bin ick uff Granit gestoßen bei Ralph. Jetzt sag ick mir, wozu soll ich ihn zu wat zwingen, dadurch verbessert sich unser Verhältnis uff keen Fall. Det is eben der Kompromiß, det ick meen Kopp nich immer durchsetze. Ick habe mich geändert, und er ooch. Und der Stempel uff so 'n Pamphlet is ja wirklich nicht det wichtigste im Leben. Ralph sagt immer: Frauen wollen gar keene Gleichberechtigung. Ick willse, kannst dich druff verlassen, hab ick gesagt. Sogar meen Sohn, der deckt schon den Tisch, putzt meene Schuhe mit, räumt sein Zimmer ohne Widerspruch uff. Da seh ick keene Schwierigkeiten.

Nur mit der Treue, ick weeß nich. Ralph sagt ja, Männer können jenau so treu sein wie Frauen, allet andere is ihnen nur anerzogen worden, aber wat heißt schon Treue? Meinetwegen andere Frauen, nur bleiben soll er! Er erzählt mir allet, dann seh ick ja, ob ick mich ärjern muß oder nich, wa? Manchmal hab ich mir totjelacht: Is ja dufte, einwandfreie Frauen haste uffjegabelt. Da hat er 'n Flirt gehabt mit eener Sechzehnjährigen. Ach, du meene Güte, wie een Gockel! Baden waren sie gewesen, bei Mondschein, und sie hat gerufen: Ralphi, guck mal, die

Sterne! Wie er reagieren würde, wenn ick mir mal so 'n Ding leiste? Im Moment passiert ja nicht viel. In der Band spiel ick nich mehr, ist mir allet zu viel geworden. Klavierspielen haben mir meine Eltern verboten, weil die Bürger früher alle Klavier gespielt haben, drum spielen wir heute nicht mehr Klavier. Die wissen ooch nich so recht, wat Sache is, mal ja, mal nee.

Aber vielleicht haben wir alle unsere zwee Seiten, wa? Ick lieb ja ooch meene Bequemlichkeit ab und zu. Nur Ralph, der is immer im Rhythmus drin. Deshalb will ick in die Großfamilie, weil ick hoffe, det sich mehr Leute finden, auf die wir die Arbeit uffteilen können.

Offenen Wunsch wie im Märchen hab ick keen. Romantisch veranlagt bin ick durchaus nich. Ick wünsch mir vielleicht, daß ick nicht mit fünfzig sterben muß. Und denn wünsch ick mir, daß ick viele Leute kennenlerne und daß alle mich mögen. Ick wünsche mir alle Freunde uff een Haufen und richtig lang Urlaub machen. Schön warm müßtets sein, und denn flirten, trinken, lustig sein. Ick möchts nur so lange machen, bis ick mal jenug hab. Meistens muß man uffhören, wenns am schönsten is. Schwierigkeiten mit Menschen hab ick nich. Diese Beschwerde mit der Brüderlichkeit, also nee. Immer wartet eener druff, daß eener kommt. Ick weeß nich, det sind so Kreise, die vor lauter Intelligenz nich mehr wissen, wat sie nu eigentlich wollen. Die kritisieren nur, det jehört zum guten Ton. Det is schon früher so gewesen. Zum Beispiel Schriftsteller, die sind mit ihrem Leben immer nicht fertig geworden, der eene hat sich umgebracht, der andere hat sich abgekapselt, wa? Die sind so groß in ihrem Schreiben, die Probleme von andern Menschen stellen sie dar, und mit ihren eigenen werden sie nicht fertig. Klar, irgendwelche Schwierigkeiten sind immer da. Wenn der Mensch immer zufrieden wär, det wär ja traurig, wa? Ick hab jenug Schwierigkeiten gehabt, ick kann mitreden. Nee, ick würd mir keen Leben in Saus und Braus wünschen. Ick kenn Leute, die wünschen sich det, aber die

stehn dann vor so 'm Problem, und die Welt bricht zu-
samm'. Eene Zeitlang is bei mir so viel uff eenmal los, da
weeß ick nich, Mensch, wie kommste da rüber? In der
Schule, da barmste schrecklich, und det regt dich so uff,
ick hab zwee Wochen gedoktert an eener Belegarbeit,
und ick wußte nich und wußte nich. Und uff eenmal hab
ick 'n Einfall gehabt und zog det Ding durch. Na ja, und
es war gut gewesen, nu isset vergessen, wieder 'n Stück
weiter. Gibt ja keen Ziel, wohin man will, bloß man muß
sich bewegen.

ANGELA
Laß, mein Kind, das machen wir schon!


Ich schätze mich als einen sehr guten Menschen ein. Wenn das andere nicht merken, ist es mir egal. Vielleicht kenne ich mich schlecht, aber wer soll mich denn besser kennen. Ich *will* böse sein, manchmal, aber ich *bin* gut. Jawohl! Anfangen kann ich im Moment nichts damit, weil ich nicht so leben kann, wie ich möchte. Meine Eltern hindern mich daran. Sie sehen überall Gefahren und Fallen für mich. Meine Mutter kriegt gleich Anfälle, ich darf sie nicht aufregen. Deshalb rühr ich mich am besten nicht. Bei uns gibt es nur *einen* Standpunkt, und das ist der meines Vaters. Und der ist immer richtig. Und was *ich* sage, das ist dumm, weil ich noch klein bin. Und das geht ewig so weiter. Ich kann sagen, was ich will, er fängt an zu lachen: Du Dummerchen, vertrau nur deinem Vater, später wirst du schon dahinterkommen, wie die Menschen sind! Meine Mutter tut grundsätzlich das, was mein Vater sagt. Sie verstehen sich ausgezeichnet. Mein Vater würde sowieso nicht lockerlassen, da gibt sie lieber gleich nach. Er ist überzeugt von seiner Meinung, und die hat er schon fünfzig Jahre. Er möchte niemanden sehen, nur seine Familie. Mit seiner Frau und seiner Tochter und den Großeltern um den Tisch sitzen, morgens und mittags und abends, das war schon immer das Höchste für ihn. Er kann es nicht leiden, wenn einer von uns fortgeht oder ein Fremder kommt. Wenn ich einmal Besuch habe, auf meinem Zimmer, ist das ein Idiot, und der stört. Meine Mutter weiß, daß sie früher ganz anders war. Manchmal in einer guten Stunde kriegt sie ihn herum: Hab dich nicht so, ich hab da zugesagt, wir gehen hin! Und dann geht ein Spektakel los: Wie kannst du über meine Zeit verfügen! Schrecklich. Wenn mein Vater in der Apotheke ist, hängt meine Mutter aus dem Fenster, und dann gibt es diesen elenden Tratsch mit den Nachbarn. Sie freut sich, wenn sie mal jemanden ergattert.

Aber diese Trennung in weibliche und männliche Beschäftigungen, die gibt es in unserer Familie nicht. Mein Vater macht alles, der wäscht und bastelt. Und mein Großvater kann sogar stricken. Wenn ich was zerrissen habe, näht er es mir. Als Kind war mein Vater mein Vorbild. Er konnte alles, er wußte immer eine Antwort. Er hat mich nie weggeschickt. Wenn ich was kaputtgemacht habe, sagte er immer: Das kriegen wir wieder hin, sei nicht traurig. Das würde er heute noch machen. Ich glaube, er bedauert es, daß ich nicht mehr mit Puppen spiele, die kaputtgehen können. Es hätte keinen besseren Vater geben können. Er hat mich nie mit etwas beunruhigt, er hat mir immer eine heile Welt gezeigt. Bloß, er hat nicht mitgekriegt, daß ich erwachsen wurde. Und er drängt uns allen seinen Lebensstil auf. Was *er* als richtig erkannt hat, das müssen auch alle anderen als richtig erkennen, und daran darf sich nichts ändern. Wenn man sich anpaßt, hat man ein wunderbares Leben bei ihm. Ich glaube, er lebt noch in der Zeit des Krieges. Ernsthaft. Das muß eine interessante Zeit für ihn gewesen sein. Ich habe nie etwas aus ihm herausgekriegt, Fragen sind geschmacklos. Kinder mit Feingefühl stellen keine geschmacklosen Fragen. Andeutungen gab es ständig, aber nie etwas Bestimmtes. Meine Mutter tut auch so, als ob man die Männer schonen müßte, die diese Zeit erlebt haben. Ich kenne meinen Vater als einen Menschen, der keiner Fliege was zuleide tun kann. Und mein Großvater ist genauso ein guter Mensch. Bloß, im Krieg waren sie in Polen und in der SU. Mein Großvater war Soldat, und mein Vater hat mit der Verwaltung der besetzten Gebiete zu tun gehabt. Mein Vater und mein Großvater behandeln sich gegenseitig wie Verschworene, die besser Bescheid wissen als alle andern. Ich habe das erst sehr spät verstanden, als ich in einer Diskussion im Betrieb einmal die Frage hörte: Wie unschuldig ist man, wenn man auf seiten der Räuber lebt? Da habe ich wissen wollen, wie *sie* mit diesem Schuldgefühl leben. Wir haben deutsche Geschichte gelehrt bekommen, und zu Hause hat mein Vater nur geseufzt: Ach Gott, mein armes Kind ... Wie er wirklich darüber denkt, hat er mir nie gesagt, als ob er auch vor mir Angst hätte. Er hat mir nur ständig zu verstehen gegeben, daß er mir so viel Verstand zutraut, nichts zu glauben, was ich in der Schule höre. Bloß, was sollte ich denn sonst glauben?

Ich war voller Fragen. Mein Vater liebt aber Fragen nicht. Und er fragt auch mich nicht: Wie siehst du das und das, wie denkst du darüber? Eine andere Meinung hat ihn nie interessiert. Er wirft mir auch heute nichts vor, aber ich weiß, wie sehr er leidet, weil wir uns so auseinandergelebt haben. Ich habe nie versucht, mit ihm darüber zu sprechen. Da würde ich sofort zu heulen beginnen. Wir sind ja alle so gefühlsbeladen. Wenn einer aus der Clique ausbrechen will, kriegt er es mit der Angst zu tun, und die andern benehmen sich wie bei einer Katastrophe.

Vielleicht klingt das alles so, als ob ich meinen Eltern weiß Gott was antun möchte. Aber das Dumme ist, daß ich sie gut verstehe und sie sehr liebhabe. Ich würde gerne so sein, wie sie es erwarten. Aber ich kann es nicht mehr. Nicht einmal der Glaube verbindet uns noch. Günter Kunert hat in dem Interview-Bändchen gesagt: Der Mensch sucht Ersatz für Gott, den er verloren hat. Der eine sagt Gott, der andere Maßstab oder Hoffnung.

Ich will selber entdecken, was für mich gut ist. Bloß, sobald ich mich anders verhalte, als man von mir erwartet, nennt man mich einen Außenseiter. So sind ja nicht nur meine Eltern, im Betrieb ist es genauso. Und ein Außenseiter will ich natürlich nicht sein. Durch die Einstellung meines Vaters bin ich genug aufgefallen. Ich will mal irgendwo dazugehören. Menschen, die nicht für unseren Staat erzogen worden sind, denen glaubt man einfach nicht. Ich werde meine Vergangenheit nicht los. Da *muß* ich ja unecht wirken. Wenn keiner Vertrauen zu mir hat! Ich habe keine Lust zum Reden mehr, jedes Wort wird mir im Mund umgedreht. Zu Hause drehen sie es in die Richtung, im Betrieb in die andere. Ich finde einfach keinen Platz in dieser Gesellschaft. Wo man hineingeboren ist, da bleibt man sein Leben lang. Ich habe es satt, mich immer rechtfertigen zu müssen, daß man nicht so ist, wie man sein müßte. Man kann doch nicht immer nützlich für die Gesellschaft sein. Man muß doch das Recht für sich in Anspruch nehmen können, einmal beiseite zu treten, heraus aus dem ganzen Prozeß. Ich weiß überhaupt nichts von mir. Ich weiß nur, daß ich von allen Seiten bedrängt werde. So gut finde ich mich gar nicht, wie ich vorhin gesagt habe. Ist doch nicht wahr. Ich *will* gut sein. Ich will andern beweisen, daß ich gar nicht so eine Niete bin.

Mein Hauptproblem ist, daß ich mich von meiner Familie nicht lösen kann, daß es so schwer ist, eine eigene Wohnung zu bekommen. Wenn ich einmal einen Freund empfange, dann muß ich um neun auf die Uhr gucken und gähnen. Ich habe Angst, es könnte plötzlich die Tür aufgehen, wie das schon passiert ist: Bitte schön, Sie gehen jetzt, meine Tochter ist müde. Das möchte ich mir ersparen. Meine Eltern haben Gott sei Dank einen gesunden Schlaf. Die merken gar nicht, wenn ich nachts nicht in meinem Bett war. Ich komme einfach zum Frühstück angetanzt und lüge ihnen vor, daß ich schon um zehn nach Hause gekommen bin. Dann drücken sie ein Auge zu und sind zufrieden. Man kann sie gut anschwindeln. Aber ich will nicht mehr schwindeln, das habe ich nicht mehr nötig. Ich weiß nicht, ob meine Mutter weiß, daß ich einen Freund habe. Zumindest würde sie es verdammen, egal, was das für einer ist. Für meine Mutter gibt es nur ein Prinzip: Erst heiraten und dann alles andere! Aber das soll nicht so klingen, als ob ich meine Eltern verurteile. Im Gegenteil. Ich habe viel Liebe bekommen, manchmal zuviel. Da ist ja auch noch meine Oma. So wie sie ihre Kinder erzogen hat, erzog sie mich. Meine Mutter hat noch heute nichts zu melden bei ihr. Die blieb ihr Kleines. Am Morgen teilt Oma alles ein: Heute putzt du die Fenster, ich ziehe die Betten ab, zum Essen gibt es das und das. Und meine Mutter macht es. Meine Oma und mein Vater kommen sich natürlich andauernd ins Gehege, aber nie bösartig. Ich bewundere meinen Vater, wie der das aushält. Er hat die Oma und den Opa ja gleich mitgeheiratet. Mein Vater hat viel Geduld für alle, er liebt die Großmutter richtig und macht ihr Geschenke, und meine Mutter liebt er auch, mehr als sie ihn. Er wirbt noch heute um sie.

Freunde? Ich glaube schon, daß ich Freunde habe. Bloß, ich beanspruche sie nicht. Sie befriedigen mich nicht. Ich habe auch nur sehr begrenztes Vertrauen zu ihnen. Ich verlange sehr viel von meinen Freunden, Aufrichtigkeit und grenzenloses Vertrauen. Warum sollte ich tolerant sein? Toleranz hat nichts mit Freundschaft zu tun. Ich bin mir gegenüber ja auch nicht tolerant. Ernsthaft. Ich denke sehr kritisch von mir. Bloß, das werde ich den andern nicht erzählen. Deshalb bezeichne ich mich auch nicht als hundertprozentige Freundin von jemandem.

Kontaktschwierigkeiten habe ich nicht, ach wo. Bloß keine Lust, mich mit Gleichaltrigen zu beschäftigen. Die können mir bestenfalls eine schöne Party richten, aber die können sich nicht in mich hineinversetzen. Wenn mich einer besucht, und er sagt: Mensch, Angela, wie sitzt du denn da, und ich sage: Ich bin heute traurig, dann erwarte ich doch, daß er mir hilft, das alles zu klären, was so verwickelt ist. Aber sie sagen nur: Denk nicht mehr daran, komm mit! Die gehen überhaupt nicht auf meine Schwierigkeiten ein, die wollen nur, daß ich meine schlechte Laune ablege. Es gibt schon welche, die könnten mir Freunde sein. Aber da ist von zu Hause diese Schranke. Manchmal geht etwas kaputt, bevor es angefangen hat. Das ist zum Verzweifeln. Ich spüre: Ja, das könnte derjenige sein, der mir weiterhilft. Mir ist das peinlich, wenn einer Woche für Woche ankommt und fragt: Gehts dir besser? Und ehrlich besorgt ist. Und da wird er von meinem Vater glatt hinausgeschmissen ...

Aber ich glaube, ich schöpfe alles aus mir selber. Mein Vater kann das ja auch. *Einen* Menschen kenne ich, der mir Kraft gibt und Hoffnung, das ist viel, viel wichtiger als der ganze Sex. Ich glaube, daß ich langsam eine Ahnung davon bekomme, wie herrlich das Leben sein kann. Manchmal bin ich unglaublich depressiv. Manchmal steh ich früh auf und bin traurig. Da sage ich alles ab und schließe mich ein. Wenn ich ewig lustig bin, wie meine Freunde das wollen, komme ich auf keinen grünen Zweig. Ich weiß nicht, warum die Leute so scharf auf Partys sind und auf Zerstreuung. Ich selber renne ja auch andauernd zu solchen Unterhaltungen, ich weiß nicht, was ich da suche ...

Im Grunde bin ich ein sehr einsamer Mensch. Ja. Deshalb zieht es mich so zu den Menschen. Ich habe ein Stückchen von meinem Vater und ein Stückchen von meiner Mutter in mir, das macht alles so schwierig. Es ist schwierig für die andern zu begreifen, daß ich Phasen habe, in denen ich niemanden sehen kann, und dann wieder Phasen, in denen ich gerne unter Menschen bin. Ich bin ziemlich mißtrauisch. Die Jahre in der Schule waren schlimm für mich. Zuerst war ich ziemlich begeistert, weil alles ganz anders war als zu Hause, viel offener. Ich kam nach Hause und erzählte, aber nie sahen meine Eltern die Dinge so, wie wir sie gelehrt bekamen. Immer hörte ich: Wehe, du erzählst, was wir für einen Sender sehen und was wir sprechen! Da bin ich natürlich mißtrauisch geworden. Aber ich weiß nicht, ob das unbedingt schlecht ist. Meine eigene Stellung zur Umwelt hat sich gebessert, ernsthaft. Früher war ich angeblich ein eingebildeter Fratz, der glaubt, was Besonderes zu sein. Aber ich kann doch nicht von anderen eine Kritik annehmen, die vielleicht neidisch sind, weil ich materiell besser gestellt bin. Ich war eher schüchtern und sehr, sehr feige. Das Eingebildetsein, das war nur aufgesetzt.

In meine Beziehung zu den Männern bringe ich kein richtiges Gleichgewicht hinein. Ich tigere oft in meinem Zimmer herum, laufe hin und laufe her, und manchmal erscheint mir alles ganz geordnet. Aber am nächsten Morgen ist alles wieder durcheinandergeraten. Ich weiß nicht mehr, ob es einen Sinn gehabt hat, was ich dachte, oder ob es keinen Sinn gehabt hat. Eine bestimmte Vorstellung habe ich von dem Mann, mit dem ich leben möchte. Er dürfte mir nicht unterlegen sein. Das würde ich nicht aushalten. Ich möchte zu ihm aufschauen, sonst würde ich ihn verachten. Er dürfte kein Muffel sein, der nur zu Hause hockt. Er müßte ein Mensch sein, der mich mitreißt. Ein Kind möchte ich auch haben, nur eins, das dürfte nur für mich da sein. Ich würde es aber in den Kindergarten schicken, damit es selbständig wird. Zu mir hat man immer gesagt: Mit den anderen Kindern darfst du nicht spielen, da lernst du böse Sachen. Christliche Nächstenliebe war das nicht. Als ich zur Schule kam, war ich so ängstlich und hochmütig, daß ich kein Wort gesprochen habe.

Ein Kind ohne Mann, das wäre auch denkbar. Ich glaube einfach nicht daran, daß es einen Mann fürs ganze Leben gibt. Ich weiß nicht, warum manche Mädchen so scharf aufs Heiraten sind. Sie glauben vielleicht, daß sie den Mann mit dem Stempel besser halten können. Vielleicht wird sich einmal was ändern, damit man auch ohne Stempel eine gemeinsame Wohnung bekommt und etwas ausprobieren kann. Aber ich erlebe es bestimmt nicht mehr. Wenn Konflikte auftreten, würde ich in jedem Fall gehen. Ich muß ja nicht gleich zum nächsten gehen, ich kann ja sehen, ob ich alleine fertig werde. Von solchen Experimenten wie Großfamilie oder Wohngemeinschaft halte ich gar nichts, überhaupt nichts. Man kann doch nicht für sich ein kleines System aufbauen, wo wir alle im großen sitzen. Man muß sich doch erst im großen wohl fühlen. Ich würde das auch nicht aushalten, ein Leben mit vielen anderen Menschen zusammen. Ich kann ja nicht einmal mit *einem* Menschen lange zusammen sein.

Das Gerede von Gleichberechtigung ist blödsinnig. Ernsthaft. Ich glaube nicht, daß sich das verwirklichen läßt. Niemals. Da sind uns schon von Natur bestimmte Grenzen gesetzt. Ich empfinde diese Kluft zwischen Männern und Frauen nicht, ich fühle mich in männlicher Gesellschaft sehr wohl. Männer sind ehrlicher und gerader als Mädchen. Ich habe mich nie mit Mädchen beschäftigt, da gibts nur Neid und Eifersucht. Ich hatte eine Freundin, die war von Grund auf schlecht, eine Scheinfreundin. Die hat alles nur aus Berechnung getan. Aber ich war so dumm und habe das zu spät bemerkt. Ich war in der Schule sehr gut, und sie war sehr schlecht. Und dann hat sie sich an mich herangepirscht, damit sie gute Zensuren bekommt.

Gefordert worden bin ich eigentlich noch nie. Es hieß immer nur: Laß, mein Kind, das machen wir schon, das bringen wir für dich in Ordnung, du brauchst dich um diese Dinge nicht zu kümmern! Auch die Arbeit ist mir zu leicht gefallen. Eine Zeitlang hat mir die Bibliothek Spaß gemacht, jeden Tag so viele neue Menschen. Heute macht sie mir keinen Spaß mehr, es ist immer das gleiche. Vielleicht werde ich Kulturwissenschaft studieren, ich weiß nicht. Auf jeden Fall suche ich eine Arbeit, die mich ausfüllt. Ich möchte um alles kämpfen können. Es ist furchtbar, wenn junge Leute alles vorgekaut bekommen, dadurch werden sie lahm. Ich kann einfach keine Ratschläge von Erwachsenen mehr hören. Ich will, daß man mich in Ruhe läßt!

Rauskommen tun wir nie. Wir sitzen immer zu Hause. Im Sommer gehn wir mal Eis essen, oder wir spielen Karten aufm Balkon. Daß bei uns einer sagt, heute fahren wir ins Museum, das ist nicht drin. Meistens leg ich mich aufs Bett, dann hab ich Radio an oder Tonbandgerät. Musik hab ich alle gern, je nachdem, wie ich aufgelegt bin, am liebsten zu Hause, ist mir viel lieber, als auf Achse zu sein. Tanzen geh ich nur zu Schulfesten. Lesen tu ich nicht gern. Nur im Urlaub hab ich was gelesen, ein dickes und ein dünnes Buch. Ist ja keiner da, der einen richtig anstößt und sagt: Das ist schau, das könnste machen. Den ›Werner Holt‹ haben wir jetzt in der Schule gekriegt. Hat mir gefallen, das Buch. Vieles ist so lustig hingestellt, wo das doch so ernst war in Wirklichkeit. Ich sollte saubermachen an dem Tag, auf einmal hab ich das Buch viel interessanter gefunden, hab es aufgeschlagen und nur gelesen. Vorbilder? Hab ich noch nie gefunden. Ach, Bücher liest man ja nur zur Spannung oder Bildung. Wenn sie im Fernsehen ein Musical bringen, da geh ich ran. Richtige Theaterstücke ... bin ich nicht so für. Erst mal kostet das Geld, dann ist es noch Pflicht. Vielleicht würde ich mit meiner Mutti und Onkel Hans ins Theater gehn, aber die sind auch nicht so für.

Wie Großvater noch da war, der hat mir viele Geschichten erzählt. Da hat Mutti sich immer geärgert, weil das nichts Vernünftiges war, was man im Leben brauchen kann. Sie hat immer gesagt, Großvater macht mir die Gabi verrückt. Er hat sich wirklich verrückte Sachen ausgedacht, was wir zusammen erleben werden, wenn wir mal verreisen, Sachen, die gibts gar nicht. Der Großvater hat viel Zeit für mich gehabt. Und er hat auch immer Überraschungen gehabt. Hat mir einen schönen Apfel hingelegt und ein Kopftuch rumgebunden. Oder Tiere aus Tannenzapfen und Kernen und allem Zeugs. Eine Schallplatte hat er mir gekauft. Aber nicht, weil gerade was los war, Weihnachten oder Ostern. Mein Opa hat einfach so geschenkt, weils ihm Spaß gemacht hat. Er hat immer so getan, als wär ich noch ein Kind. Meine Mutti hat das furchtbar gefunden. Wenn ich geheult hab, ich möchte sagen, manchmal läuft einem ja was über die Leber, das wird dann nachts ganz schlimm, das hat Opa gehört. Da ist er ins Zimmer gekommen, hat sich auf mein Bett gesetzt und gesagt: Na, was ist denn, Gabi, wollen wir die Gespenster verscheuchen? War eigentlich schön, wie als Kind.

War nicht richtig, daß die Mutti ihn hinausgeschmissen hat. Es war nicht ihre Schuld, daß er so viel getrunken hat, ich sehs ein, aber er hat ja nichts mehr gehabt außer uns. Ach, heute schmerzt mir das Herz wieder. Ich weiß nicht, ich hab das öfter, aber der Arzt sagt, ist alles seelisch. Zuerst wars für mich auch eine Erleichterung, wie mein Opa weg war. Er hat richtig verlottert ausgesehen. Wenn sie in der Klasse gesagt haben: Deinen Großvater hab ich gestern wieder betrunken gesehn, da hab ich mich so geschämt.

Vati hat auch getrunken. Da war auch das Arbeitsmilieu schuld, auf dem Bau trinken alle. Manchmal hat er gleich auf Arbeit in der Baracke geschlafen. Mein Vati ist sehr gutmütig. Schulisch konnte er mir nicht helfen, da war er nicht gut, aber sonst hat er sein Letztes gegeben. Er hat mich nie geschlagen. Wie Onkel Hans dann da war, ist er einfach weg. Obwohl die Scheidung, die hat er nicht wollen. Er hat nicht geglaubt, daß Mutti es wahrmacht. Weinen hab ich ihn gesehen, ich hab ja nicht gewußt, daß Männer das auch können. Meine Mutti hat ihn dann wieder nach Hause genommen, wie er sehr krank war, aber das war ein Theater. Vati und Onkel Hans und Opa, das konnte meine Mutti nicht aushalten, Platz war ja auch keiner da. Jetzt haben wir schon zwei Jahre nichts von meinem Vati gehört. Er ist in eine andere Stadt gezogen, damit er uns nicht mehr belästigt, hat er gesagt. Ich finde es nicht richtig, daß wir überhaupt nichts mehr von ihm wissen wollen. Er ist trotzdem ein Mensch, möchte ich sagen, er hat ja Gefühle. Und wo das mit Opa passiert ist, da muß man doch aufpassen. Ich weiß ja auch nicht, aber Mutti hat nicht mehr die Kraft. Und es kostet auch alles so viel Zeit.

Jetzt leben wir mit Onkel Hans zusammen, der trinkt überhaupt nicht. Na gut, verheiratet sind sie nicht, das finde ich vernünftig, sie sparen sich die Scheidungskosten. Onkel Hans ist im selben Betrieb wie Mutti, hat eine wichtige Aufgabe, muß alles planen. Nachts bringt er sich noch Arbeit nach Hause. Zu mir ist er ganz in Ordnung. Früher hat er natürlich versucht, mich zu gewinnen, wo er nur konnte. Jetzt hat er sich eingelebt, jetzt gibt es schon öfter mal Streit. Ich vergesse nicht, daß er Opa hinausgeekelt hat. Opa hat doch immer zur Familie gehört, er hat Mutti alles ermöglicht, daß sie was lernen kann, und die Wohnung hat er ihr gegeben.

Da fällt mir was ein. Ich weiß nicht, man soll das vielleicht nicht vergleichen. Ich habe eine Katze gehabt, die war schon alt und ging nicht mehr raus, hat immer nur am Ofen gelegen. Und Mutti war wütend auf die Katze, die ging ihr auf die Nerven, weil sie so alt war und man keinen Spaß mehr mit ihr hatte. Sie wollte sie töten lassen. Immer wieder hat sie damit angefangen. Ich hab mich selber gewundert, ich bin ja sonst nicht so, ich seh immer alles ein, aber in dem Fall hab ich stur nein gesagt. Ich hab viel Ärger in Kauf genommen wegen der Katze. Dann ist sie doch gestorben. Am Morgen komme ich raus, da steht noch die Milch, und sie liegt ganz steif auf der Seite. Ich hab schrecklich geheult, ich hatte solche Angst, und Mutti hat mich getröstet. Jetzt wollen wir keine neue Katze mehr.

Seit Onkel Hans bei uns wohnt, haben wir viel mehr Geld als früher. Da können wir uns viel mehr leisten. Ich

hab jetzt ein sehr schönes Zimmer. Ich hab eine Schrankwand und eine Eckcouch bekommen. Tapete konnte ich
mir selber aussuchen. Früher hatte ich rund um den Spiegel Schlagersänger und Tiere geklebt. Jetzt hab ich nichts
mehr dran, die Tapete ist mir zu schade. Fernseher hab
ich. Ich kann auch im Wohnzimmer gucken, aber bei mir
ists bequemer, weil ich gleich ausm Bett gucken kann.

Opa war ein bißchen unordentlich. In seinem Zimmer
haben die Sachen herumgelegen, er hat nicht wollen, daß
meine Mutti mit dem Staubsauger drübergeht. Erst hat
sie es anmelden müssen, dann hat er seine Sachen wegge-
räumt, und sie durfte hinein. Ich möchte sagen, ich sehe
jetzt manches mit Opas Augen. Es wird wirklich alles
geplant bei uns. Jeden Freitag wird saubergemacht. Kann
man nicht mal Montag saubermachen oder Donnerstag?
Wenn Besuch kommt, wird Mutti ganz nervös, da muß
alles picobello sauber sein. Wehe, wenn irgendwo noch
eine Tasche steht, dann dreht sie durch. Jedes Stück hat
seinen Platz, eine Schale links, die andere rechts von der
Lampe. Und wenn sie mal nicht beim Friseur war, ach,
dann kann sie nicht ausgehn, dann kann sie keinen Besuch empfangen. Mein Opa hat zu ihr gesagt: Du machst
dich selber verrückt. Mutti hat aber Opa gar nicht beachtet, für Mutti war er auch so ein Ding, das man hin und
her rückt. Er war immer so still, nie hat er was verlangt.
Manchmal hat er was kritisiert, aber das ist untergegan-
gen. Ich glaube, solche Menschen wie mein Opa, die haben es schwer.

Es riecht jetzt viel besser in Opas Zimmer, seit Onkel
Hans drin ist. Onkel Hans raucht nicht und trinkt keinen
Schnaps, er ist ein ganz sauberer Mensch. Sein Zimmer ist
immer schön gelüftet, und dann macht er noch einen
Spray hinein. Zuerst war ich traurig, wie das Zimmer
nicht mehr nach Opa gerochen hat. Mutti hat mich aus-
gelacht, sie hat gesagt, ich bin auch schon verrückt. In
letzter Zeit hab ich oft geträumt, daß Opa wieder da ist,
daß wir zusammen verreisen, wie ers immer gesagt hat.

Einmal hab ich im Traum richtig geschluchzt. Ich weiß auch nicht, man ist schon fast drüber hinweg, aber manchmal fehlt er einem. Man will es jemandem erzählen ...

Möchte sagen, direkt eine Freundin hab ich nicht. Man kommt aber mit allen gut aus. In der Klasse unterhalten wir uns über alles, Fernsehen, Jungs und Mädchen, über die Lehrer regen wir uns auf. Ich geh in die Neustadt zur Schule, da wurden wir aus vielen Schulen zusammengesammelt und in eine Klasse gestopft. Als Lehrerin hatten wir Frau Behrens, die strebte sehr. Sie hat versucht, die Klasse hochzuarbeiten, wobei sie mehr auf ihren eigenen Ruhm aus war. Immer hat sie uns alles vorgekaut. Das läßt man sich aber nicht mehr gefallen, wenn man älter wird. Da hat Frau Behrens Feuerwerk von den Eltern gekriegt, und wir haben Frau Wittig bekommen. Schon am ersten Tag haben wir die ins Herz geschlossen. Die war gleich so aufrichtig zu uns, der haben wir keine Schwierigkeiten gemacht. Bei uns will sonst kein Lehrer in die Klasse rein, die werden regelrecht gezwungen reinzugehn. Die Klasse ist total versaut, kann man sagen. Aber wenn die uns immer behandeln wie den letzten Dreck, dann ist doch klar, daß wir Feuer geben. Ich finde, es hängt ja von den Lehrern ab, ob sie mit uns zurechtkommen oder nicht. Mit meinem Opa konnten manche Leute prima auskommen und andere überhaupt nicht. Wenn uns was nicht gefällt und wir versuchen zu diskutieren, da gibt es so altmodische Lehrer, die sagen: Mit euch diskutieren wir nicht. Dann haben sie ihre schwarzen Schafe, die sind immer dran. In der Beziehung mach ich mir überhaupt keinen Kopp. Wenn die Lehrer sich aufregen, regen sie sich auch wieder ab. Ich meine, ich seh immer alles ein, aber Ungerechtigkeiten kann ich nicht haben.

Es gibt auch Lehrer, die Spaß mitmachen. Dann überschlagen sich manche Schüler gleich so, und die Lehrer fühlen sich natürlich auf den Schlips getreten. Ich mach ja auch jeden Quatsch mit, aber ich weiß, wann Halt ist. Das muß man wissen, dann kommt man mit den Erwachsenen klar. Die wollen eben mit ein bißchen Respekt behandelt werden. Vorbilder unter den Lehrern habe ich nicht, nein wirklich. In der Schule fragen sie uns auch immer wegen Vorbilder. Die wollen immer Thälmann hören. Aber ich kann doch nicht wie Thälmann werden, die Zeiten sind doch ganz anders.

Freund hab ich auch keinen, obwohl ich schon sechzehn bin. Ich würde ganz gern einen haben, aber gerade jetzt, wo man lernen muß? Ich sehe das an Heike, die lenkt sich fürchterlich ab, die Jungs sind ihr das wichtigste. Die kommt mit einem angebraust, muß aber gleich wieder weg, weil der draußen auf dem Motorrad wartet, der will ja beschäftigt sein. Die schluckt schon die Pille seit einem Jahr, und ihre Hausaufgaben macht sie nur nachts. Ich komme mir richtig zurückgeblieben vor, weil ich noch nicht einmal geküßt habe. Im gewissen Sinne, ich weiß auch nicht, hab ich Angst vorm Küssen, daß man vielleicht was falsch macht.

Ich würde mir wünschen, daß meine Mutti mal Zeit für mich hat, daß sie sich mit mir über sexuelle Dinge unterhält. Sie fängt nicht damit an, und ich frage nicht, als ob es das gar nicht gibt. Ich trau mich nicht zu fragen, weil Liebe von klein auf ein Geheimnis war. Ich finde es blöd, nun ist sie schon so lange mit Onkel Hans zusammen, und sie zeigen nicht, daß sie sich gern haben. Mutti weiß doch, daß ich ihr nicht dreinrede. Wie mein Opa noch da war, das war komisch. Wenn Mutti mal eine Freundin da hatte, ist er ins Wohnzimmer gekommen und hat Witze erzählt. Er hat immer sehr gern Frauen angesehen, das hat Mutti geärgert. Sie hat sich geschämt. Ich weiß nicht, so schlimm ist das doch nicht. Opa war ja immer nett zu den Frauen und hat ihnen zugehört. Meine Mutti legt überhaupt viel Wert darauf, daß sich alles schickt. Sie sieht viel besser aus als ich, obwohl sie schon sechsunddreißig ist, ganz schlank und damenhaft. Opa hat sich manchmal lustig gemacht über sie, aber ich wäre gern so geworden. Manchmal hab ich das Gefühl, sie ist eifersüchtig auf mich, wegen Onkel Hans. Früher durfte ich noch die Badezimmertür offenlassen, und ich hab mich umgezogen, wenn er da war. Heute paßt meine Mutti auf, daß er mich nicht nackt sieht. Sie sagt, das schickt sich nicht für ein großes Mädchen. Aber sie hat natürlich Angst, daß er sie mit mir vergleicht. Ich finde das nicht gut, daß eine Mutter auf ihre leibliche Tochter eifersüchtig ist, wo sie doch viel besser aussieht als ich. Wenn sie mir Onkel Hans als Vater vorgestellt hätten – kannst ruhig Vati zu mir sagen –, hätte ich es getan, ich wollte ja einen Vati haben. Jetzt ist es so, daß ich mich manchmal schäme. Er sieht schick aus, immer in Jeans, und manchmal schaut er mich so an, das macht mich ganz unsicher. Ich geh dann aus dem Zimmer, oder ich mach einen Witz, dann lacht er. Ich glaube, er freut sich, daß meine Mutti eifersüchtig ist. Mir wäre lieber, sie würden mich das nicht so spüren lassen. Heike traut sich viel mehr als ich, die flirtet richtig mit Onkel Hans. Reden kann ich schlecht mit ihm. Wenn er zu Hause ist, sitzt er in seinem Zimmer oder sieht fern. Oder er spielt Karten mit Mutti. Ich hab manchmal das Gefühl, ich bin ein bißchen überflüssig. Dabei mache ich viel im Haushalt. Wenn ich von der Schule komme, schmeiß ich meine Sachen hin und mach mir ein Tonband an, ganz laut, da bin ich ja allein. Manchmal hab ich Lust, in Opas Zimmer zu gehn, aber ich weiß ja, er ist nicht mehr drin. Dann geh ich auf die Toilette, dann pack ich mein Bett unter die Couch. Dann mach ich Hausaufgaben, bißchen übersaugen, weil die Spannteppiche so empfindlich sind. Alles, was eben so anfällt. Manchmal einkaufen oder noch zur Schule hin. Handarbeiten mach ich auch gerne, häkeln. Taschentücher besticken. Hat mir Mutti beigebracht. Von meinem Taschengeld, zwanzig Mark im Monat, spar ich mir Tonbänder zusammen. Ich hab ein Tonband, da ist Opas Stimme drauf. Das kann ich nicht hören, ohne verrückt zu werden. Wieso, wo ist er denn, wo ist er denn? Ich kann mir seinen Tod nicht vorstellen. Bei der Beerdigung habe ich Rotzblasen geheult. Furchtbar. Seine Schwester hat auch toll geweint, aber im Leben hat sie sich nie um ihn gekümmert. Das sind so Sachen, die ich nicht verstehe. Jetzt besuchen wir nur mehr die Verwandtschaft von Onkel Hans. Das ist immer so komisch für mich, die sind ja nett, aber die wissen gar nicht, daß es meinen Opa gegeben hat. Irgendwie, ich weiß auch nicht, stört mich das.

Ich solls vielleicht nicht sagen, aber mein Opa ist nicht eines normalen Todes gestorben. Es war so, wir haben ihn hinausgeschmissen, nach einem großen Krach, den Mutti ihm gemacht hat. Sie haben ihm dann ein Zimmer besorgt und seine wichtigsten Sachen einfach hintransportiert. Ich hab immer nur geheult. Und mein Opa hat gesagt, ich soll nicht heulen, es ist besser so, er hat sich schon lange gewünscht, alleine zu wohnen. Dann hab ichs doch geglaubt und hab gar nicht mehr so viel an ihn gedacht. Die Wirtin, bei der er wohnte, war immer böse zu mir, als ob ich schuld wäre an seinem Zustand. Dann bin ich nicht mehr hingegangen. Als wir Opas Zimmer entrümpelt haben, hab ich mir gedacht: Er ist doch noch gar nicht tot, warum haben wirs so eilig? Manchmal hat man so schwache Momente. Hinterher ist man wieder vernünftig, und das Leben geht seinen Gang. Manchen Menschen kann man eben nicht helfen. Ich hab dann gehört, daß er manchmal im Rentnerklub war. Sie kriegen dort warmes Mittagessen, nur Schnaps haben sie nicht erlaubt. Auf einmal hat uns seine Wirtin rufen lassen, kurz vor Weihnachten. Das gab eine fürchterliche Aufregung, die Polizei kam, man erzählte sich was von Schlaftabletten oder von Gas. Er hat lange im kalten Zimmer gelegen, gegessen hat er auch nichts. Er ist einfach nicht mehr aufgestanden ... Warum denn bloß? Krank war er nie, mein Opa. Vielleicht ist er verhungert. Ich hab meine Mutti gefragt, und sie war ganz wütend: Mach mich nicht auch noch verrückt, die Leute reden, weil ihnen langweilig ist, aber dein Großvater ist an Herzschlag gestorben. Ich weiß nicht. Er hat mir ein paar Tage vorher Blumen ins Zimmer gestellt, wie ich nicht zu Hause war, und seine Uhr hat er mir hingelegt, die wollte ich immer haben. Mich beschäftigt das. In seiner Jugend hat Großvater eine Frau geliebt, die ist bei einem Verhör umgekommen, bei den Faschisten, und es war ein kleiner Junge da, mein Onkel Matthias, der war erst ein paar Monate alt. Meine Mutti sagt immer, es interessiert sie nicht, was damals geschehen ist, und ich soll mir auch nicht den Kopp heiß machen. Ich weiß nur, daß Opa eine andere Frau geheiratet hat, die hat dann meine Mutti geboren. Aber später ist sie mit einem anderen Mann weggelaufen. Und Opa ist mit meiner Mutti allein geblieben. Von Onkel Matthias haben wir manchmal Pakete bekommen, der ist nach dem Westen abgehauen. Ich glaube, den Onkel Matthias hat mein Opa sehr gern gehabt. Er war bestimmt traurig, wie ihm einfach alles schiefgegangen ist im Leben, obwohl er ein guter Mensch war. Meinen Vati hab ich fast vergessen, wie er ausgesehen hat, aber meinen Opa kann ich nicht vergessen. Im Keller sind noch seine Werkzeuge und der alte Tisch mit den vielen Laden. Was werden die Leute denken, wenn *ich* einmal tot bin? Das möchte ich wissen. Ich möchte wissen, wozu man gelebt hat, wenn man doch so schnell vergessen wird.

Besonderen Wunsch hab ich sonst keinen. Ich bin eigentlich einverstanden mit allem. So wie jetzt möchte ich weiterleben. Ob ich die Welt verändern will? Nein, das kann ich ja gar nicht. Warum soll ich was wollen, was ich nicht kann? Man paßt sich unwillkürlich an. Man möchte ein bißchen mehr Geld haben, daß man sich was leisten kann. Eine schön eingerichtete Wohnung, mal eine Party geben, die Kinder schön anziehen, dafür sorgen, daß es ein richtiges Milieu wird. Was kann man noch alles für Geld machen? Ich würde mir wünschen, daß ich einen

Mann finde, der zu mir paßt, und daß ich mal nach Italien fahren kann, bevor ich ein Tattergreis bin. Wenn ich Mutti sehe, die ist noch nicht alt, aber die war noch nie im Ausland, immer nur zu Hause. Nein, ich habe keine Probleme. Soweit ich mich erinnern kann, war ich immer glücklich, nur Opa hat mich bedrückt. Was Glück ist? Ich weiß ja auch nicht, vielleicht wenn man sich was wünscht, und das erfüllt sich dann. Als ich von meiner Mutti das Tonbandgerät bekommen hab. Unter meinem künftigen Beruf, Wirtschaftskaufmann, stell ich mir nichts vor. Ich weiß ja nicht, wo sie mich hinstecken werden. Meine Mutti sagt immer: Nur nicht den Kopp heiß machen, alles auf sich zukommen lassen.

CHRISTL
Gehts ni, gibts ni

Meine Urgroßmutter, was denkst denn du, die war knapp hundert, wie sie gestorben ist, 99 Jahr und 9 Monate. Und da wollt sie nimmer. Sie möcht keine hundert werden, meint sie, sonst geht das wieder von vorn los. Die hat gemeint, sie muß noch einmal in der Kindheit anfangen. Wir haben gelacht. Mein Vati hat weben gelernt, das ist bei uns zu Haus Tradition. Ich komm ausm Vogtland, weißt. Seine Eltern haben eine kleine Gastwirtschaft gehabt, da war eine Kegelbahn angebaut, drin haben sie die Webstühle aufgestellt. Und meine Mutti, die waren sieben Geschwister, die hat Spulerin gelernt, das war ihr immer das liebste. Dann haben sie geheiratet, bald nachm Krieg. Vati hat bei der VP angefangen, da ist er heut noch. Im Krieg war Vati Soldat, und Mutti haben sie auch gezogen gehabt, die war zwei Jahr, wie nennt man das, im Pflichtjahr.

Sechsundfünfzig sind wir nach E. gemacht. Dort oben ists ganz romantisch, du, Wald rundrum, und so frei alles! Ist 'ne Siedlung gewesen, nur paar Familien, die haben alle im Bergbau gearbeitet. Wir waren richtig zusammengewachsen, das hats später nimmer geben. Und was wir alles organisiert haben als Kinder! Wenn wir gesagt haben, um drei treffen wir uns, dann waren auch alle da. Außer einer, die haben wir richtig vertrimmt, und dann mußt sie wieder, no? Einmal bin ich fast kaputtgegangen. Waren überall so Gullys, aber richtig tief, und von einem war die Hälfte von der Zudeckplatte weg. Bissl duster wars schon, und ich mit die Skier drüber. Und sack ab. Bin mit ein Ski hängenblieben, mitm Kopf nach unten. Wenn ich da runtergesegelt wär!

Meine Mutter hat Heimarbeit gemacht, Schürzen gesteppt, no? Hat ihre Waren rauf- und runtergeschleppt vom Berg. Die andern im Schacht haben manchmal 2000 Mark verdient, was denkst denn du, und mein Vati hat am Anfang bloß 380 kriegt.

Ansprüche haben wir keine gestellt, kann ich ni sagen. Über jedes Ding hat man sich gefreut. Mein Vati ist sehr gutmütig, weißt? Wenn er zornig worden is, kam ja vor, haben wir mitm Taschentuch ein paar kriegt, meine Schwester und ich. Meine Schwester ist sieben Jahr jünger als ich. Ich hab gar ni die Lust gehabt, die noch zu versorgen. Also, mein Vati hat sich abreagiert, weh tun hat er uns ja net wollen. Mitm Taschentuch, jaja. Aber wir haben geschrien, schon vorher. Und Mutti, die is so wie ich, schnell erregt, hat geschimpft, du! Aber dann wars glei wieder gut. Ich will mal so sagen, das war eher wie zwei Erwachsene untereinander, weißt? Mutti war mit mir viel allein, wir haben alles miteinander besprochen. Mit meiner Kathrin ist das auch so, die fühlt sich auch mehr zu den Großen hingezogen. In ihrer Altersgruppe ist das nimmer ihr Niveau. Die ist ja praktisch die ersten Jahr mit meiner Schwester groß geworden.

Nachher, Schule war keine im Dorf, hat sich nicht gelohnt, da sind wir mitm Schulbus in die Stadt gefahren. Und wenn wir eher aus hatten, haben wir die Kipperfahrer angehalten. War schön, war überhaupt die schönste Zeit dort oben. Dann ist der Schacht aufgelöst worden, und Vati ist nach W. kommen. Ist lang durch den Wald gefahren, mitm Motorrad. Und der viele Schnee! An einer Stelle hat er sich 'ne Schippe versteckt, da hat er sich immer freischaufeln müssen. Dann sind wir ihm nachgezogen, haben AWG gebaut in W. Und die Mutti hat sich Sorgen gemacht, wie sollen wir das alles bezahlen? Und Vati hat gesagt, ist ganz einfach, wir zahlen in Raten. War erst mal ein Ziel vor Augen. Mutti hat drei Schichten gearbeitet als Spulerin. Sie hat ja immer von ihrer Spulerei geträumt. Ach, hat sie gemeint, die Nacht hab ich wieder gespult, war das schön. Bis sie dann krank worden is.

Schule, ich möcht mal so sagen, ich hab eigentlich immer Schlag gehabt bei den Lehrern. Ich hab immer meine Meinung gesagt. Wenn ein Lehrer ni aufn Kopf gefallen is, mag er so was. Ich mein, 's hat ja auch andere geben, man merkt ja, ob ein Lehrer Ahnung hat oder nicht. In Mathematik, die konnte uns das Einfachste ni beantworten. Ich schieß euch glei 'ne Schüssel Quark an Kopf, hat die gesagt, ihr mit eure dämlichen Fragen! Wir haben gelacht! Ich bin gern in die Schule gangen, kann ich ni anders sagen. Bloß einundsechzig hab ichs mit der Leber kriegt, das liegt bei uns in der Familie. Da ist mir die Schule bissl schwergefallen. Aber unser Klassenlehrer, der war bombig. Ich hab in der Schule immer von unserer Siedlung in E. geschwärmt. Dann hat unser Lehrer sein Auto kriegt, hat mich abgeholt und ist mit mir hinaufgefahren. Obwohl ich schon so lang aus der Schule bin, wenn ich hinfahr, den treff ich immer noch.

Und dann hab ich weben gelernt. Ich bin nach der achten raus, weißt, das war bei uns so, durch die Textilindustrie. Ich wollt zehn Klassen machen und ins Büro, aber sie haben gesagt, ich brauch mir gar keine Hoffnung machen, ich krieg keine Lehrstell. No ja, und dann hab ich Berufsschule gelernt, zwei Jahr, der Betrieb war halbstaatlich, alles so ältere Leutchen, du, die freuen sich, wenn Jugend mittenrein kommt. Das hat wirklich Laune gemacht, die Abwechslung, arbeiten und lernen, einwandfrei. Und dann hatt ich 'n Freund, was denkst denn du, so mit fünfzehn, sechzehn. Den hab ich aufm Tanzsaal kennengelernt. Meine Mutter war schlauer als ich, die hat glei gesagt: Christl, ich sag dir eins, Schönheit vergeht, aber doof bleibt doof. No ja, man läßt sich ja nichts sagen. Nach einem Jahr haben wir uns verlobt, heiraten konnten wir nicht, ich war noch keine achtzehn. Dann ging er zur Armee, da hat ers Denken ganz abgewöhnt kriegt. An dem Tag, wo Kathrin da war, ging das Theater los. Da haben seine Eltern gemeint, jetzt hat sie ein Kind von unserem Manfredl, jetzt ist sie uns sicher. Und ich, wie ich so war, ich hab ihnen den ganzen Haushalt geschmissen. Die wohnten ein paar Kilometer weg von uns, weiter unten im Ort, und wenn ich am Wochenende kommen bin, stand noch der Abwasch vom Mittwoch da, no? Ich mein, man ist ja nicht faul, man setzt sich ja nicht hin, aber die haben mich regelrecht ausgenutzt. Die Mutter immer bissl hysterisch und kalt, die konnt über Leichen gehn. Ihr erster Mann war gefallen, von dem hatte sie zwei Töchter, die haben für sie gar net existiert. Der Manfredl war aus der zweiten Ehe, der war ihr Goldsohn, der brauchte nichts machen und hat zu gar nichts eine eigene Meinung gehabt. Und anstatt daß sie einmal gesagt hat, Sonntag komm ich hoch, war ja nur ein Bergl rauf und ein Bergl runter, ach wo, die Christl durfte immer hin mit der Enkeltochter, damit sie die sehen konnte.

Ich zieh nicht mit runter zu dir, sag ich, und ich verlang auch nicht, daß du mit hochziehst, das klappt ja sowieso nicht, wir warten auf 'ne eigene Wohnung. Er hat kein langen Atem gehabt, weißt, er ist immer lahmer·worden, 's hat mir nimmer gefallen. Einmal waren wir tanzen gewesen, und ich hab zu ihm gesagt, komm mit hoch, kannst bei mir schlafen, und überhaupt find ichs komisch, daß mans immer erst sagen muß. Er kam aber nicht mit, saß immer nur unten bei seiner Mutter. Da muß sie ihm eingeheizt haben, weißt, am nächsten Abend kommt er angeschneit, war so halb achte, ich sag, zieh dich aus. Und er stellt sich vorn Spiegel in Flur, kämmt sich an den Haaren rum und meint: Ich weiß nicht, wie ichs sagen soll. Und da seh ich, er hat kein Ring mehr um. Ich sag, was gibts denn zu sagen? Na ja, meint er, ich hab mir alles überlegt, es hat gar kein Zweck mehr. Oder, sagt er, wir heiraten zu deinem Achtzehnten, und du ziehst mit zu mir! Nö, hab ich gesagt, unter die Umständ, ich laß mich net erpressen. Dann hat er noch gesagt: Ich komm mir morgen die Verlobungsgeschenke holen. Von seinen Eltern haben wir 'ne Bowle kriegt, und sein Opa hat mir 'n Besteckkasten geschenkt. Sein Opa hat am

nächsten Tag zu mir gesagt: Was will der? Der muß doch
verrückt sein! Den Besteckkasten, Christl, den behalt dir
ja! Der hat sich ereifert, der Opa. Ich mein, man hat sich
doch schon seine Gedanken gemacht. Nie hat sich der
Manfred um was kümmert, war ihm alles selbstverständlich. Die Christl schafft das schon. Ich hab aber damals
die Lehre unterbrechen müssen wegen dem Kind, du,
und Vati war auf Schule, hat nicht viel Geld verdient,
Mutti im Krankenhaus mit Krebs, war auf Rente gegangen. War wirklich ein schlimmes Jahr. Und von Manfredl
keinen Groschen, der war bei der Armee.

So! Ich muß wo Geld auftreiben. Die haben das auch
eingesehn, Rat des Kreises, daß ich meine Lehre unter-
brech und 'ne Arbeitsstell brauch. Vorübergehend bin ich
in einen Textilbetrieb gangen, da haben sie so Stickkästen
gemacht für Kinder. Dort war ich, bis Kathrin geboren
war. Dann bin ich in den Elektrobetrieb von Manfreds
Mutter gangen. Die hat an mir kein guten Fetzen lassen.
Ihre Arbeitskollegen wußten schon, was die für ein Dra-
chen war. Und mir hat sie die Ohren vollgejammert: Wie
hast denn mein Manfredl ausschlagen können!

Meine Eltern haben die Devise gehabt: Lieber eins im
Kissen als eins aufm Gewissen. Wo zu helfen war, haben
sie mir geholfen. Bin erst mal wieder tanzen gangen, hab
Freunde gehabt, mal den, mal den. Mit einer Freundin
hab ich die Männer verscheißert, zur Abwechslung mal
umgedreht, no? In L., wo die Hildegard zu Haus war, da
ist ein großer Park und im Park 'n Gondelteich, drauf 'ne
Insel, und auf der Insel war jeden Mittwoch Tanz, vom
ersten Mittwoch im Mai bis zum letzten Mittwoch im
September. Und so romantisch. Da waren auch Ungarn,
weißt, und ich sag zu meiner Freundin: Der da hinten,
Hildegard, der so flott aussieht, das kann nur ein Ungar
sein. Quatsch, meint die Hildegard, der wohnt in L., das
weiß ich zufällig genau. Und ich ganz nervös. Dann ging
der Tanz los, und mit einmal ist er aufgestanden und hat
genickt. Und die Hildegard hat geschimpft: Du bist un-

möglich, du schaffst alles. Was denn, sag ich, ich hab doch gar nichts gemacht, ist doch von allein kommen. Ich hab gelacht! Vorher war Dieter verlobt gewesen, so wie ich.

Am Sonnabend wollten wir uns wieder treffen, um halb drei, und ich noch mit Hildegard durch alle Dörfer, da 'n Besuch und dort 'n Besuch, ich komm natürlich zu spät! Kein Dieter mehr da. Wir sind rumgeflitzt mitm Kumpel, überall hab ich geschaut, mit einmal ruf ich, halt an, halt an, da is er! Hat er 'n Kinderwagen geschoben mit seim Freund. Ist doch ein Vorteil, denk ich, muß er ja was für Kinder übrig haben. Geschimpft hat er, verflucht hat er mich! Und dann sind wir ins Kino. Montag früh, bevor ich nach Haus fahr, geh ich ins »Zentrum«. Ich kauf grad ein Kleidchen für Kathrin, kommt er dazu. Geh zahlen, hab ich zur Hildegard gesagt und hak sie in die Seite, ist ja dein Kleid, no? Auf der Straße, wir laufen so, mit einmal sagt Dieter: Du, sag mal, du hast bestimmt ein Kind. Ich hab gesagt, ja, das hab ich. Hat der sich gefreut! Ich hab mir immer gewünscht, eine mitm Kind, sagt er, da kauf ich glei 'n Teddy.

Am Mittag mußt ich wieder zu Haus sein. Ich versuch Urlaub zu kriegen, sagt Dieter, ich besuch dich. Drei Tag später haben wir ihn von der Bahn abgeholt. Mein Vati, der hat immer alles gemacht für mich, weißt, er wollt nur bissl gebettelt werden. Und aufgeregt war er, sag ich dir, eine Zigarette nach der andern. Am Bahnhof zwei Ausgänge. Paß auf, sagt mein Vati, du gehst rechts die Treppen hoch, ich geh links die Treppen hoch, und wenn ers is, nickst bloß. Und Kathrin zu Haus konnt net einschlafen. Du, hab ich zu ihr gesagt, du kriegst bestimmt 'n Vati.

Im Sommer bin ich nach L. gemacht zu den Schwiegereltern. Schlecht sind die ja ni, bloß die waren so auf die andere eingestellt, die war so ein Typ, weißt, mit Schwiegermutter rumschmusen, so was liegt mir ni. Schwiegervater fährt heut noch Krankenwagen, der hat bestimmt schon vierzig Kinder entbunden, ein lustiger Typ. Zu Hause bleiben war für mich ni drin, erst mal finanziell, und 's hätt mich auch gar net befriedigt. Haben sie mir angeboten Dienstleistung, Verkäuferin, und als Jugendobjekt haben sie gerad die Kokerei aufbaut. Ich denk, wenn sie Leut von überall her ranholen, müssen sie ihnen auch Wohnraum zur Verfügung stellen, no? Irgendwie muß 'n Anfang gemacht werden. Dieter ist vom Hocker gefallen, wie ich ihm von der Kokerei erzählt hab, drei Schichten, rollende Woche. Und ich hab 'ne Idee, sag ich, du gehst glei mit. Na ja, meint er, schlecht is es net, fahren wir zusammen auf Arbeit, fahren wir zusammen nach Haus. Weißt, wenn einer, der das Milieu net kennt, den Dreck sieht, den beeindruckt so was. Ich mein, auch wenn wir saubere Arbeit gemacht haben, schmutzig wird man unwillkürlich. Was denkst denn du, wie ich ausgesehen hab. Aber wir belächeln das bloß, uns erschüttert das net, was die für Dreck ablassen.

Ach, und dann hat der Dieter Magenbluten kriegt, du, ich hab gedacht, ich krieg den nimmer gesund. Ist das beste, meint er, wir hauen ab und wirtschaften für uns allein. Er hat ja immer so diplomatisch seine Meinung gesagt zu Haus, immer wenn ich net da war, damit ich den Krach net miterleb, weißt? Also, zuerst Zwischenbelegung anmelden. Das ist so: Für die Arbeiter, die von irgendwo herkommen, gibts erst mal Gemeinschaftswohnungen, jedes Ehepaar ein Zimmer, und Küche, Bad gemeinsam. Ja, können wir haben, heißts, aber erst in zwei Wochen, dann wird das große Hochhaus übergeben. Ich komm zur Nachtschicht, sagt die eine: Christl, ich hab doch 'ne Wohnung, warum sagst denn nichts? Ich sag, was hast du? – 'ne neue Wohnung, die kannst vorläufig haben! Die hat bei einem Freund gewohnt mit ihrem Kind und hat auf irgendwas anders spekuliert. Also, ich glei rüber. War ein großes Zimmer, ein kleines Zimmer, Küche, Bad. Ich begeistert, bloß am Ball bleiben, damit die nicht überlegen kann! Und nach der Schicht ins Bett, Kuchen gefuttert und ein' Plan entworfen.

Das große Zimmer haben wir als Schlafzimmer eingerichtet für uns drei, ins Kinderzimmer haben wir die Couch gestellt, drei Sessel, 'n Tisch, 'n Regal, hat erst mal gereicht. Und ich inzwischen wieder schwanger, du. Hab die Kathrin geholt, meinen Eltern ist der Abschied von ihr schwergefallen, hab bloß mehr Schreibarbeit gemacht, als Dispatcher für die Produktionskoordinierung. Da waren wir drei Frauen, das war bombig, du. Die Männer haben zuerst gedacht, sie schaffen uns. Einer hat mal gemeint: Wenn eine von euch da ist, hält mans grad so aus, aber alle drei... Die haben ni gewußt, wie sie mit uns dran sind, du! Wir sind ni aus der Ruh kommen. Wir haben bloß gelacht.

André hab ich glei in die Krippe geben. Daß ihm das geschadet hat, kann ich ni sagen. Der Sven war dann ein Überraschungseffekt. Ich dacht, ich hätt mir den Unterleib verkühlt. Bin mit einer Kollegin zum Arzt gangen, die kriegte immer Spritzen, und ich komm raus und hab gelacht. Und zu Haus sag ich: Dietschi, ich krieg ein Kind, und ich hab wieder gelacht. Da hat der Dietschi gedacht, ich veräppel ihn bloß. Es war ein Drama mit dem Sven, der kam nicht und kam nicht. Ich wart und wart, und nichts geht los. Schau ausm Fenster, guckt die Nachbarin drüben raus. Noch immer nichts? Nö, sag ich. Was denken Sie, hat sie gesagt, wir hatten eine im Zimmer, bei der gings auch ni los, der haben sie Rizinus geben. Die Idee! Montag bin ich ins »Zentrum«, da gab's die ausländischen Schnäpse zum Kosten, da hab ich ein' gehoben und dann den Rizinus hinterhergespült. Und dann haben wir Karten gespielt. Ein Gewitter draußen, sag ich dir. Um sieben gings los...

Danach war mir die Belastung zu groß, die Fahrzeit jeden Tag, elf Stunden ausm Haus. Vom Kombinat weggehn, du, das ist schwer. Hab aber doch eine Stelle als

Verkäuferin kriegt. Das Fach hat mir gefallen, aber die Arbeitszeit war mir dann zuviel, immer bis sechs oder sieben am Abend. Mit einmal werd ich zur Kaderabteilung gerufen. No, denk ich, hast was ausgefressen? Wir brauchen jemand in der Kontrolle, sagt die Frau, aber schon morgen. Weißt, da führt man in Verkaufsstellen Inventuren durch, Warenaufnahme und alles ausrechnen, was noch an Wert da sein muß. Das ist interessant. Man kommt mit Leuten zusammen, in jedem Geschäft ists anders. Wir sind jetzt acht Kollegen im Außendienst, da geht man mit dem und mal mit dem los, das macht Laune, du! Leichtgefallen ists mir erst ni, und unser Chef war bissl muffig. Der hat nur Unfrieden gemacht. Wir waren aber eine Linie, gegen uns ist er ni ankommen. Immer hat ers gehabt mit Toilette saubermachen. Furchtbar pinslig war der und unpersönlich, immer kurz angebunden, weißt? Den haben wir auf die menschliche Tour aufgeschlossen, leise, weißt? Seine Mutter war im Westen, Sorgen hat der ni gehabt. Der braucht bloß 'n Brief schreiben, und schon ist die Sache angerollt. Was die Kunden sich so wünschen, hat den ni gejuckt. Und einmal war die Chance da. Unser Chef grad net da, kommt ein Vertreter für Modelleisenbahn'. Artikel hat der uns angeboten, bombig, was wir sonst nie gesehn haben im Laden. Waggons mit Bierfässern oben, kleine Mähdrescher, ich hab von jedem ni viel genommen, weißt, aber es waren ja viele verschiedene Artikel. No, die Ware kommt, um Gottes willen, sagt unser Chef bloß. Regen Sie sich net auf, sag ich, packen Sie erst aus. In zwei Tagen war das ganze Zeugs verkauft. Vorige Woche war einer vom Handelsbetrieb bei uns und hat gemeint: Der Kollege M. hat sich dermaßen verändert, der denkt bestimmt selber, 's ist Weihnachten jetzt.

Meinen Facharbeiter hab ich im Intensivlehrgang gemacht, während der Arbeitszeit, dreimal in der Woche, in vier Monaten war ich fertig. Jetzt mach ich meinen Verkaufsstellenleiter. Wir haben ja mit den gleichen Unterlagen zu arbeiten wie 'n Verkaufsstellenleiter, no? Es gibt schon Tage, wos hektisch ist, aber wir gammeln auch rum. Ich steh als erste auf, vor fünfe, dann wasch ich mich, dreh mir die Haar ein, bissl feucht machen, weißt, Lockenwickler rum. In der Zeit, wo ich rumflitz, sind die Haar trocken. Dann schmier ich die Schnitten, dann stehn die Kinder langsam auf. Dieter hilft beim Anziehn, guckt nach allem, dann frühstücken wir zusammen. Dann wasch ich noch ab, Kathrin trägt den Eimer runter. Um sechs geht Dieter ausm Haus, und ich geh um viertel sieben. Ich nehm André und Sven mit, Kindergarten und Krippe liegen nebeneinander. Meine Arbeitszeit geht normalerweise bis halb vier, ich arbeit ja 'ne Dreiviertelstunde kürzer als die andern, wegen drei Kinder. Meistens ist Kathrin eher da, ich hol die beiden Kleinen, dann trinken wir Kaffee zusammen. André, was denkst du, der ist sehr weich, der flitzt durch die Wohnung, wenn ich erschöpft bin: Mutti, leg dich auf die Liege, ich mach heut alles für dich. Ich nehm die zwei Großen jetzt mehr ran, weißt, der Dieter ist ja viel unterwegs. Im nächsten Jahr kriegen wir den Trabant, no, und die Laube im Garten kostet auch Geld. Da arbeitet er halt nebenbei. In letzter Zeit artets bissl aus. Zu Haus häuft sich alles, das macht mich nervös. Ich mein, den Garten haben wir ja wollen. Wohin sonst mit den Kindern, die wollen sich doch mal frei bewegen. Es war nur ein Acker vor der Stadt, jetzt haben wir alles gerodet, 'n Brunnen gegraben, 'ne Laube gebaut zum Schlafen, alles mit eigene Händ, was denkst denn du?

Manchmal muß ich Dampf ablassen. Gestern, da wollten wir abends in Klub gehn. Nachmittags hab ich zu den Kindern gesagt: Macht nicht so 'n Remmidemmi, ich geh schnell zum »Zentrum«, Hosenstoff kaufen. Nähen tu ich ja auch noch nebenbei. Ich ausm »Zentrum« raus, hier ein Paket, dort ein Paket, mit einmal kommt der Rolf an, 'n alter Freund aus W. Ist mit raufkommen, hat die Kinder gebadet und Betten bezogen. Früh hab ich schon abzogen, weißt, daß ich am Abend gezwungen bin, zu beziehn. Und der Dieter kommt ni. An der Bluse hat mir noch 'n Knopf gefehlt. Ich sag, Rolf, kannst du Knopf annähen? Klar, sagt er. Hat er mir 'n Knopf angenäht. Dann kam Dietschi fünf vor acht, und ich schon so verrückt. Hat immer nur um mich herumtänzelt, weißt, die Arme aufm Rücken: Blumen gabs keine, Christl, aber Schokolade. Da war ich vielleicht gemein, du! Hau ab, hab ich gesagt, mir krempelts den Magen um vor Ärger! Rolf, komm, wir gehn! Sonst denkt er noch, ich sitz bloß da und wart auf ihn. Manchmal machts Spaß, mit andere Männer bissl dämlich quatschen. Man muß sich als Frau irgendwie bestätigt fühlen. Solang der Mann noch Angst um die Frau hat, kann man zufrieden sein. Ich denk manchmal, der Dietschi geht ni genug aus sich raus. Daß alles in Ordnung ist, was ich mach, das gibts ni. Mich macht das verrückt, daß er mich ni kritisiert. Männer ergreifen ni so schnell die Initiative, die müssen immer erst gebettelt werden. Aber sonst ist alles reine Erziehungsfrage. Gehen tuts mit die Männer immer, man muß nur den schwachen Punkt finden. Ich mein, man kanns ja auch auf die dumme Tour probieren, wenns anders net nützt. Unser Opa hat immer gesagt: Merkt euch eins, 'ne Frau, wie man sich vorstellt, die gibts ni. Und genauso umgedreht. Dietschi hat den großen Vorteil, er hat erst mal 'ne eigene Meinung, man hat Achtung vor ihm. Und die Kinder hängen an ihm.

Was machen wir in der Freizeit? In unsern Klub gehn, manchmal ins Theater fahren, Fernsehn gucken, no ja, viel komm ich ni dazu. Lesen tu ich, wenn ich abgespannt bin, mehr so Gegenwartsromane, ›Zeit der Störche‹, ›Zum Beispiel Josef‹, weißt, die Bücher, dies so für 1,75 gibt.

Die erste Zeit hats mir ni gefallen hier, is ja mehr ein stures Volk. Wen du alles kennst, sagen meine Arbeitskollegen, wir wohnen schon zwanzig Jahr hier und kennen niemand. Ja, sag ich, ihr rennt auch einer am andern vorbei. Es kommt aufs Temperament an, weißt. Wenn manche ni zum Ausdruck bringen können, was in ihnen drinsteckt, dann haben sie Probleme. Unheimlich großen Bekanntenkreis haben wir. Bei uns gibt einer dem andern die Klinke in die Hand.

Was will der Mensch sonst noch? Kinder haben wir genug, Wohnung haben wir auch, vier Zimmer, die reichen zu, solang die Kinder klein sind. Gesundheit ist das wichtigste. Wenn einer stirbt, den ich kenn, sag ich mir: Wer weiß, wie schnells dich selber erwischt. Aber daß ich direkt geknickt bin deswegen, kann ich ni sagen. Ich denk mich da gar net so richtig rein. Oder daß ich mir Illusionen mach, nö, ich sag mir immer: Gehts ni, gibts ni. Die großen Sachen, die stehn ja doch net in meiner Kraft, du, ich mach mir da keine Sorgen. Man hört sich das im Fernsehen an, aber daß es ausgesprochen 'n Problem wird, das mich lang beschäftigt, das net. Ist mehr was für die Wissenschaft.

# GUDRUN
## Die noch kämpfen konnten


Früher war alles in Ordnung. Da waren eben drei Kinder, ein Vater, eine Mutter und Großeltern, das ging ganz prima bis zur Scheidung. Dadurch, daß meine Brüder nicht viel älter sind als ich, war ich jungshaft, hab nie mit Puppen gespielt, nur draußen herumgetobt. Mein Großvater war ein einfacher Bauer, ohne Bildung. Meine Mutter, die hat es schon leichter gehabt, sie hat mit dreißig Jahren ihren Lieblingsberuf gelernt – Jugendfürsorgerin. Und ich – bei mir ist der Weg ganz glatt. Wenn ich die zwölfte Klasse beendet habe, kann ich gleich studieren. Mein Vater kam ungelernt aus dem Krieg und wurde Neulehrer. Das muß eine ganz unwahrscheinliche Zeit gewesen sein, die wir uns nicht mehr vorstellen können.

Als ich zwölf war, hat Vati eine andere Frau kennengelernt, er hat gedacht, das ist die große Liebe, und hat sich scheiden lassen von Mutti. Die andere Frau wurde eine gute Tante für uns. Ehrlich gesagt, auf uns Kinder hat sich das gar nicht so schlimm ausgewirkt. Vati war genauso da wie früher, er hatte sogar seine Pflichten in unserem Haushalt. Und wir haben überhaupt nichts gemacht, das hat ihn immer aufgeregt. Dann wars mit dieser Frau auch wieder aus. Vati war wieder oft bei Mutti, das fand ich schlimm, weil sie ja geschieden waren, und ich konnte nicht verstehen, wie man da wieder zusammen sein kann. Das war so eine moralische Tour von mir. Sie haben ihre Liebe versteckt vor uns Kindern, vielleicht habe ich deshalb so gedacht, denn Verstecken ist ja was Schlechtes. Und auf einmal hat Vati dieses Mädchen kennengelernt. Das war für Mutti ein Schlag, sie war viel krank in dieser Zeit. Ich bin heimlich zu meinem Vati gegangen. Und das war ein richtiger Konflikt für mich. Ich hatte meinen Vati inzwischen als Lehrer bekommen, er ist als Lehrer ja ganz toll gewesen. Die ganze Klasse war begeistert von ihm. Sie sind zu ihm nach Hause gegangen, mit ihm konnte man über alles sprechen. Mutti hat mir viel erzählt von ihm, sie mußte es ja jemandem erzählen. Aber es war zu viel für mich, ich konnte es nicht verkraften. Ich hab zugehört, dann ging ich in mein Zimmer und hab geheult.

Vatis Tod kam ziemlich unerwartet. Ich hab mir nur gedacht: Na ja, nun hat sich das von selbst gelöst. Wenn ich überlege, das hat mich so beschäftigt, ich dachte, das bleibt ewig in mir. Und jetzt denke ich überhaupt nicht mehr daran.

»Selbstmord finde ich gar nicht so schlimm. Ich habe mir vorgenommen, das mache ich später auch, wenn ich merke, daß es rückwärts mit mir geht und ich nicht mehr alles so stark fühle. Vor dem Sterben habe ich keine Angst. Angst habe ich nur vor dem Altwerden. Wenn ich Großvater sehe! Er hört die Klingel nicht mehr, er vergißt alles, er merkt nicht, was er ißt. Ich nehme mir vor, *das* nicht zu erleben. Schluß machen, wenn es am schönsten ist.« (Tagebuch)

Früher hat mich Fröhlichkeit abgestoßen. Ich habe mir immer Gedanken gemacht über Dinge, die kleine Kinder sonst als selbstverständlich hinnehmen. Wenn ich jemanden weinen sah, wollte ich immer wissen, warum er weint. Ich ändere mich fortwährend. Vor Jahren habe ich die entgegengesetzte Meinung über mich gehabt. Wenn in der Schule die Darstellung unserer Entwicklung verlangt wird, können wir das alle nicht. Wir gehen vom äußeren Lebenslauf heran, und der ist nicht interessant.

Wenn ich meinen Charakter verändern könnte, würde ich mir wünschen, nie falsch auf die Menschen zu wirken. Irgendwie spielt im Leben doch eine große Rolle, daß man anerkannt wird. Da kann man schnell falsch werden, anders, als man eigentlich ist, oder anders, als gut für einen ist. Ich möchte immer ich selber sein, ohne die Menschen dadurch zu verletzen. Das ist schwierig. Eine Kritik aus meiner Klasse, die haut mich fast um, die nehme ich sehr ernst. Man weiß ja manchmal nicht, wie man selber ist. Mit meinem Äußeren bin ich zufrieden, obwohl ich manchmal vor dem Spiegel stehe und die Nase verschiebe, die Augen verschiebe, alles so Experimente. Manchmal wünsche ich mir, daß ich zarter wäre, wie Anke. Aber ich bin eben ziemlich robust. Es ärgert mich, wenn mir etwas nicht nahegeht, was mir nahegehen müßte. Aber unecht möchte ich auf keinen Fall sein. Wie ich wirklich bin, muß ich erst entdecken. In der Schule habe ich immer als die Liebe, Gute, Kluge gegolten. Ich wurde immer als Vorbild hingestellt, da haben die andern Mädchen natürlich sauer reagiert. Ich hätte gern irgendeinen Blödsinn gemacht, aber das ging einfach nicht. Zensuren habe ich oft ohne Leistung bekommen, ich hatte sofort eine Eins. Dadurch bin ich in einen richtigen Konflikt geraten, weil ich spürte, eigentlich müßte ich diese Ungerechtigkeit zurückweisen, aber ich traute mich nicht. Vielleicht haben sie Rücksicht auf mich genommen, weil mein Vati Lehrer war und weil alles so tragisch ausgegangen ist. Aber ich war gar nicht so traurig. Ich wäre viel lieber behandelt worden wie die andern Kinder auch. Dann hätte ich mehr Freunde gehabt, denk ich.

»Ich bin nie so ausgelassen wie die anderen, ich bin viel zu ernst und verschlossen. Keiner merkt es, wenn ich allein in den Wald renne und mich ausheule. Es befriedigt ungemein, sich selber zu bemitleiden. Ich liege und werde ganz ruhig, schlafe und kriege einen furchtbaren Schreck, weil auf einmal der Förster neben mir steht.« (Tagebuch)

Freundschaften in der Klasse hatte ich nie, das hat mir sehr gefehlt. Ich bin zu kritisch, das ist das Schlechte an mir. Meine erste Freundin, Anke, die war von der siebenten bis zur achten Klasse mit mir zusammen. Dann kam sie auf eine andere EOS, da entwickelte sich eine richtige

Abendfreundschaft. Anke ist viel reifer als ich. Einerseits ist sie sehr gefühlvoll, aber sie versteht es, ihre Gefühle zu lenken. Mir hat auch imponiert, was für einen starken Willen sie hat. Sie nimmt sich was vor, und das macht sie auf jeden Fall. Ich kann das nicht. Wenn mir was nicht liegt, fliegt es in eine Ecke. Das konnte niemand verstehn, warum sie Kuhdoktor werden will. Vielleicht weil sie merkt, daß ihr in der Richtung was fehlt. Sie will sich stark machen, weil sie so zart ist. Jetzt habe ich keine ausgesprochene Freundin. Ich verstehe mich mit allen aus unserer Klasse ganz prima. Wenn ich was Schlimmes habe, dann weiß ich, daß ich zu vielen gehen könnte. Aber es liegt mir nichts daran. Anke gibt es nur einmal.

»Anke schaut sich unsere Platten an. Sie legt Tschaikowskis 1. Klavierkonzert auf. Wir liegen auf dem Teppich, träumen, schweigen, es ist wunderbar, nicht zu beschreiben. Jetzt bin ich richtig süchtig auf Tschaikowski.« (Tagebuch)

Ich interessiere mich für alles und für nichts. Ist was Neues, bin ich Feuer und Flamme, aber ich knie mich in nichts hinein. Was mache ich eigentlich gern? Ich diskutiere gern. Ich lese gern. Ich mag ganz toll die Touristikgruppe. Da bin ich schon seit der siebenten Klasse drin. Man wird so früh selbständig, weil man ohne Eltern auf Fahrten gehen kann. Und man kommt zum erstenmal richtig mit der Natur in Berührung. Zu Pfingsten haben wir eine Zeltwanderung durch Böhmen gemacht, unsere Füße waren voller Blutblasen. Als es ganz toll geregnet hat, sind wir in eine Riesenscheune gekrochen, zwanzig Mann im Heu, das war ein Bild. Man hat viel Zeit, jeden einzelnen kennenzulernen. Ein paar Mädchen waren darunter, die erzählten ihre Liebesgeschichten, die sind vollkommen frei. So war ich nie.

Eigentlich fehlen uns die Wanderjahre. Nach der Schule müßte es eine Zeit geben, um Luft zu holen und alles kennenzulernen. Es muß ja nicht ein ganzes Jahr sein, aber irgendeine Zeit braucht man, um freier zu werden.

Die Schule engt furchtbar ein. Ich bin schon ziemlich vielseitig, aber die meisten haben nur die Schule und den Fernseher. Das finde ich ganz schlimm. Wie soll man denn später einmal wissen, was man will? Bei meinem älteren Bruder war von vornherein klar, schon mit neun Jahren, daß es nur was Elektronisches sein darf. Der liest ein Fachbuch wie einen Liebesroman. Tagelang hockt er in seinem Zimmer, Fenster zu, stickige Luft, der weiß gar nicht, wie draußen das Wetter ist. Mit Wanderjahren fänge er gar nichts an, der baut und bastelt und liest seine Bücher.

»Das Rauschen des Windes empfängt mich. Und das Brausen des Meeres will mich überfluten. Vor mir das weite Wasser und über mir nichts als die Klarheit der Luft und die Unendlichkeit der Sterne. Und ich kleiner Erdenwurm darf hier stehen. Ich betrachte einen glitzernden Stein am Boden und bin froh, nicht wie er zum ewigen Liegen verdammt zu sein. Ich werfe mich gegen den Wind und laufe.« (Tagebuch)

Bücher hole ich mir stapelweise aus Vatis Regal, und dann merke ich, daß ich viel zu langsam lese. Anke hat mich sehr beeinflußt, aber jetzt lese ich auch ohne sie, was mir in die Hände kommt. Das Buch über Hiroshima, von dieser Morris ... So arm wie die sind und was die für einen menschlichen Reichtum haben! Mutti hat es natürlich auch gelesen, auf mein Drängen: Na ja, ist halt ein bißchen kitschig. Da war ich toll enttäuscht. Ich war doch immer beeinflußt von Muttis Geschmack. Den ›Siebenten Brunnen‹ fand ich ganz wunderbar, weil er so menschlich ist. Und die ›Franziska Linkerhand‹, da hab ich ein halbes Jahr gebraucht, dieser Trojanowicz... So stelle ich mir eine Freundschaft vor. Was mir noch gefallen hat, das ist ›Das ungewöhnliche Mädchen‹ von der Ruth Werner. Ich habe mich nicht getraut, es den andern in der Klasse zu sagen, weil das so ein Kämpferbuch ist. Die beneidet man so, die noch richtig kämpfen können! Die geht nach China, ach, und dann kriegt sie ein Kind, und der Mann ist mit dem Auto verunglückt. Und sie sitzt ganz allein in einem Haus und versucht, eine Radioverbindung zu kriegen. Man stellt sich das richtig vor: Dieses große dunkle Haus, und sie hat ihren Auftrag. Die hatte doch eine tolle Sache, für die sie kämpfen konnte. Und die gleiche Sache haben wir auch, den Sozialismus, aber den haben wir ohne Konflikte bekommen. Dafür kämpfen, wozu? Das haben die anderen schon für uns erledigt. Das ist wirklich ein Problem für mich, daß man einen großen Charakter als Vorbild sieht und seinen eigenen Charakter nicht entwickeln kann. Ich könnte nie so fanatisch kämpfen für eine Sache, ich würde immer meine Persönlichkeit in den Vordergrund stellen. Das ist traurig. In der Schule kapituliert man schon bei Kleinigkeiten.

»Sie als künftige Kader – das hören wir in der Schule jeden Tag. Wir sind schon ganz benebelt von lauter Lob. Aber wenn ein Lehrer sagt: Gibt es Fragen?, gibt es natürlich keine. In Staatsbürgerkunde habe ich mich für einen Vortrag gemeldet: Kampf der Gegensätze im Sozialismus. Schön, dachte ich, dann werde ich mal Gegensätze zeigen, um gegen diese verfluchte Gleichgültigkeit anzugehen: Ich gab mir Mühe und brachte viel Eigenes. Die Lehrerin war begeistert. Die Schüler hörten artig zu. Ich hatte das Gefühl, überhaupt nichts erreicht zu haben, und war tief enttäuscht. Beim Vortrag eines anderen aber erwischte ich mich, genauso uninteressiert zuzuhören. Wie kommt das?« (Tagebuch)

Ich glaube, zum Teil sind auch die Lehrer schuld daran. In Stabü hat man manchmal das Gefühl, die Lehrerin versteht es selbst nicht richtig. Wenn wir über die Wahrheit diskutieren wollen, wird von vornherein gesagt: Das kommt beim Abi nicht dran, damit braucht ihr euch nicht zu belasten. Mich interessiert das aber. Es ist das erstemal, daß wir mit Philosophie in Berührung kommen. Nun entsteht bei einigen gleich die Meinung, das ist was Abstraktes, Trockenes, das brauchen wir im Leben nie.

Ich komme mir blöd vor, wenn ich Fragen stelle. Und die Fragen werden oft so beantwortet, daß man keine Lust hat, die nächste zu stellen. Man nimmt den Stoff einfach an, erwartet von den Lehrern nichts Besonderes, was man nicht kapiert, na, das schaut man sich zu Hause an. Früher gab es offene Kritik, auch den Lehrern gegenüber. Wir hatten zum Beispiel einen in der zehnten Klasse, der hat was angestellt, kam vor die Konfliktkommission, und er sollte von der Schule fliegen. Unsere Klasse war total dagegen, und wir haben das begründet und mit den Lehrern gestritten. Der war ein labiler Charakter, zuerst kam er in die Klasse und markierte den großen Mann, und wir haben gemerkt, wie wir ihn beeinflussen konnten. Der ist so intelligent, mir war er immer angenehm, man kann einen Menschen ja nicht so schwarz-weiß sehen. Der sieht Probleme, die andere nicht sehen, der sagt oft: Wieso denn, das versteh ich nicht, das muß man mir erklären. Der wollte Philosophie studieren. Die Richtung war schon was für ihn, aber vielleicht war er zu egoistisch, ihm war seins immer besonders wichtig. Und schludrig war er, kam oft zu spät zur Schule und hatte immer Ausreden parat. Wenn der sich bereit erklärt hätte, Offizier zu werden, hätte er das Abi machen können, glaube ich. Unsere Lehrerin war eigentlich auch dafür, daß er in unserer Klasse blieb. Dem lag so viel daran, von uns anerkannt zu werden. Aber er mußte gehn. Das fand ich gemein. Jetzt sitzt er in einer Facharbeiterklasse, nicht einmal mit Abitur, leistungsmäßig ist das kein Problem für ihn, in der Schule pennt er, nachts hat er sein tolles Nachtleben, wo er sich groß aufführen kann. Und der ist so unglücklich dabei! Das beschäftigt mich heute noch, aber die meisten von uns nehmen das ganz schnell als Tatsache hin.

Unser Verhältnis zu den Lehrern haut überhaupt nicht hin. Die haben mit uns keine Schwierigkeiten. Aber ich finde, ein bißchen Schwierigkeiten sollten sie mit uns haben! Die interessiert nur ihr Stoffgebiet, darüber sehen sie nicht hinaus. Und wir, wir sind einfach eingestellt aufs Konsumieren von Wissen. Früher waren die Zensuren die Hauptsache, heute ist es der Stoff. Das ist gut, man muß sich aber mit dem Wissen auseinandersetzen und seine Phantasie spielen lassen, Zusammenhänge begreifen, sonst hat das Lernen keinen Sinn. Ein Trott ist das: noch ein Jahr und noch ein Jahr, das spüren wir schon gar nicht mehr.

Ich arbeite jetzt im Klubrat von unserem Jugendklub mit. Das begeistert mich toll, weil ich zum erstenmal erlebe, wie sehr man sich für eine Sache engagieren muß, um andere anzustecken. Das möchte ich in meinem späteren Beruf auch erreichen. Ganz deprimierend finde ich die Betriebsarbeit. Wir sind alle vierzehn Tage einmal im Betrieb. Man sitzt herum, macht praktisch nichts, und alles ist so unpersönlich. Niemand hat Erfolgserlebnisse, der Chef geht nie auf uns ein. Wie können Frauen so etwas das ganze Leben durchhalten!

»Die Schule geht zu Ende, und das macht mir Sorgen. Das Studium kann ich mir noch vorstellen, aber der Gedanke an den Beruf ist eine schreckliche Belastung. Ich muß erst lernen, mit Menschen zu reden. Wie das in der Klasse vor sich geht, weiß ich. Alles andere ist eine fremde Welt, vor der ich mich fürchte. Einesteils beneide ich die Sechzehnjährigen, die nach der zehnten Klasse abgehen können, sie werden früher selbständig. Andererseits haben sie keine Vorstellung von ihrem Leben. Nur Ausbildung, Beruf, Ehe, Kinder – aus. Mit dem Abitur hofft man doch, mehr zu erreichen. Man hat Ideale, die die Sechzehnjährigen nicht haben.« (Tagebuch)

Wenn ich an meinen künftigen Mann denke, kriege ich Komplexe, weil ich so unheimlich kritisch bin. Es wäre schön, wenn er ein Typ wie Anke sein könnte. Einer, der mich anstachelt, damit ich nicht in diesen Trott hineinfalle. Gleichberechtigung auf jeden Fall. Das gibt es doch gar nicht mehr, daß die Frau wäscht und der Mann Fernsehen guckt. Unser Vati hat mehr gemacht als Mutti.

Wichtig ist, daß ich mich mit ihm über alles unterhalten kann. Manchmal hab ich die Vorstellung, daß ich nicht treu sein werde, mich stößt zu schnell etwas ab. Da möchte ich mir die Freiheit bewahren, einen anderen Mann zu suchen. Es gibt doch viele Männer mit einem interessanten Charakter.

»Ronny, mein Freund und Kamerad! Wie freue ich mich auf unsere Wochenenden! Aber wenn es soweit ist, bin ich enttäuscht. Du bist so nüchtern. Wie habe ich mich über den Pfirsichbaum gefreut, und du läßt die kleine Blüte achtlos fallen, die ich dir an die Jacke gesteckt habe. In ›Marc Aurel‹ von Heiduczek steht: Manchmal ist man nur unglücklich, weil man zu große Wünsche hat oder falsche. Die Emotion überspült den Verstand. Man hält sich oft für besser und stärker, als man wirklich ist. Ich glaube, das ist ungeheuer wahr.« (Tagebuch)

Ich habe mich gewundert, wie mir Ronny auf einmal gefallen hat. Ich dachte immer nur an einen älteren und klügeren Jungen, und auf einmal wars einer, den ich schon lange kannte und mit dem ich einmal in derselben Klasse war. Mit dem Verstand war mir völlig klar, warum das dann auseinandergegangen ist. Im Gefühl hat das aber sehr weh getan. Warum hat er mich so schnell aufgegeben, warum hat er so wenig Geduld gehabt? Ich hab gedacht, es könnte richtige Liebe werden. Er wollte mit mir schlafen, und das hat mich entsetzt, ich konnte das nicht verstehen, ich wußte ja, daß es noch keine Liebe war. Jedes Mädchen stellt sich vor, daß man sich lieben muß, bevor man miteinander ins Bett geht. Und dann in der Praxis, ich weiß nicht, wird man irgendwie überrumpelt.

Viele prahlen mit ihren Erlebnissen, die wollen zeigen, wie erwachsen sie sind, dazu gehört eben Rauchen, Trinken und Lieben. Vom Küssen bin ich enttäuscht, weil das eigentlich bei jedem geht. Es ist schön, und trotzdem empfinde ich nicht viel dabei. Manchmal schlafen Anke und ich am Seeufer, in unseren Schlafsäcken. Da wundern wir uns, wie sehr sich der Himmel und der See verwandeln, wenn es dämmert. Die ersten Fischer fahren hinaus. Na ja, da kommen manchmal irgendwelche Jungs zu uns, und wir bestaunen die Sterne und kuscheln uns aneinander, weil es kalt ist, und wir küssen uns auch. Aber mehr war nie, und jetzt krieg ich Angst, weil ich nicht weiß, wie man sich dabei benimmt. Unsere Jungs haben die gleichen Probleme, nun kommen sie zur Armee nächstes Jahr und haben noch keine Freundin gehabt. Lange haben wir das überhaupt nicht vermißt, jetzt schauen wir uns manchmal an und kriegen einen Schreck.

»Es gibt Augenblicke von Glück, die will man festhalten! Gestern war ich im Kornfeld mit Ronny und seinem Freund. Das Korn stand ganz hoch. Auf einmal haben wir uns hingeworfen, lagen beisammen und haben uns alles erzählt, was man sonst nicht erzählt. Dann hab ich Kornblumen gepflückt und war sehr glücklich. Glück ist nie was Äußerliches.« (Tagebuch)

Die Natur ist für mich etwas Großes. Vorigen Sommer habe ich zum erstenmal Geld verdient, als Grabungshelfer in einem Dorf. Jeden Tag acht Stunden Sand schaben. Geschlafen haben wir im uralten verwanzten Gemeindehaus. Das war herrlich primitiv. Da habe ich einen Hochstand entdeckt, auf dem bin ich oft gesessen, und keiner wußte davon. Unter mir viel Schonung und eine Wiese mit Blumen, der Bach unter den Gräsern versteckt, dahinter hohe Kiefern. Und dann der Sonnenuntergang und der Wolkenhimmel in allen Farben. Und ein kleiner Hase, der sich nicht fürchtet. Das sind einmalige Augenblikke: still sitzen, nichts reden, an nichts denken müssen, nur träumen ...

Gott und Weltanschauung und so, das interessiert mich ganz toll, ich finde es blöd, daß man darüber nicht redet. Anke zum Beispiel glaubte an übernatürliche Kräfte, und ich konnte das überhaupt nicht verstehen. Es spricht so vieles gegen diese höheren Kräfte, aber in den Gehirnen der Menschen gibt es diesen Glauben, damit muß man sich doch auseinandersetzen. Unser Pfarrer hat den persönlichen Kontakt zu den Menschen, den die Lehrer nicht haben. In unserer Klasse wollte einer Theologie studieren, weil der Pfarrer so toll ist und nicht so primitiv gegen den Marxismus argumentiert. Der sagt eben nicht: Diese Frage ist entschieden, taugt alles nichts. Wenn uns die Lehrer den Marxismus so interessant machen könnten wie dieser Pfarrer die Religion, dann wäre der arbeitslos. Jugendliche geben nun mal gern kontra, die interessiert das Ungewöhnliche. Sie wollen keine fertigen Wahrheiten, die sie nur zu schlucken brauchen. Wenn ich in der Schule ein Wort darüber sage, bekomme ich im besten Fall einen Aufklärungsvortrag, und dann bin ich wieder allein mit meinen Fragen. Alles Materie, kein Platz für Gott! Aus jedem bißchen Chemie, wenn wir zum Beispiel das Massenwirkungsgesetz behandeln, müssen wir herauslesen, daß die Materie zuerst da war. Das bringen die Schüler schon gar nicht mehr, so langweilig ist das. Es kann nicht meine Schuld sein, daß mich Politik nicht interessiert. Als ich die ›Olga Benario‹ gelesen habe, ging mir auf einmal Chile nahe. Man hat doch sonst keine Vorstellung von diesen Dingen. Unser ganzes Wissen bleibt abstrakt und theoretisch, damit können wir nichts anfangen. Man muß dem Verbrechen ein Gesicht geben, habe ich gelesen. In der Schule hat es aber kein Gesicht, die Lehrer kennen es ja selbst nicht. Es müßten bessere Bücher in den Lehrplan, nicht immer nur ›Die Väter‹ von Bredel. Man dürfte nicht soviel Wert auf die klare Linie legen, die kennen wir ja inzwischen, sondern mehr auf Menschlichkeit. Die Bücher von Aitmatow haben sogar unsere Jungs schön gefunden. Wir wollen einfach nicht mehr soviel Mittelmäßiges und Vordergründiges. Wenn die Jugendlichen aus unseren Schulen herauskommen, lesen sie nur noch Schundhefte, das ist dann das Ergebnis.

»Es ist schrecklich, daß mir Hunger und Not in der Welt nicht nahegehen. Ich möchte, daß alle Menschen im

Kommunismus leben. Aber noch läuft es mir zu glatt dahin. Vielleicht wünsche ich mir, ein Leben wie in unserer Klasse, wo sich alle verstehen. Draußen ist es mir manchmal zu reaktionär. Widerspreche ich mir jetzt selbst?« (Tagebuch)

Geboren bin ich 1941 im Rheinland. Meine Eltern hatten damals sieben Kinder, ich war das achte. Später kamen noch ein paar dazu. Mein Vater war Klempner in einer großen Fabrik, die schon damals mit amerikanischer Beteiligung arbeitete. Er war nicht im Krieg. Er hatte eine Verletzung und stellte den Antrag, nicht zur Front zu müssen, weil so viele Kinder da waren, und der Antrag wurde bewilligt. Wir wurden zweimal evakuiert, wegen der Bomben. Einmal waren wir in einem Dorf, da wurden wir alle verteilt. Meine Mutter sagt, zu essen hatten wir genug, aber es war furchtbar dreckig. Drei Monate mußten wir mindestens bleiben, das war die Bestimmung. Bei der zweiten Evakuierung wars ähnlich, meine Mutter hatte großes Heimweh. Wir wohnten in einem wunderbaren Haus, hat sie erzählt, sogar mit Telefon. Das Haus gehörte einer Frau, deren Mann Nazi war und im Gefängnis saß wegen Unterschlagung. Wir bekamen Lebensmittelkarten und brachten die Kinder der Frau mit durch. Der stärkste Eindruck meiner Mutter war, daß wir gehungert haben, aber ansonsten Komfort wohnten.

Mein Bruder Dieter wurde 1944 geboren, während eines Bombenangriffs. Meine Mutter stand aus dem Wochenbett auf nach zwei Stunden, nahm den Jüngsten auf den Arm und ging mit allen Kindern in den Bunker. Dort hatten wir einen Raum reserviert für unsere Familie. An die Bombennächte erinnere ich mich nicht, ich habe aber später oft von Krieg und Atomkrieg geträumt und sehr viel Angst gehabt. Als Dieter achtzehn Tage war, fuhren wir nach K. Mein Vater brachte uns hin, aber er mußte in der Fabrik im Rheinland bleiben. Ich weiß noch, daß ein Bombenangriff auf den Zug war und wir unterwegs aussteigen mußten. Wir sind am Geburtstag meines älteren

Bruders gefahren, der hat im Zug seine Geschenke gekriegt. Ich habe früher nie darüber nachgedacht, erst in den letzten Jahren, daß die ständige Unruhe in meiner ersten Kindheit sich möglicherweise auf mein späteres Leben übertragen hat.

Als die Russen ins Dorf kamen..., da weiß ich eine Geschichte. Wir hatten nur Dinge des persönlichen Bedarfs mit nach K. genommen, eine Zinkbadewanne, die wir heute noch haben, in der wir alle gebadet wurden, und ein Akkordeon. Das andere ist bei der Bombardierung im Rheinland verlorengegangen. Die ersten Betten und Strohsäcke haben wir aus dem Wald geholt, was andere weggeworfen hatten. Eine meiner Schwestern hatte ihre große Puppe mitgenommen, die sie sehr liebte, und die war nackt. Und die Russen amüsierten sich kolossal mit dieser Puppe, hielten sie hoch und zogen so in den Hof von dem Großbauern ein, wo wir wohnten. Und meine Schwester weinte. Diese Stimmung hat sich mir tief eingeprägt.

Meine Mutter war natürlich sehr beeinflußt und hatte große Angst vor den Russen. Mein Vater war politisch indifferent. Anfangs war er sogar begeistert gewesen vom Nationalsozialismus, ein junger Mann, leichtsinnig und leichtgläubig, das hat ihm alles sehr imponiert. Später, als der Krieg kam und er in dieser Fabrik viel sah, ist es anders geworden. Und als die Russen kamen, bestand er darauf, daß wir nicht mehr ins Rheinland zurückgingen. Er hatte nie eine starke Bindung an die Heimat, für meine Mutter blieb das aber ein Problem, nicht mehr nach Hause zu können. Mein Vater war dann kommissarisch eingesetzter Polizist und hatte Freunde unter den sowjetischen Offizieren. Die waren sehr kinderlieb. Wenn sie einen Hasen geschossen hatten, kriegten wir immer die Hälfte ab. Sie besuchten uns noch nach Jahren, weil sie sich bei uns zu Hause fühlten. Meine Eltern haben noch einen Jungen aufgenommen, dessen Eltern verschwunden waren. Johannes konnte sich aber nicht mehr einfügen, er hatte oft Schlägereien mit meinen großen Brüdern, die sehr eifersüchtig waren. Meine Mutter hat sich immer für andere Kinder interessiert, nicht nur für die eigenen. Johannes ist oft zur Autobahn gegangen und hat gesagt: Eines Tages geh ich weg. 1946 hieß es, wir gehen nach A., Vater wird dort Bürgermeister. Johannes war begeistert, weil er hoffte, wir kriegten einen großen Hof, er war sehr für die Landwirtschaft. Und dann war kein Hof da, und er ist wirklich zur Autobahn gegangen. Er hat nie wieder von sich hören lassen. Ich glaube, ich habe ihn sehr gern gehabt.

Von 1946 bis 1950 war mein Vater Bürgermeister in A. Wir wohnten sehr schön in einem Verwalterhaus, hatten zwei große Zimmer, eine große Küche, Nebenkammern und einen riesigen Dachboden. Daneben der Gutshof und das Schloß. Das hat mich sehr geprägt, dieses alte Schloß, der Park, und der Wald dahinter. Ich war wie ein Junge, bis sechzehn immer in Hosen und mit kurzen Haaren. Hab angefangen zu lesen, schon mit sieben, was ich fand, am liebsten Karl May. Wir lebten auf einer Insel im Teich. Da waren riesengroße Bäume, und oben hatten wir uns Stände gebaut, da saß ich und las stundenlang, bis die Sonne unterging. Unten hatten wir unsere Buden. In einer war eine Friedensecke, da wurden Zeitungsausschnitte und Leninbilder gesammelt. Wir haben gleichzeitig in unserer Zeit und mit Karl May gelebt. Wir waren im Gruppenrat und im Freundschaftsrat und bei den Indianern. Diese Jahre mit meinen größeren Brüdern waren sehr wichtig für mich. Es gab später nie das Problem, daß ich mich emanzipieren mußte.

Meine Schwestern habe ich in diesen Jahren nicht entdeckt. Nur die drittälteste, die Liesl, mit der hab ich mich auseinandersetzen müssen. Weil sie sehr zuverlässig war, hat meine Mutter ihr viel Verantwortung übertragen. Sie spielte sich als Mutter auf, und ich empfand sie als sehr hart und anmaßend. Wenn ich heute Leuten begegne, die so ähnlich sind wie Liesl, dann habe ich immer großen

Widerstand gegen sie und setze mich, früher oder später, hart mit ihnen auseinander. Ich war in diesem Alter sehr empfindlich, und es war das schlimmste, wenn ich für irgendwas ungerecht bestraft wurde. Ich konnte mich nicht wehren, ich konnte nicht einmal frech werden, ich konnte nur heulen. Dann haben die andern sich darüber amüsiert, und das war natürlich noch schlimmer. Ich glaube, es war wichtig für mich, daß ich gelernt habe, mich abzukapseln. Ich habe mir immer gewünscht, irgendwo allein zu sein.

Die einzige Möglichkeit, unserer Enge zu entfliehen, war der Park. Wir haben nur dieses große Schlafzimmer gehabt, für uns alle, ein schönes Wohnzimmer, aber zu klein, dort haben wir Schularbeiten gemacht. Wenn wir uns abends auszogen, wurde alles übern Stuhl gehängt. Ich war nicht sehr ordentlich und hatte deswegen immer Probleme, so daß ich das Wort Ordnung nicht mehr hören kann. Ich hatte eben keinen Platz, um das zu lernen: die Mappe richtig zu packen, meine Bücher zu ordnen. Ich durfte eigentlich nichts machen, nie an den Schrank ran, nur die Liesl durfte das. Meine Mutter war für mich eigentlich nur da, damit ich was zu essen kriegte und damit meine Sachen sauber waren. Es hätte manches persönlicher sein können, wenn sie die Arbeiten richtig verteilt hätte. Ich habe es sehr entbehrt, daß sie nie Zeit für uns hatte. In manchen Situationen habe ich meine Mutter gehaßt. Einmal hat sie meinen Bruder auf die Erde geschmissen und getreten. Als ich weinte und Mitgefühl zeigte, wurde ich auch geschlagen. Und das war das schlimmste, das konnte ich nicht begreifen. Meine Mutter hatte mich später sehr gern, weil sie mir vieles anvertrauen konnte, aber diese Dinge stehen noch heute zwischen uns.

Als ich mich zum erstenmal wehrte gegen Ungerechtigkeiten, sozusagen als Abschluß meiner Kindheit, da war das so: Ich hab Treppen gewischt, der Eimer ist umgekippt, und Liesl hat mich geschlagen. Da hab ich noch einmal geweint und war richtig wütend auf mich. Dann hab ich die Stiefel von meinem Vater geputzt, und Liesl meckerte wieder an mir herum. Da hab ich gesagt: Du dummes Weib, du blöde Ziege, laß mich in Ruh. Ich brachte sie so in Wut, daß sie einen Stiefel schmiß. Ich duckte mich, und der Stiefel zerschlug die Fensterscheibe. Meine Mutter kam und haute Liesl eine runter. Das war für mich eine Befreiung. Von da an hab ich nie mehr Angst gehabt vor ihr. Ich schätze sie heute sehr, weil sie so zuverlässig ist und sich für andere einsetzt, aber ich hab mit ihr nicht viel gemeinsam. Es ist schade, sie wollte Juristin werden, das lag ihr. Aber sie hatte schon gearbeitet und damit die Familie durchgebracht. Das Studium hätte bedeutet, daß sie praktisch als Verdiener für die Familie ausfiel, deshalb hat sie freiwillig verzichtet. Sie hat sich viele Wünsche im Leben nicht erfüllt. Da ist noch eine andere Schwester, die Gertrud, die war ganz anders, die war lustig, die habe ich bewundert. Obwohl ich sie am liebsten hatte, habe ich immer Minderwertigkeitsgefühle ihr gegenüber gehabt. Gertrud kritisierte mich auch, meinen Gang, meine Haltung, meine Aussprache, und das setzte mir sehr zu. Mit ihr habe ich später beraten, ob ich zur Oberschule gehe oder nicht.

Meine Mutter hat uns sehr konservativ erzogen, anfangs sogar christlich. Sie hat jeden Tag gebetet, das fand ich ganz lustig. Mein Vater ist auch sehr gläubig erzogen worden, hat dann aber seine eigene Philosophie entwickelt. Es war aber nichts, was ihn weitergebracht hat. Wenn er Probleme hatte, trug er sie in die Kneipe. Meine älteren Geschwister schätzen meine Mutter als eine großartige Frau, meinen Vater sehen sie als den Versager. Man hat ihn aus der Partei hinausgeworfen. Später hat man ihm zwar angeboten, wieder einzutreten, aber da wollte er nicht mehr. Man muß noch etwas erwähnen, er hat als Bürgermeister mit einer Mitarbeiterin ein Verhältnis angefangen. Meine Mutter hat die Frau angerufen und gesagt: Wenn Sie sich noch einmal mit meinem Mann einlassen, dann schneide ich Ihnen die Haare ab. Die Frau trug lange offene Haare. Irgendwie ist das publik geworden, und die Frau ist weggegangen. Mein Vater ist danach sehr krank geworden. Ich nehme an, daß er die Frau geliebt hat, er hat sich mit ihr auch politisch gut verstanden. Ich glaube, daß nur Gertrud und ich in der Lage sind zu verstehen, daß diese Frau vielleicht eine Partnerin für meinen Vater gewesen wäre. Von da an hat er angefangen zu resignieren.

Ich hatte sehr früh den Wunsch, von zu Hause wegzugehen. Mit vierzehn bin ich täglich nach B. in die Oberschule gefahren. Mein Vater arbeitete dann auch in B., drei Jahre fuhren wir morgens zusammen im Zug und haben uns viel unterhalten. Das letzte Jahr hab ich mir ein Zimmer in B. genommen, um mehr Zeit fürs Abitur zu haben. Ich bekam fünfundvierzig Mark und hab ziemlich gehungert. Aber ich hab das meinen Eltern nie gesagt. Gewohnt habe ich bei so neureichen Taxichauffeuren, die taten, als hätte ich bei ihnen das erstemal eine Toilette mit Wasserspülung gesehen, so daß ich sie gehaßt habe. Dort lernte ich die ersten Männer kennen. Natürlich wollten sie mit mir schlafen, während ich Gesprächspartner suchte. Ich hatte ja die Vorstellung, wenn man Verkehr hat, muß man den Mann heiraten. Obwohl ich mich verstandesmäßig stark dagegen aufgelehnt habe, viel stärker als meine Schwestern, hat es mich mehr beeinflußt als sie. Fast alle meine Schwestern haben geheiratet, weil sie ein Kind erwarteten, während ich auf alles verzichtet habe. Masturbiert habe ich aber schon mit neun oder zehn Jahren. Meine Mutter hat es mal mitgekriegt, ich lag ganz starr im Bett und war halb weg, da hat sie gesagt: Was machst du für Schweinereien, nimm die Hände raus! Ich hatte immer Angst, entdeckt zu werden, weil wir in zwei Betten zu dritt schliefen. Ich habe sehr früh Liebesgeschichten gelesen, und immer wenn ich mich mit einer Figur identifiziert habe, habe ich auch stärker masturbiert. Und wenn mein Herz dabei geklopft hat, hab ich gedacht, ich krieg ein Kind. Ich wollte mir das Leben nehmen, wenn ich wirklich ein Kind kriegen sollte. So habe ich gelernt, alles alleine zu regeln. Meine Brüder sind zu den Nutten ins Dorf gegangen, mit mir haben sie nie über das Sexuelle gesprochen.

Mit zehn hab ich den ›Stillen Don‹ gelesen. Die Felder, die ganze Atmosphäre in diesem Dorf, die kannte ich ja, und Axinja und Grigorij, wie er sie gebissen hat, das hat mich ungeheuer beschäftigt. Ich bin gegen Bäume gerannt, weil ich mit dem Buch in der Hand zur Schule zog. Dann hat mein Lehrer das Buch entdeckt, hat mirs weggenommen und gesagt: Das ist nichts für dich, ich muß das deinen Eltern melden. Meine Eltern haben sich nie dafür interessiert, was wir lasen, die wußten auch nicht, was im ›Stillen Don‹ stand, aber sie haben akzeptiert, daß der Lehrer es verboten hat. Eines Tages hab ich das Buch in unserm Schrank gefunden, hab mich in der Kammer eingeschlossen und fünf Stunden lang gelesen, bis ichs aus hatte. Dann bin ich zu meiner Mutter gegangen und hab gesagt: So, jetzt hab ichs doch gelesen! Das ist später immer so gewesen bei mir. Ich hab eine Sache zwar verdrängt oder verschoben, aber ich hab sie nie aufgegeben. So wie das dann mit dem Studium war.

Nach dem Abitur ging ich nach Berlin. Ich habe mich für Indologie beworben, weil ich weit weg wollte von zu Hause. Für Indologie gabs keine Möglichkeit in Berlin, für Medizin aber wars 1959 sehr günstig. Im Studentenheim wohnte ich in einem Zehnmannzimmer, später in einem Viermannzimmer. Da war auch die Gisela, mit der ich die Oberschule besucht hatte. Mit ihr hatte ich eine ähnliche Situation wie mit meiner Lieblingsschwester, einerseits mochte ich sie, andererseits waren wir immer Rivalen. Gisela ist ein ganz anderer Typ als ich, schmal, blond, und sie hatte die langen Zöpfe, die ich immer haben wollte. Mir wurden als Kind die Haare immer ganz kurz geschnitten, weil das bequemer war. Einmal hatte man mir sogar eine Glatze geschoren, wegen der Läuse. Das empfand ich als große Gemeinheit.

Die Situation an der Universität war damals sehr prekär. Für Jugendliche, die gerade erst anfingen, war es ein gefährliches Pflaster. Wenn man nicht sehr sicher war, konnte man schnell dahinkommen abzuhauen. Wir waren neunhundert in unserem Studienjahr, zum großen Teil Leute von den Akademien, die delegiert wurden bis zum Physikum und dann nach Dresden oder Magdeburg oder sonstwohin zurückgehen sollten. Es waren solche Massen, man war völlig anonym. Das war natürlich für die studentische Freiheit, die man sich erhofft hatte, sehr schön. Von diesen neunhundert ist ein Großteil abgehauen, besonders im Frühjahr 1961. Wenn man bis zum Vorphysikum kam, wurde das Abitur drüben anerkannt. Es war eine eigenartige Stimmung. In meinem Seminar waren viele Kinder von Ärzten, die von Anfang an gegen unseren Staat waren. Ich war sehr aktiv im Philosophie-Seminar und eine der wenigen, die sich wirklich damit auseinandergesetzt haben. Mit dreizehn wollte ich Nonne werden, da hatte ich so eine religiöse Phase. Der Marxismus war für mich zunächst auch eine Glaubenssache. Ich habe es strikt abgelehnt, daß sich viele nur mit Westsachen eindeckten und keine zwanzig Pfennig für unsere Mitgliedsbeiträge hatten. Andererseits hatte ich das Bedürfnis nach Freundschaft und Anerkennung und tolerierte vieles, was ich innerlich ablehnte. Das war ein Grund, warum ich auch gerne weggegangen wäre, weil ich diesen Gewissenskonflikt nicht aushielt. Dieses starre Entweder-Oder. Einmal bin ich per Anhalter nach Hause gefahren, mit einem großen Laster, das waren Leute aus dem Rheinland. Ich hab erzählt, daß ich auch von dort bin, und sie sagten: Wenn Sie wollen, können wir Sie mitnehmen. Die hatten da was eingebaut und wollten mich über die Grenze schmuggeln. Das war noch vor der Mauer. Ich hab überlegt, ob ich mitfahre oder ob ich aussteige, hin und her, und als ich dann die Brücke gesehen habe und den Wald und die Kindheit, da bin ich ausgestiegen, bin nach Hause gegangen und war nachher sehr froh darüber.

Gisela wollte ganz eindeutig weg. Sie hatte Verbindung aufgenommen zu einem religiösen Krankenhaus in Westberlin. Ich bin mal dort gewesen und hab mir das angeguckt und hab ihr zugestimmt. Ich habe viele Dinge gemacht, von denen ich wußte, daß sie nicht richtig sind. Eigentlich wollte ich Gisela los sein. Da muß ich eine Geschichte vorausschicken. Ich hab mal am Ostbahnhof meinen Koffer abgeholt, da hat mich ein junger Mann angepflaumt, ein richtiger Berliner. Der wurde meine erste Liebe. Der Siegi. Ich fand ihn großartig. Ich war ja ein Kind vom Lande und hatte es schwer in Berlin, obwohl ich das nie zugab. Siegi wollte natürlich mit mir schlafen, und ich hab immer gesagt, das geht nicht, ich kann das nicht. Um mich eifersüchtig zu machen, hat er mit Gisela was angefangen. Natürlich tat ich so, als würde mich das überhaupt nicht interessieren, aber ich war wahnsinnig eifersüchtig. Irgendwie hatte er auf einmal Sorge, ich könnte mich ganz von ihm abkehren, und da hat er mir einen Brief geschrieben, in dem die Gisela schlecht wegkam. Den Brief hab ich ihr gezeigt. Dann war er für uns beide erledigt. Es gab aber immer irgendwelche Männer, die mich für was Besonderes hielten, bloß weil ich so hartnäckig war. Ich war eine Rarität an der Universität.

Dann hab ich ein Jahr in Pankow bei einem Wirt gewohnt, der war Witwer und empfand so etwas wie väterliche Verantwortung für mich, interessierte sich auch für Medizin und störte mich sehr, weil ich so was nicht gewohnt war. Damals hatte ich einen aus dem Studentenheim, den Peter, der malte unsere Plakate und tanzte so auffällig, Schappern nannten wir das. Er war einer der lebendigen Studenten, die eigene Interessen hatten und sich nicht nach dem Westen orientierten. Er schaute sich drüben vieles an, wie alle, stand aber eindeutig hier. Das war für mich sehr wichtig, weil ich so schwankend war.

Wir lagen oft zusammen im Bett, nächtelang, aber ich habe ihn immer abgehalten, und mit der Zeit wurde er sauer. Eines Tages ging ich wieder hin, da sagte seine Wirtin ganz grimmig: Er ist nicht da. Offensichtlich hatte er ein Mädchen drin. Da dachte ich zum erstenmal, es ist vielleicht nicht richtig, wie ich mich verhalte, und ich war sehr traurig.

Die Prüfungen hatte ich mit wenig Mühe bestanden, aber immer mit dem Gefühl, wenn du durchfällst, hörst du auf. Das Naturwissenschaftliche reizte mich sehr. Was mich gestört hat, war die Atmosphäre in der Medizin. Ich hatte nie Beziehungen zu Ärzten, und ich erlebte so viele, die nur Medizin machten, weil das standesgemäß war. Beim Praktikum auf Rügen wars noch schlimmer, weil in den Krankenhäusern noch die Hierarchie der alten Ärzte herrschte. Man arbeitete bis Mittag vier Stunden, dann konnte man an den Strand gehn, abends war noch einmal Visite. Dort traf ich Stefan. Es ist verständlich, warum ich mit ihm zuerst geschlafen habe. Er war frei von all diesen Geschichten, die mich belasteten, kam gerade von der Armee zurück und wollte Medizin studieren. Langsam wurde ich reif für das Sexuelle, durch die Sonne und die ganze Atmosphäre. Aber es war nicht wirklich schön. Wenn man so lange darauf gewartet hat, ist man enttäuscht. Stefan war ein richtiger Junge, der sich nicht binden wollte. Und ich kam nicht darüber hinweg, daß ich nun doch mit einem geschlafen hatte. Stefan hat das natürlich nicht mitgekriegt. Ich wirkte ja auch nicht problematisch, ich wirkte eher aufreizend auf die Männer, als hätte ich schon eine Menge vernascht. Es war eigentlich so, daß ich jedesmal unbefriedigt blieb und leise heulte, während er einschlief. Da hab ich mir gedacht: Den kann ich ja gar nicht heiraten, wenn ich immer so leiden muß. Inzwischen war ich ausgezogen bei meinem Wirt und hatte eine eigene Wohnung in Lichtenberg. Dort war ich zum erstenmal frei, ohne Familie, ohne Wirt, mit vielen Bekannten, die mich besuchten. Im Sommer bin ich nach

Polen gefahren, um mir klarzuwerden, ob das noch Sinn hat mit Stefan. Ich bin getrampt, dreitausend Kilometer weit, und habe immer das Gefühl gehabt, ich muß weiter. Ich konnte das selbst nicht verstehen. Immer wenn ich irgendwo angekommen bin, mußte ich wieder weiter. Ich bin runter bis zur tschechischen Grenze und wieder zurück, da wars schon ziemlich sicher, daß ich mich von Stefan trennen würde.

Als ich zurückkam, erzählte mir ein Freund, Ingo, er hätte eine Reihe von Freunden, darunter so einen Langen, der wäre interessant. In der Mensa unterhielten sie sich über den Langen, sie lachten sich halbtot. Wie der durch die Straßen läuft, das muß man sehen! Ingo fand mich dann würdig, in seinen Kreis eingeführt zu werden. Der lange Marc war wirklich komisch. Ich hatte was getrunken und mußte brechen, und Marc ging vorsorglich die Treppe mit mir hinunter, und immer wenn ich anfing zu brechen, verschwand er. Ich habe das registriert, weil ich das anders kenne. Wenn wir als Kinder gebrochen haben, war immer einer da, der uns den Kopf hielt. Eines Tages klingelt es, und wer steht draußen: der Lange. Wir sitzen den ganzen Abend und die ganze Nacht, und der Lange redet und redet. Mein Zimmer hat eine sehr schöne Atmosphäre gehabt. Es war schon dunkel, wir haben kein Licht gemacht, er saß unterm Fenster, rauchte Pfeife, draußen die Bahn, ich kochte Tee, er spottete über meinen Tee, spottete über alles, und ich fühlte mich sehr unsicher, weil er so überlegen tat. Er hat viel von seinem Vater erzählt, der ihn beeindruckte, aber irgendwie hatte er große Schwierigkeiten mit ihm. Dann hab ich ihn gefragt: Hast du eigentlich auch eine Mutter? Ja, natürlich hab ich eine Mutter. Dann habe ich eine Feier gemacht, da waren alle möglichen Leute da und auch Marc. In der Nacht, als alle weg waren, überfiel mich ein Katzenjammer, weil ich so allein war. Nur Marc war dageblieben, der hatte sich besoffen gestellt. Ich fing zu heulen an, und Marc wurde wach und redete mit mir. Ich hab ihn dann gefragt, ob er eigentlich schon mit anderen Frauen geschlafen hat. Das war hart, aber er nahm mich immer auf die Schippe, so daß ich nicht wußte, was ich von ihm halten sollte. Da hat er zugegeben, daß er das noch nicht getan hätte. Na ja, mir war klar, was er erhoffte. An diesem Abend ist er krank geworden. Ich habe ihn zwei oder drei Tage gepflegt, bin zwischendurch zu den Vorlesungen gegangen, hab ihm heiße Zitrone gemacht... Er wirkte immer sehr souverän und eigenständig, aber er ist oft krank geworden bei Schwierigkeiten und hat auf diese Weise meine Fürsorge erpreßt. Das war sehr charakteristisch für ihn.

Am Wochenende hat er mich dann nach W. zu seinen Eltern eingeladen. Es war stürmisch und kalt, die Straße und die Häuser an der Bushaltestelle, alles ziemlich verwildert, und dann das große dunkle Haus. Und Doris, die Mutter. Da war gerade der Großvater gestorben, und wie sie mir das erzählte, noch in der Tür, sehr aufgeregt, aber kalt. Und im Zimmer saß Marc, seelenruhig wie immer, die Beine hoch, und hatte eine Platte von Schostakowitsch an. Dieses große dunkle Zimmer, die Sterbeatmosphäre, die Schwestern gefielen mir auch nicht. Und plötzlich geht das Licht an, und Simon, der Vater, ist da. Seine Stimme dröhnte von Herzlichkeit, schlagartig hatte das Zimmer eine andere Farbe und waren auch die Menschen anders. Simon war das Idol der Familie, aber mit dem Familienleben hatte er wenig zu tun. Die Mutter war immer da und war immer die Negative. Bei ihr war alles unterdrückt. Aber ich lernte sie schätzen, weil sie so zuverlässig war. Am nächsten Tag waren sie alle bei der Beerdigung. Und Marc und ich schliefen zum erstenmal miteinander. Wir waren so voneinander erfüllt, daß es eigentlich von Anfang an gut ging, ganz anders als mit Stefan. Dann blieb er einfach bei mir in Lichtenberg. Er kriegte einhundertfünfzig Mark von seinem Vater, er war damals im fünften Studienjahr, und ich hatte zweihundert Mark Stipendium, das reichte.

Zum erstenmal war jemand da, mit dem ich über alles reden konnte, auch über intime Dinge aus meiner Kindheit. Marc war ein guter Zuhörer, hat nie was kommentiert oder mich beeinflußt. Wir lagen viele Nächte wach im Bett und hatten keine Zeit fürs Studium. Die erste Staatsexamensprüfung habe ich ziemlich mies gemacht. Professor Leonhardt hatte Psychiatrie, ausgerechnet mein Lieblingsfach. Der guckte mich an, aber ich hab nur an Marc gedacht, ich konnte einfach nicht an was anderes denken. Dann kam die Pathologieprüfung, da wurde ich krank. Ich habe Marc immer erzählt, daß ich eigentlich gar nicht Medizin studieren will, und er hat gesagt, man darf nur das machen, was man wirklich will. Er verstand alles, der hat nie gesagt: Du spinnst, du mußt da jetzt durch, wie das später Felix gesagt hat.

Es kam eine schöne Zeit. Ich war frei von Prüfungen und hab das als Befreiung empfunden. Dann haben wir geheiratet und wollten ein Kind. Sein bester Freund, Christian, war oft bei uns. Ich empfand Christian auch als Freund, aber gleichzeitig als einen Gegenspieler. Ein Teil von Marc gehörte nicht mir, wenn Christian da war. Christian hat ja nicht regelmäßig gearbeitet, hatte natürlich kein Geld, und Marc sagte: Ist ja bloß Geld, Freundschaft ist wichtiger. Na ja, ich habe mich immer sehr einschränken müssen von Kindheit an, ich war etwas allergisch. Das waren solche Reibungspunkte, die mit der Zeit mehr wurden. Marc trank ziemlich viel und wollte laufend zu dieser und jener Fete. Ich ging zwar mit, aber mich widerte das bald an, weil es immer dasselbe war. Ich fand, daß er seine Zeit vergammelte. Ich habe versucht, ihn zu verändern, und habe nicht gemerkt, wie ich mich dabei selbst verändert habe. Was ich mir nie vorstellen konnte, war plötzlich eingetreten, ich war von jemandem abhängig geworden.

Während der Schwangerschaft hatte ich sehr harte Auseinandersetzungen mit Marc, weil er sein altes Leben wieder aufgenommen hatte. Und Christian trug natürlich dazu bei. Er hatte nie eine familiäre Situation erlebt, sondern immer nur Verhältnisse, in denen er sich frei fühlte. Und nun wollte er, daß Marc in gleicher Weise frei war und daß sie zusammen machen konnten, was sie wollten. Dann war ich im achten Monat schwanger und wollte noch einmal zu meinen Eltern fahren. Ich brauchte das eben von Zeit zu Zeit, sie waren die Basis für mich, die Sicherheit. Und Marc wollte nicht mitfahren. Das war im Spätherbst, in dem Jahr, wo es sehr kalt war, wir hatten zwanzig Grad minus. Ich war so unruhig, ich mußte immer irgendwohin. Ich habe geweint bei meinen Eltern, wie ich jahrelang nicht geweint habe. Bin wieder zurück und wurde sehr krank.

Das erste Jahr mit dem Kind war hart. Anne war geschädigt durch meine Krankheit, und ich konnte das nicht verkraften. Das Haus war kalt und ungemütlich. Unser Komfort hatte sich in den Jahren nicht gerade gesteigert. Die Windeln hab ich auf dem Herd gekocht. Und mit Anne mußte ich dreimal in der Woche in die Klinik. Marc war vorerst ein eifriger, guter Vater. Aber als der erste Reiz weg war, fingen wieder die Feiern an, und ich mußte ständig Kompromisse machen. Diese Feten machte ich nur, damit Marc zu Hause blieb und weil Leute dabei waren, die für mich wichtig waren, zum Beispiel Christian. Anne konnte nicht an der Brust trinken, weil wir ständig unterwegs waren zur Behandlung, ich mußte abpumpen, und zu Hause saßen die Freunde und erwarteten, daß ich war wie immer. Sie waren eben alle sehr jung.

Nach einem halben Jahr habe ich Antrag auf die Prüfungen gestellt, ich wollte nun doch einen Abschluß haben. Ich hatte damals die Vorstellung, Übersetzer für medizinische Literatur zu werden. Zwei Prüfungen habe ich gemacht, und zweimal bin ich durchgefallen. Beim zweitenmal hab ich mitten in der Prüfung angefangen zu heulen. Früher war ich immer souverän gewesen, je weniger ich wußte, um so souveräner wirkte ich. Ich heulte mich an Marcs Brust aus, und er sagte: Eh du noch verrückt wirst, hörst du eben auf. Nun war ich beruhigt, bin zur Studienabteilung gegangen anstatt zur nächsten Prüfung und hab gesagt, ich will nicht mehr weiterstudieren. Das hätte eigentlich nicht passieren dürfen, daß ich ohne Begründung ausgestiegen bin. Da saß aber eine ältere Dame mit ihren Fragebögen, und die schrieb alles auf, wie ich es ihr sagte.

Nun wurde Marc und alles, was er tat oder nicht tat, immer wichtiger für mich. Ich bin im Grunde ja sehr ehrgeizig. Als Kind wollte ich schon Professor werden, ich wollte mich nur nicht sehr anstrengen dabei. Nun legte ich meinen ganzen Ehrgeiz in Marc, nun sollte *er* was werden. Ich hab mir gedacht: Es lohnt sich alles für diesen Mann! Er fing gerade am Institut zu arbeiten an. Daß er selber Schwierigkeiten hatte, hat er mir nie verraten, das hat er später anderen erzählt. Mir hat er immer das Bild eines Genies gemalt, und vielleicht wollte ich das auch so. Ich war drauf und dran, so zu werden wie seine Mutter. Marcs Bedürfnis, ständig mit anderen Leuten zusammen zu sein, habe ich dramatisiert. Er wollte wahrscheinlich selber nicht mehr, aber ich habe ihn wieder dorthin getrieben. Er warf mir dann vor, daß ich ihm seine Freunde wegnehme. Seine Freunde kamen nun mehr zu mir, und er ging alleine irgendwohin, wo ich ihn nicht störte. Dann kam hinzu, daß er sexuell das Bedürfnis hatte, andere Frauen kennenzulernen, was natürlich ist, weil in unserem Kreis sehr attraktive Frauen waren, die sich für ihn interessierten. Wir waren damals eine der stabilsten Familien, da wird der Mann von den Frauen, die nicht wissen, wo sie hingehören, und die Frau von den Männern, die nicht wissen, wo sie hingehören, interessiert betrachtet. Wir waren eine Insel in der allgemeinen Unsicherheit. Ich hab sein Interesse an anderen Frauen gespürt und habe noch mehr Angst gekriegt, weil ich auf ihn angewiesen war. Ich habe mich sehr mit Psychologie beschäftigt, indem ich anderen ihre Schwierigkeiten zu klären versucht habe. Ich habe meine Eltern analysiert, Marc und Christian und natürlich Doris und Simon. Ich war ständig mit fremden Angelegenheiten beschäftigt. Dann hab ich mich auch für Simon als Mann interessiert. Da trat etwas Ungutes ein mit diesem ständigen Vergleichen und Psychologisieren. Mein Interesse für den Vater habe ich Marc erzählt, um ihn eifersüchtig zu machen. Ich habe viele Dinge gemacht, wo ich selber nicht verstand, warum ich die mache. So was widerspricht meiner Erziehung, deshalb hat es mich gleichzeitig belastet und gereizt.

Marc wollte mir nun zeigen, daß er Abstecher macht und selbständig geworden ist, hatte aber auch ein schlechtes Gewissen, weil er für uns keine Zeit mehr hatte. So kam er immer mehr unter Druck. Ich war auf einmal die Hausfrau geworden, die ich nie sein wollte, und Marc wurde gezwungen, was zu sein, was er auch nicht sein wollte. Ich meine, so ist es vielleicht zu verstehn, warum es zum Bruch gekommen ist.

Dann war Herbst, da wollte ich Japanisch lernen. Die Japaner machen sehr Interessantes in der Medizin, und wer kann schon Japanisch und versteht so viel von Medizin, um es übersetzen zu können. Marc sollte einmal in der Woche bei Anne bleiben, aber Marc hatte keine Zeit. Eine halbe Stunde später kam Christian, und Marc ist mit ihm weggegangen. Das hat mich sehr verbittert, obwohl ich auch nach anderen Lösungen hätte suchen können. Ich war aber der Meinung, Marc ist mein Mann, der muß mir helfen. Marc mußte nun auch seine Promotion abliefern und fühlte sich gedrängt, weil er merkte, wie wichtig sie für mich war und für seine Eltern auch. Er saß stundenlang in seinem Zimmer und rauchte Pfeife. Aber ich sah seine Unzufriedenheit. Seine Schwestern kamen dauernd zu ihm mit irgendwelchen Problemen, und er wollte auf einmal in Ruhe gelassen werden, er wollte kein Idol mehr sein. Da habe ich seine Stelle eingenommen, ohne es zu merken. Ich habe mit seinen Schwestern alles diskutiert, alles hin und her gedreht und habe mich immer mehr in fremde Angelegenheiten eingemischt.

Und dann sagte Christian, er fährt nach Bulgarien, Marc soll mitkommen. Da hab ich gesagt: Ich bin dafür, du machst erst deine Arbeit und läßt dich im Institut sehen. Marc begriff das, aber dann kam eine Karte aus Bulgarien: Bruder, ich brauche dich, Bruder, ich erwarte dich! Und da ist Marc gefahren. Kam zurück und war ganz verändert. Es ist ihm was Ähnliches passiert wie mir, als ich das Studium schmiß, er erlebte eine große Befreiung. Die Arbeit war nicht mehr wichtig, wichtig war diese bulgarische Frau. Wenn ich vernünftig gewesen wäre, hätte das nicht zum Bruch führen müssen. Abends wollte er mir alles erzählen, dann wäre es gut gewesen. Aber ich habe es ihm wahnsinnig übelgenommen.

Da ist er zu Henni gefahren und hat ihr alles erzählt. Und Henni hat die Situation ausgenützt. Sie hatte mit Dino Schwierigkeiten, der machte nur Unsinn, lernte nicht, arbeitete nicht, nahm Geld von seinen Eltern, und Marc stand schon vor der Promotion. Nun war Henni überall dabei, wenn Marc von Bulgarien erzählte. Und mich kotzte das an, ich konnte diese Geschichten nicht mehr hören, ich fand ihn lächerlich und war traurig darüber. So bin ich mit Anne zu den Schwiegereltern gefahren, weil Marc auf einmal behauptete, er könne alleine besser arbeiten. Ich war wie gelähmt. Ich wollte nach Hause, aber der Winter ging vorbei, und ich blieb. Im Mai fuhr Henni nach Polen, Dino war schon eine Weile dort. Da durfte ich nach Berlin zurückkommen. Aber ich fürchtete mich so vor der Wahrheit, daß ich nichts fragte. Ich bin erst mal an die Ostsee gefahren, um mir klarzuwerden, was eigentlich geschehen war. Dort habe ich einen Kapitän kennengelernt. Ich hatte keine Unterkunft, und er nahm mich mit aufs Schiff, da hab ich mit ihm in einem Bett geschlafen. Das war kurios. Er sah aus wie mein Vater, war aber ein Mann, der mitten im Leben stand, ein Kapitän eben. Ich war wahnsinnig unsicher, dadurch provozierte ich die Männer auf dem Schiff derart, daß ich in ganz komische Situationen kam. Nur der Kapitän wußte, was mit mir los war. Nach einer Woche stürzte ich nach Hause. Marc hatte sich auf mich gefreut und wollte sich aussprechen. Ich war aber beleidigt und geladen. Ich forderte, daß er sich radikal ändert, sich ganz auf uns einstellt und so weiter. Henni hatte wirklich bei uns gewohnt, während ich in W. war und Dino in Polen. Diesen Vertrauensbruch fand ich furchtbar. Ich konnte nicht begreifen, wie er mir so lange was vorschwindeln konnte unter dem Vorwand, arbeiten zu müssen. Christian sagte: Laß ihn doch mit der Henni schlafen, das ist gut für ihn, er wird zurückkommen. Er hat von sich auf Marc geschlossen, und da hat er sich geirrt.

Wir stritten uns nun ständig. Ich hab nicht mehr auf Marc gehört, und Marc hat nicht mehr auf mich gehört. Ingo hat bei uns renoviert, ich habe mir die Haare abschneiden lassen, hab Kleider angezogen anstatt Hosen, lauter Äußerlichkeiten, zum Teil waren sie sogar von Erfolg gekrönt, aber innerlich fand ich das überflüssig und beschämend. Ich konnte nicht durch eine neue Haut eine andere werden. Für mich brach eine ganze Welt zusammen. Ich fand ja auch die anderen so gemein, weil sie es alle gewußt hatten, nur ich nicht. Eines Tages klingelt es, und Henni steht freudig erregt da. Ich hab sie sofort angefallen. Sie hat aber gar kein schlechtes Gewissen gehabt. Wieso, hat sie gesagt, was willst du, ich liebe ihn, und er liebt mich. Da gab ich ihr zwei Scheiben Brot, die sie sich erbettelt hat, und hab sie hinausgeschmissen. Ich zitterte am ganzen Körper. Marc war bei einem Freund, ich lief hin und erzählte ihm alles. Und Marc rief sofort: Ich muß zu ihr, ich bin in zwei Stunden zurück, aber ich muß zu ihr! Nun wars schon Nacht. Ich hab gesagt: Wenn du zu ihr gehst, ists aus mit uns. Ich hab erst mal seine Arbeit genommen und durchs Zimmer gefeuert. Dann hab ich den Fernsehapparat zertrümmert, der war schon alt, aber Marc hing an ihm. Das Tonbandgerät war mir zu kostbar. Und dann kam Marc und hatte mächtige Manschetten. Ja, hab ich gesagt, wenn du hiergewesen wärst, hätte ich dich totgeschlagen. Das Schlimme war, daß ich am nächsten Morgen eine Besprechung in der Universität hatte. Ich hatte einen Antrag eingereicht, daß ich das Studium wieder aufnehmen möchte. Ich hab mir noch nachts einen Rock enger gemacht, weil ich so dünn geworden war. Um acht bin ich bei diesem Professor gewesen und hab einen sehr komischen Eindruck hinterlassen, weil ich überhaupt nicht wußte, was ich wollte. Es hat sich herausgestellt, daß ich alle Prüfungen noch einmal machen mußte, vom ersten Studienjahr an. Das hat mich niedergeschmettert. Ich habe Marc den Schlüssel weggenommen und hab ihn hinausgeschmissen. Dann hab ich mich hingelegt und wunderbar geschlafen, wie nach einer gewonnenen Schlacht. Drei Tage später kam er wieder, da fühlte ich mich aber so überlegen, daß ich ihn wieder hinausgeworfen habe. Und die andern sagten: Das hast du richtig gemacht.

Wenn wir uns sahen, wärmten wir die alten Geschichten auf. Jeder war verbittert und gekränkt bis aufs Blut. Ich warf ihm vor, daß ich beinahe so geworden wäre wie seine Mutter. Er warf mir vor, daß ich jeden Raum so ausfülle, daß für ihn kein Platz mehr ist. Darauf hab ich ihm gesagt, daß er nicht das Genie ist, für das ihn alle halten. Nun hatte er aber Henni, die ihn wunderbar fand. Sie drängte darauf, daß sie zusammenziehen. Da war der Punkt, wo ich Angst bekam. Der Bruch war ja leicht gewesen, irgendwie grandios, aber die Trennung durchzuhalten war schwer. Da hab ich seinen Chef angerufen und um ein Gespräch gebeten. Dieser Mann war neben seinem Vater das zweite Idol, das Marc hatte. Ich hab ihm von Marcs Schwierigkeiten erzählt und daß er ihm helfen müsse, indem er ihn vielleicht zwingt, öfter im Institut zu erscheinen. Ein paar Tage später bekam Marc einen Einschreibebrief, da stand das drin, was ich wollte. Bis dahin hatte er nur eine Aspirantur, jetzt hatte man ihn angestellt. Marc war ganz glücklich, weil er das für sein Verdienst hielt. Eines Tages aber hat er mich so beleidigt, daß ich es ihm heimzahlen mußte. Weißt du, hab ich gesagt, daß ich bei deinem Chef war? Damit hab ich alles zerstört. Ich sehe seinen Blick noch. Nachher habe ich das alles verstanden, auch warum ich zu diesem Mann gegangen bin, es war ja nicht reine Nächstenliebe, die mich da hingetrieben hat. Heute ist mir klar, daß es wenige, aber entscheidende Situationen waren, wo alles kaputtgegangen ist.

Ich bin wieder nach W. geflüchtet. Dort lernte ich eine wunderbare Frau kennen, die war Psychiaterin. Sie hat mir gesagt, ich soll meine Rettermission aufgeben und mich um meine eigenen Angelegenheiten kümmern, und ich soll mich von dem Gedanken befreien, daß ich zu Marc zurückkehren könnte. Sie hielt es für einen entscheidenden Fehler, daß ich mich so intensiv mit den Problemen seiner Familie beschäftigt hatte, von der Marc loskommen wollte. Mir wurde klar, daß alles stimmte. Nach diesem Gespräch lag ich da und wollte sterben. Doris setzte sich an mein Bett, und anstatt mich zu trösten, fing sie wieder mit ihren Problemen an, die ich klären sollte. In meiner Verzweiflung hab ich gedacht, ich geh zugrunde, wenn mich da keiner herausholt. Da wirkte noch so ein alter Mechanismus, daß ich Marc durch Kranksein erweichen wollte. Jedenfalls ließ ich ihm sagen, ich wäre sehr krank. Er kam. Die Situation war urkomisch, denn ich bin sofort aufgestanden und nach Berlin gefahren, ohne Marc anzuschauen. Ich hab zwei Tage lang nur geschlafen, dann fühlte ich mich gesund. Am dritten Abend kam Christian vorbei. Durch unsere Trennung hatte seine Beziehung zu Marc auch gelitten. Als ich ihm erzählte, wie Marc sich über ihn und seine alten Freunde geäußert hat, hörte er sich das ruhig an, dann schmiß er eine Tasse an die Wand, und wir haben gelacht. Das war für mich befreiend.

Nun hab ich angefangen, bei Ingo in der Wohnung zu

mikroskopieren. Und halbtags hab ich Bürohilfsarbeiten gemacht, das war reine Idiotenarbeit, aber in meinem Zustand genau das Richtige. Ich hab mich sehr erholt dabei. Marc kam von Zeit zu Zeit, um seine Sachen zu holen. Jedes Stück war ein Stück von unserem gemeinsamen Leben und hart umkämpft von mir. Einmal haben wir sogar miteinander geschlafen, aber hinterher hab ich ihn fürchterlich beleidigt. Als ich stabiler wurde durch die bestandenen Prüfungen und Henni von weitem sah, tat sie mir leid. Aber es war gemischt mit Schadenfreude, weil ich sah, daß sie bald in der gleichen Verfassung war wie ich. Heute denke ich, daß sie gar nicht so schlecht für Marc war. Vielleicht konnten sie es auf die Dauer nicht durchhalten, weil beide nicht fertig waren mit ihren Partnern. Sie waren zu sensibel und ehrlich. Ich kannte Marc genau, ich wußte, was er empfand. Als Henni starb, wußte ich nicht mehr viel von ihm. Ich glaube, daß Dino sie sehr geliebt hat und daß er sie nicht los wird in seinem Leben. Ich weiß noch, wie er damals wutentbrannt hinausfuhr, um sie zurückzuholen, und einfach ohnmächtig war, weil sie nicht mitkommen wollte. Ich hab das sehr bedauert, daß Dino nicht stark genug war, um Henni zu beschützen. Er hätte das viel besser gekonnt als Marc. Dino weiß genau, daß es mit mir und Marc ähnlich ist, ich werde so eine Liebe auch nicht wieder finden. Als Dino wegfuhr, war Felix schon bei mir, und Dino schätzte ihn sehr, weil er so zuverlässig war. Aber er hat genau gespürt, daß das etwas ganz anderes war als mit Marc. Wir standen da, Dino und ich, haben uns angeschaut und umarmt, beide waren wir ja gescheitert mit unserer Liebe, die Jugend hinter uns. Das war ein richtiger Abschied.

Als ich schon eine Weile allein lebte, kam also Felix eines Abends mit Blumen und wollte den kranken Marc besuchen. Marc hat offensichtlich im Institut nicht darüber gesprochen, daß er nicht mehr mit mir zusammen war. Ich habe Felix die Situation geschildert, zum erstenmal konnte ich mich mit einem Menschen unterhalten, der den nötigen Abstand hatte. Es wurde morgens um sechs, und wir saßen immer noch da. Dann stand Anne auf und war ganz erstaunt. Wir haben sie zusammen in den Kindergarten gebracht und sind durch den Park spaziert. Es war ein schöner Herbstmorgen, noch viel Laub an den Bäumen, eine herrliche Sonne. Wir sind zurückgegangen, und dann ist es schon passiert. Ich hab mich gewundert. Felix war wie ausgewechselt und wollte zu mir ziehn. Ich hab mir seine Wohnung angesehen, eine Einzimmerkomfortwohnung. Diese Bequemlichkeit brauchte er für die Arbeit. Ich riet ihm deshalb ab. Ich liebte ihn ja nicht, ich konnte leicht klug sein. Was mir an Felix gefiel, war seine Zielstrebigkeit im Gegensatz zu Marc, der immer auswich und sich nicht gern festlegte. Felix hat mir jeden Wunsch erfüllt, was ich nicht gewöhnt war, andererseits hat er sich beklagt, daß er keine Zeit mehr hat. Seine Arbeitspläne waren zu hoch gesteckt und nicht real, meiner Meinung nach. Eines Abends, Felix war gerade bei mir, kam Marc, wegen der Scheidung. Henni hatte inzwischen die Scheidung von Dino eingereicht, und jetzt war ich dran. Marc, der sonst der Hausherr war, wurde dann von Felix verabschiedet. Die beiden hatten sich unerhört souverän über fachliche Dinge unterhalten, es war sehr komisch. Felix war ja ein echter Konkurrent für Marc, ihn hat er geachtet. Auf einmal interessierte sich Marc wieder für mich, wie für ein weggeworfenes Spielzeug, das nun einem anderen gehört.

Ich glaube, daß ich Felix damals nur benutzt habe, um Marc zu provozieren. Felix erkannte das natürlich, aber er hat es geduldet und mir dadurch sehr geholfen. Er war seelisch viel stabiler als Marc. Obwohl es für ihn nicht einfach war, war es doch heilsam, weil endlich ein Mensch für ihn wichtig geworden war. Dann kam der Brief mit der Scheidungsklage. Da war ich verzweifelt und habe Felix gesagt: Eigentlich will ich mich nicht scheiden lassen. Da bekam Felix seinen ersten Wutanfall. Obwohl ich erwartet hatte, daß man es nicht zur Scheidung kommen läßt, war ich über den Verlauf doch froh. Traurig war nur Marcs Rede, er könne sich in mir nicht mehr widerspiegeln. Die Schöffen haben ihn angesehen, als wäre er nicht von dieser Welt. Ich war aber erst mit der Scheidung einverstanden, als Henni hereinkam, ganz blaß und mit einem Verband um die Pulsadern. Da wußte ich, daß Marc nicht mehr zurück konnte.

Ich hatte inzwischen das Physikum bestanden, das ist die Hälfte des Studiums. Dann wollte ich schnell die Staatsexamensprüfungen machen, das waren fünfzehn, möglichst in anderthalb Jahren. Erst jetzt wurde ich immatrikuliert, vorher war ich nur extern und mußte mir erst das Recht erwerben, wieder Student zu sein. Für jede Prüfung mußte ich mich im Institut anmelden und Erklärungen abgeben. Das waren Alpträume. Warum ich es überhaupt geschafft habe, das ganze Studium noch einmal? Erstens zweifelte ich nicht an mir selber, dann waren Leute da, die an mich glaubten und mir halfen. Eine Oberärztin hat mir immer wieder gesagt: Sie schaffen das bestimmt, aber Kranksein gibts nicht. Im ersten Moment war ich schockiert, aber es war genau das Richtige. Und Felix war immer da, wenn ich ihn brauchte, ohne Diskussion. Vielleicht bin ich immer wieder zur Arbeit zurückgekommen, weil er selber soviel gearbeitet hat. Ich glaube, es finden sich immer Menschen, die einem helfen, wenn man etwas Schwieriges probiert. Menschen sind mein Rezept, ja, daß man die richtigen Menschen findet im Leben.

Nach der letzten Prüfung, das war Gyn, kam ich nach Hause. Eine Freundin war da und Felix und Anne, die warteten auf mich. Das war die größte Befreiung, die ich erlebt habe. Für Felix empfand ich auf einmal ein bißchen mehr als Dankbarkeit. Ich fühlte, daß ich nun das Gleichgewicht herstellen, daß jetzt ich auf ihn eingehen müßte. Trotzdem stand für mich die Frage: Fange ich noch mal von vorne an, ohne Felix, weg von Berlin? Obwohl ich mich in Berlin zu Hause fühle. Die Atmosphäre reizt mich, diese Anonymität, weil man in ihr gezwungen ist, Freunde zu suchen. Wenn sich nicht jeder um jeden kümmert, kann man seine Kontakte selbst wählen. Das empfinde ich im Gegensatz zu unserem Dorf als sehr angenehm. Felix war aber der Meinung, daß wir zusammenziehen sollten. Er brauchte offenbar diese Sicherheit. Durch Zufall bekam ich diese Stelle, das entschied alles.

Als ich schon in der Klinik war, traf ich noch einmal Henni. Sie sprach mich an der Straßenbahnhaltestelle an, und wir fuhren zusammen nach Hause. Sie sah, daß sich viel verändert hatte in meiner Lichtenberger Wohnung. Sie wollte mit mir über Marc sprechen, und ich war eigentlich gar nicht eingestellt auf alte Geschichten. Sie haben Streit gehabt, sie hat gesagt, kannst ja gehn, und Marc ist natürlich gegangen. Sie war mir fremd geworden, weder die alte Henni, die einem ja imponiert hat, noch eine neue Henni, die weitergekommen ist, sondern eine ganz elende, kleine Henni. Ich wollte mich damit nicht belasten. Ich fühlte mich ja so erhaben, weil ich mit dem Studium fertig war. Das war am Donnerstag, und am Sonntag hat sie sich das Leben genommen.

Nach Hennis Tod hab ich immer geglaubt, ich sehe sie. Wenn ich über den Alex gegangen bin, es war sehr schön, das neue Zentrum, ein Frühlingstag, da konnte ich nicht begreifen, daß Henni es nicht mehr erlebt und daß ihr Tod nicht rückgängig zu machen ist. Schon als Kind hab ich mich mit dem Tod beschäftigt. Ich fand es erschreckend, daß man eines Tages nicht mehr da ist und nie wieder weiß, was passieren wird in Millionen Jahren. Und was einem durch die Erziehung so aufoktroyiert wird, daß man was geleistet haben muß, damit das Leben nicht umsonst war. Jetzt bin ich durch meinen Beruf ständig damit konfrontiert. Ich hatte einen Patienten, den ich vor zwei Jahren zum erstenmal gesehen habe, als es auf Tod und Leben bei ihm stand und wir gerade angefangen haben, die Dialyse aufzubauen. Schwester, hat er zu mir gesagt, ich kann Sie nicht sehen. Nach den ersten

Dialysen konnte er wieder sehen. Obwohl er ein schwieriger Patient war, war er mir einer der liebsten. Jetzt hatte er einen akuten Blinddarm. Solche Patienten sind in ihrer Abwehr ohnehin sehr geschwächt. Er wurde operiert, man hat ihn durchgekriegt, hat ihn wieder dialysiert. Während der Dialyse Herzversagen, es war nichts mehr zu machen. Man sieht zu oft junge Leute sterben, als daß man jedesmal darunter leiden könnte. Aber dieser Patient, er war in einem so schrecklichen Zustand und immer kooperativ und entgegenkommend. Was ich am meisten bewundert habe, er ist oft nach Hause gefahren, sehr weit, auch wenn wir ihm abraten mußten. Er hatte eine Frau und einen Sohn, und die Triebkraft nach Hause war so stark, daß er alles auf sich nahm. Und jedesmal hab ich mich gefreut und gewundert, wenn er am Montag wiedergekommen ist. Als er starb, dieser großartige Mensch, war das ein Schlag.

Als Gesunder kann man sich kaum in diese chronisch Kranken hineinversetzen. Ich leide darunter, daß manche Ärzte so grausam sind. Ich gehe nach Hause und weiß nicht, warum ich so deprimiert bin. Mein Prinzip ist es, besonders bei den Dialyse-Patienten, die ohnehin keine Chance haben, daß ich sie nie fertigmache, wenn sie sich an diese oder jene Vorschrift nicht gehalten haben. Etwas beschäftigt mich, daß ich nur für einen relativ kleinen Kreis zuständig bin und im übrigen alles hinnehmen muß, was geschieht. Trotzdem kann ich nicht die Augen verschließen. Man muß schon als Mensch leben und sich für vieles interessieren, was in der Welt vor sich geht. Als ich noch in Lichtenberg war, all die Jahre hab ich mich nicht so damit beschäftigt. Ich möchte einfach mehr machen als meine Pflicht, und das ist nicht durchzuhalten. Es gibt Zeiten, wo ich etwas ganz anderes machen möchte, nicht immer nur für andere da sein. Viele Ärzte empfinden das so. Wenn man sich aber als Frau nicht voll engagiert, wird man überhaupt nicht akzeptiert. Als ich bei der künstlichen Niere einstieg, hatte ich viel Elan und

Ehrgeiz, obwohl man mir das als Frau und mit dem Kind nicht zumuten wollte. Ich habe härter gearbeitet als ein Mann, um mich durchzusetzen. Ohne Felix wäre das nicht möglich gewesen. Trotzdem zweifle ich manchmal, ob alles richtig war, weil ich merke, wie ich einerseits was gewonnen habe, weil ich diesen Spießrutenlauf mit seiner Hilfe durchgestanden habe, daß mich das Ganze aber zuviel gekostet hat an eigener Substanz. Und daß dieser Weg, den ich mit Felix gewählt habe, das weiterführen wird. Es ist mehr eine geistige Bindung, ich finde wenig Erholung in ihr. Mein Leben ist eigentlich immer schwerer geworden.

Lebendig erhalten mich Anne und die kleinen Freuden. Felix hat sich selbst so rationalisiert. Das sind unsere Reibungspunkte. Das Sinnliche, die Freude am Essen, an einem Frühlingstag, was ich mir immer erhalten habe, das kennt er eben nicht. Zum Glück ist meine Natur unkompliziert. Sobald ich unter Menschen bin, die so sind wie ich, kommt die alte Katja hervor, und ich bin wieder jung und fröhlich. Den besten Kontakt habe ich zu den Krankenschwestern auf der Station, bei denen lade ich mich jeden Tag auf.

Aber ich darf nicht ungerecht sein. Ich sehe, daß wir eine Menge zusammen erreicht haben, nicht nur Äußerliches wie diese schöne Wohnung. Felix hat sich auch verändert. Früher hat er nur für sich gesorgt, auch als wir schon zusammen wohnten, er hat sich einen riesigen Topf Kartoffelbrei gekocht, für die ganze Woche. Wenn ich jetzt koche, und es schmeckt, merkt er es schon. Daß er als Junggeselle, der nie eine Familie kennengelernt hat, sich so auf Anne und mich einstellen konnte, und Anne war sehr schwierig und oft krank, das ist eine Leistung und spricht eigentlich dafür, daß auch Männer auf andere eingehen können, wenn sie es wollen. Seine Arbeit ist ihm aber das wichtigste geblieben. Deshalb habe ich nie das Gefühl, daß er zerbrechen würde, wenn ich ihn verlasse. Das ist beruhigend. Ich habe nicht die Verantwortung für ihn wie für Marc. Er ist mir gleichberechtigt, weil ich ohne ihn ja auch leben könnte. Dazu ist man als Frau erst fähig, wenn man vorher etwas anderes kennengelernt hat. Verzichten und nicht wissen, worauf, das muß schlimm sein.

Was du da machst, Leute befragen und so, ist wunderbar. Etwas Ähnliches hab ich mir vorgenommen, wenn Peter aus dem Haus ist. Jetzt geht jedes bißchen Energie für ihn drauf. Ich will mich nicht zerstückeln, ich will alles ganz machen. Wenn einer ein schönes Zuhause gehabt hat, ist er zeitlebens reich. Materiell waren wir arm, aber alles, was irgend möglich war, habe ich bekommen. Ich hatte Großmutters ganze Aufmerksamkeit. Das alles gebe ich jetzt an Peter weiter, und der wird es an seine Familie weitergeben. Da ist nichts verloren. Manche sagen, die Kinder zahlen den Eltern nichts zurück. Sollen sie doch gar nicht. Sie sollen nach vorne gehen. Mütter, die Opfer bringen und ans Zurückzahlen denken, das sind keine Mütter, die sollten lieber arbeiten gehn. Nur einmal im Leben kann der Mensch wie im Märchen leben, und das ist die Kindheit. Dann fängt die Arbeit an, die Lehre, und alle erzählen einem, welche Anforderungen gestellt werden, der junge Mensch tritt in eine neue Phase und lauter so 'n Kram. Und dann kommt er mit den falschen Leuten in Berührung und ist erschossen. Ich hatte da großes Glück. In der Schule für Erwachsenenqualifizierung in den fünfziger Jahren waren gute Lehrer um mich. Die mir zum erstenmal Politik vermittelt haben, waren keine Theoretiker, die setzten sich noch für etwas ein. Was denkst du, wie dich das zeitlebens beeinflußt, wenn du siehst, man sagt dir eine Sache und lebt sie dir auch vor. Und wenn du danach mit einem andern zusammenkommst, und der ist ein Schwein, dann schadet es nicht mehr. Nur der erste, der darf kein Schwein sein. Das gibt einem so viel, wenn man nicht nur von solchen Menschen hört, sondern wenn man sieht, es gibt sie wirklich.

Jede Zeit verlangt doch einen anderen Menschen, na,

und heute verlangt unsere Ökonomie die berufstätige Frau. Das verstehe ich, aber ich versuche, mich drum herumzumogeln. Ich will eine Frau sein, so wie *ich* mir das vorstelle und wie ich mich wohl fühle. Solange man Berufstätigkeit als Ideal für *jede* Frau propagiert, kann man ihr nicht viele Kinder aufschwatzen, da bleibt die Frau mit Kindern benachteiligt. Guck mal, wenn eine Frau fünf Kinder hat und bleibt zu Hause, das respektiert man, das ist was, aber zu sagen: Ich habe nur *ein* Kind und bleibe zu Haus, das ist den Leuten schwer begreiflich zu machen, das paßt irgendwie nicht in unsere Zeit. Ich finde es wunderbar, daß eine Frau heute ihre Begabung ausschöpfen kann, wenn sie will. Was denkst du, wieviel Energie die Marie Curie verschwenden mußte, um sich die primitivsten Voraussetzungen für ihre Arbeit zu schaffen. Diese Frau hat mich enorm beeindruckt.

Vielleicht habe ich mich zu extrem auf den Jungen konzentriert, weil die Ehe nicht meinem Ideal entsprach. Der Frank ist ja ein Süßer, aber hundertprozentig harmonisieren wir nicht. Er ist ein Luftikus, weißt du, ein Junggeselle. Vielleicht würde es mit Toleranz auf beiden Seiten gehen, aber *mich* hat er eingesperrt, und *er* ist davongeflogen, das war irre. Wenn ich Abendschule hatte, stand er schon vor der Tür. Ich hab ja immer irgendwo meine Fühler gehabt: Abendschule, Gitarrenunterricht, Malzirkel, Französischkurs, ich wollte ja mit Peter mithalten. Wenn ein Mann aber so hartnäckig seiner Wege geht wie mein Süßer, weißt du, das lähmt einen so, daß man sich wie ein Rentner fühlt und überhaupt nichts mehr unternehmen kann. Ich mache jetzt Schluß mit diesem faulen Zauber, aus, fini. Ich warte noch, bis Peter aus der Lehre ist, das würde ihn sonst zu sehr mitnehmen, aber dann verabschiede ich mich. Der liebe Frank war meiner zu sicher, der hat gedacht, ich hätte den Mumm nicht, meiner Wege zu gehen. Was denkst du, wie ausgeglichen ich sein werde, wenn ich mich auf die Beine mache. Nach der ersten Ehe, Mann, da habe ich mich mit Peter davongemacht, ruck, zuck! Was du da für einen Elan hast! Diese erste Ehe, das war nichts. Bei Schwiegereltern eine Kammer, getroffen haben wir uns nur zum Wochenende, und da war er mit seinen Freunden beschäftigt. Da bin ich abgehauen mit Peter, der war mir schon immer das wichtigste. Unsere Oma, die hat als Pförtnerin gearbeitet und uns eine Weile durchgebracht. Keine materielle Sicherheit, nichts, losgegangen bin ich, weg war ich. Wir haben von Pellkartoffeln gelebt, Marmelade oder Quark draufgeschmiert, gut wars. War vielleicht schade, daß ich so schnell aufgegeben habe. Aber wenn man immer allein herumfummelt und keiner da ist, der dich berät, dann ist es schwer. Es gibt Frauen, sagt Katajew, die sind zu großen Leidenschaften fähig, aber es endet meist tragisch, weil sie keine Abkühlung vertragen. Meine Abkühlung waren die Lügen der Männer.

Kein Toter ist so tief begraben wie eine erloschene Leidenschaft. Meine Oma hat mir beigebracht, was gut und böse ist. Lügen ist ganz böse, das darf man nie. So bin ich an alles rangegangen. Der erste Mann, die erste Lüge – aus. Der zweite Mann, die erste Lüge – aus. Aber irgendwas muß man haben, worauf man sich verlassen kann, was einen nicht andauernd enttäuscht. Das war der Junge. Wenn ich beim zweiten Mann gleich wieder abgehauen wäre, hätte ich arbeiten und den Jungen zur Oma geben müssen. So ein Kind ist doch nicht weniger wichtig als ein Mann. Wenn ich in einer Krise mit Frank drin bin, Peter merkt das nie, das hab ich durchgehalten die ganzen Jahre. Dafür kriege ich unverarbeitet jeden Eindruck, den er nach Hause bringt. Das ist das Schöne, sage ich dir. Wenn Kinder im Hort sein müssen, ist die Zeit zum Erzählen so kurz, dann haben sie die Eindrücke von der Schule längst verarbeitet oder sie einem andern erzählt. Guck mal, ich war Hausfrau und gleichzeitig Schülerin der Klassen 1. bis 12. Wir haben alles gemeinsam gemacht, wie Geschwister.

Ein Mann? Nee, hat mir nicht gefehlt. Auch auf die

Kurze muß es schon sein, daß man ihn akzeptiert. Keine dritte Wahl, bitte, bloß daß man 'n Mann hat. Guck mal, ich bin jetzt siebenunddreißig, und nur einen einzigen habe ich kennengelernt, der in Frage kommt, den aus M. Ihn als Liebhaber, egal zu welchen Bedingungen, das stell ich mir wunderbar vor. Ich sage dir, lieber Leder und zwanzig Jahre lang tragen als Kunstleder und jede Woche was Neues. Ich habe Bilder, was? Soll ja ein Zeichen von Dummheit sein. Weil Babys sich auch ihre Umwelt erobern über Bilder. Ich sage immer, in jedem Menschen ist ein Kind, und das muß man sich erhalten, sonst kann man sich gleich begraben lassen.

Weil ich so ein Kind bin, hab ich mir auch meinen Glauben erhalten, daß zwei Menschen sich ideal ergänzen können. Ein Partner und eine Partnerin, und beide ausschließlich, das ist mein Ideal. Ich bin durchaus imstande dazu, und nicht aus Mangel an Gelegenheit. Alles andere widerstrebt mir, so musche-musche, nee. Entweder heiß oder kalt. Lauwarm ist der Tod. Das Sexuelle? Guck mal, wo das Sexuelle nicht gut ist, komm ich mit dem Mann nicht klar, da regt sich gar nichts bei mir. Ich denke mir, wenn eine Ehe wirklich gut geht, ergibt sich die Treue von selber. Ich kann mir vorstellen, daß Frauen so universal sein können. An einem Tag sind sie Kameradin, am andern Tag Geliebte. Man muß sich an den Großen orientieren. Weißt du, was mir vorschwebt? Die Ehe von Karl Marx. Wenn du diese Liebesbriefe liest, die sind herrlich. Die eine Sache ist die, daß es so etwas gibt, die andere Sache ist die, man hat es eben nicht. Man kann ja nicht alles haben. Diese Erfüllung zweier zueinander, die ist zauberhaft. Da kann ich mir durchaus vorstellen, daß die Jenny für den Marx alles war. Es ist selten, aber es gibts, und das zu wissen ist wichtig.

Bevor ich Frank geheiratet habe, habe ich meinen idealen Mann kennengelernt, den Mann aus M. Der paßte zu mir, sag ich dir, so was Schönes! Zu meinem ersten Mann hab ich grad auf Wiedersehen gesagt, geschieden haben sie uns nicht gleich, lag ja nichts Ernsthaftes vor. Ich war auf Erwachsenenqualifizierung in einem Seebad, und meine Freundin hat mich eines Tages abgeholt. Freundin unter Anführungszeichen. Die war ein bißchen dumm, aber gutmütig, und das ist ja auch was Schönes, wirklich. Es war dunkel, wir gingen die Straße lang, und fünf Männer vor uns, die gingen langsamer, da haben wir sie eingeholt. Und plötzlich ergab sich ein Dialog zwischen einer fremden Stimme und meiner Stimme. Nicht gesehen hab ich den Mann, aber es ging immer zwischen uns hin und her. Die andern flachsten nur herum. Nächsten Tag bei der Arbeit, da kam er herein, wir erkannten uns gleich an der Stimme. Zwei Jahre ging das mit uns, ganz wunderbar. Er kam immer, wenn er hier zu tun hatte. Schuldgefühle seiner Frau gegenüber hatte ich nie. Guck mal, du kriegst ja keinen vernünftigen Mann in unserem Alter, der nicht schon verheiratet ist. Jetzt triffst du einen Mann, so wie den aus M. Da sollst du moralische Bedenken haben wegen einer Frau, die du gar nicht kennst und der vielleicht gar nichts mehr liegt an dem Mann? Stell dir vor, hätte ich diese Jahre nicht gehabt, ich wäre ja mächtig arm. Wenn das ein solch leichtfertiger Typ wäre, der gleich an Scheidung denkt, den würde ich gar nicht beachten.

Eine Zeitlang war ich nur für schöne Männer. Wenn ich einen schönen Mann kennengelernt hatte, wollte ich sofort wissen, wie ist der? Meistens sind die Schönen nicht interessant, die sind so abgenutzt im Gefühl und gehen auf eine Frau gar nicht ein. Nach und nach bin ich auf die Persönlichkeit gekommen, die fasziniert mich am meisten. Wenn du mich fragst, welche Männer ich mag, ich würde sagen: leise Vitalität. Vital ist eigentlich mein Frank, aber zu viele Frauen wissen das. Er geht wie ein Stier los, und das empfinde ich als abstoßend. Der aus M. hat in den zwei Jahren nie gesagt, ich liebe dich, ich hab aber gesehen, wie er sich fertiggemacht hat. Ach, hör auf mit diesem Tonband.

Weißt du, was ich jetzt mache? Ich schalte auf Empfang. Ich geh herum und suche einen Mann. Ich lasse die Männer aktiv werden, und wenn ich Glück habe... Natürlich ist das zum Lachen. Man müßte die Ehe abschaffen. Man müßte alles so regeln, ich glaube, wie bei den Indianern, wo die Kinder von der ganzen Gesellschaft erzogen werden, alle gleich. Die Frauen sind doch meistens mütterlich, die fühlen sich alle verantwortlich. Die Bindungen sind kein Gesetz. Wenn zwei füreinander dasein möchten, na bitte, dann sind sie eben füreinander da. Aber nicht, daß man sie zwingt zusammenzubleiben. Guck mal, die nehmen ihre Matten und legen sie zum andern. Und wenn sie nicht mehr mögen, nehmen sie ihre Matten wieder weg und legen sie woanders hin. Vielleicht würde es mich kränken, wenn Frank mit einer andern schläft, aber es wäre ehrlicher. Ich wüßte genau, in dem Moment, wo er *mich* besucht, ist er gerne bei mir. In einer Gesellschaft, wo die Ehe Gesetz ist, ist das nicht zu machen. In solchen Positionen wie Frank, da kann er sich so viel Ehrlichkeit nicht leisten. Er läßt sich auch so nichts entgehen, aber verstecken muß er sich, das ist das Schlechte. Ich setze ihn nicht mehr so viel unter Druck, aber er hat ein schlechtes Gewissen, und es belastet ihn, daß er nicht alles unter einen Hut kriegen kann. Und über mich hält er die Hand!

Nein, ich steig da aus. Ich hab jetzt eine Annonce geschrieben: Junge Dame, sportlich-elegant, möchte sich verwöhnen lassen. So. Und dann hab ich geschrieben, daß er die Eigenschaften haben sollte, die für ein gemeinsames Leben notwendig sind: Güte, Zuverlässigkeit und Humor. Entscheidend aber ist das Möchte-sich-verwöhnen-Lassen. Das heißt ganz klar, ich bin *keine* emanzipierte Frau! Ich will überhaupt nicht gleichberechtigt sein, ich will meine Vorrechte als Frau auskosten.

Mit dem Frank bin ich letztens mal Kahn gefahren, gegen die Strömung, war schwer zu rudern. Frank ist viel kräftiger als ich, aber er hat nicht den Ritter in sich. Jedenfalls lag ich da und ließ mir die Sonne ins Gesicht scheinen, da ist er richtig wütend geworden. Nein, ein Mann muß was auf sich nehmen, der muß von vornherein akzeptieren, daß er der Stärkere ist. Und er muß auch eine Idee besser sein, eine Idee intelligenter sein. Und ich bin der Efeu, der sich um ihn herumrankt. Ich bin so richtig altmodisch, nicht? Das gefällt mir. Vielleicht ist es auch so, daß ich das extra herausfordere, weil Frank die Lasten gleich verteilen will. Wenn er den halben Garten umgräbt, soll ich selbstverständlich die andere Hälfte umgraben, das provoziert meinen Widerspruch.

Freundin? Nee, Freundin hatte ich nie, eine richtige Freundin bis zum Letzten, mit Blutaustauschen, fand ich nie. Vielleicht daß ich weiter war als die andern, wir lebten ja in der Kleinstadt. Unter den Mädchen war viel Mißgunst. Und ich hab mich immer hingezogen gefühlt zu jemandem, der mehr wußte als ich, ich war nie neidisch, ich wollte lernen, lernen. Aber ich war ganz allein mit meinen Spinnereien. Und deshalb kann ich auch jetzt noch stundenlang allein sein. Kein Problem.

Mein Vater war Kunstmaler, er fiel 1940, da war ich zwei. Deshalb sehe ich in keinem älteren Mann einen Vater. Ich kenne ja das Verhältnis Tochter-Vater überhaupt nicht. Für mich ist jeder ältere Mann ein Mann, männlich und fremd. Weißt du, was ich machen würde, wenn ich nur einen einzigen Wunsch offen hätte? Ein Nest bauen, wo man sicher ist, da bleibste drin. Doch, das weiß man, man weiß schon am Anfang eine ganze Menge. Ich wußte, daß ich immer die Augen zugekniffen habe, zweimal zugekniffen sogar. Wenn man ehrlich gegen sich ist, merkt man, das wird nicht gut gehn, das kann nicht gut gehn. Als Kinder sind wir Ähren lesen gegangen. Da kam einer mit so einer Hungerharke, der hat das Feld erst richtig abgeharkt, und dann haben sie uns raufgelassen. Frank ist der, der abharkt, als Besitzer, und ich bin die, die die Ähren aufliest. So kommt es mir vor. Ich weiß ja nicht, ob alle Männer so sind, aber Frank ist egoistisch. Er hat eine Idee und geht wie ein Wilder drauflos, ohne die andern um sich herum zu sehen. Er hat keine Hobbys und keine Freunde. Ich würde es schon als Hobby bezeichnen, wenn er selber die Wohnung tapeziert. Ich hab mal gelesen, wer kein Hobby hat, der läßt plötzlich seine Familie im Stich und geht auf Nimmerwiedersehen davon. Dazu war Frank immer fähig, und das hat mich so unruhig gemacht. Es müßte wie in der Natur sein, wenn ein Tier sein Nest zimmert. Wenn der Mann bastelt und sorgt und wie eine Glucke über der Familie sitzt, das ist schön. Was mir an Frank gefällt, das ist sein Geist, der ist enorm, eine wahre Freude, mit dem Mann zu sprechen. Der trägt mir die ganze Welt ins Haus. Und er ist wie ein junges Tier, er muß alles beriechen, jede Frau macht ihn neugierig. Und vollkommen spontan. Dann ist eine Frau eine Weile da, ach nee, wieder nicht die richtige. Fängt was an, erschrickt plötzlich, um Gottes willen, wo bin ich hingeraten, das wollte ich doch gar nicht. Nee, ich steig jetzt aus. Angst macht mir nur die Umstellung: allein auf Wohnungssuche gehen, morgens um sechs aufstehn wie ein Sklave, selber Geld verdienen, nicht mehr Gitarre spielen können, wenn man Lust hat. Immer dieselben Leute auf Arbeit, ob sie dir passen oder nicht. Ich muß aber mein Brot suchen gehen. Mein Brot ist, daß in der Familie alles stimmt, daß ich meinen Platz habe. Alles Drumherum, das ist mein Kaviar. Viele machen sich aus dem Kaviar ein Hauptgericht, aber das kriegt man schnell über. Im Moment eß ich nur Kaviar, links an der Hand 'ne kleine Bekanntschaft, rechts den Malzirkel, alles nischt. Ich möchte wieder mein Brot haben!

Vorm Altwerden hab ich überhaupt keine Angst. Wenn mich der Mann bloß nicht ständig daran erinnert, daß man jung bleiben muß. Was denkst du, Frank hat von mir ein Bild in der Brieftasche, da war ich dreiundzwanzig. Mit langem Haar, Halbprofil, ganz niedlich. Aber ich bin nicht mehr die. Und wenn er das zeigt, dann zeigt er nicht *mich*. Verstehst du das? Für mich ist jedes Frauenalter reizvoll, ob ich ein Baby habe oder ein Schulkind oder einen Lehrling. Vor der Geburt bin ich Geliebte, dann Mutter und, wenn alles hinhaut, die Kameradin des Kindes. Ist aber eine schlechte Ehe da, ist die Frau dauernd abgelenkt, dann muß sie versuchen, den Mann zu reizen, ach, diese aufgedonnerten alten Schachteln, die versuchen sämtliche Tricks, das ist das Traurige. Ich kümmere mich wenig um Kleider. Meistens schenkt mir eine Tante irgendeinen Stoff, den laß ich mir nähen, zu was Zeitlosem. Und dann trag ich das jahrzehntelang. Ich achte mehr darauf, daß ich selbst gut aussehe, daß ich ausgeruht bin und frische Haare habe. Manche Frauen schinden sich bei der Arbeit, damit sie sich Exquisitsachen kaufen können. Die ziehen jeden Tag was Neues an, und das hat keinen Effekt, weil sie so abgehetzt sind. Bei mir aber gucken die Männer. Andauernd der Mode nachjagen, das ist sinnlos. Also spar ich Geld, also brauch ich nicht soviel arbeiten.

Als Kind fand ich es herrlich, die älteren Paare, er im Lodenmantel, sie im Lodenmantel und ganz aufeinander eingestimmt. Nach außen reine Zweckmäßigkeit, keinen Firlefanz, und alles, was ringsum schön ist, kosten sie aus. Für die hat das Alter keine Bedeutung. Ich stecke ja auch in meine Wohnung nichts Unnötiges hinein, keinen Fernseher, keinen Kühlschrank, nicht alle zehn Jahre neue Polstermöbel, dafür hat sich mein Peter zu Hause immer wohl gefühlt, und sein Hund auch. Die konnten mit dem Zeug anstellen, was sie wollten. Und wenn die Spinnen es geschafft haben, im Herbst im Haus zu sein, dann schmeiß ich sie den Winter über nicht raus. Wenn Besuch kommt, schau ich nicht, ob er sich die Füße abgeputzt hat, dann schau ich ihm in die Augen.

Wo waren wir? Beim Alter. Ich kannte einen Mann, der war vielleicht sechzig. Der war Junggeselle, und sie wollten ihn verkuppeln. Guck mal, haben sie zu ihm gesagt, eine interessante Frau in deinem Alter. Und er hat gesagt: Keine Frau in meinem Alter ist für einen Mann in meinem Alter interessant. Siehst du, und das glaube ich nicht. Ich bin sicher, daß es andere Männer gibt. Man muß nur Geduld haben. Bei Oscar Wilde habe ich einmal gelesen: Das Schlimme am Altwerden ist nicht, daß man alt wird, sondern daß man jung bleibt. Das habe ich Frank vorgelesen, und wir haben gelacht. In Würde alt werden, das müßte herrlich sein. Hast du dir schon einmal Lenins Augen angesehen? Manchmal siehst du ältere Herren, die haben so was in den Augen, was Gütiges, Abgeklärtes, was Väterliches, richtig. Schau, im Grunde genommen ist alles, was ich dir erzählt habe, das, was du schon weißt. Du brauchst mich nur anzuschauen, guckst in meine Augen, und wir verstehen uns. Menschen müssen nicht so viel reden. Hätte ich dir das alles sagen müssen? – Na siehste.

Ich bin eigentlich irrsinnig froh, daß ich dieses große Glück kennengelernt habe. Weil ich so viele Menschen sehe, die irgendwas suchen und irgendwohin rennen und niemals so etwas erlebt haben. Das stelle ich mir ganz furchtbar vor. Ich war ja manchmal so selig, daß ich die Luft anhalten mußte und dachte: So kanns nicht weitergehen, es ist zu schön. Glück kann ja immer nur die Spitze von einem Eisberg sein. Ich weiß noch, ich kannte meinen Mann vielleicht zwei Jahre, nun gibts ja immer sexuelle Huddeleien, wenn man so jung ist, ne, ich dachte immer nur, was findet denn der dabei? Ich hab gehofft, daß es klingelt und Besuch kommt, wenn ich bei ihm im Bett lag. Aber heute weiß ich, was Glück ist. Davon kann ich jetzt viele Schöpflöffel nehmen, um was Neues aufzubauen.

Aber ich weiß nicht, was das ist, eine emanzipierte Frau. Wir haben uns den ›Faust‹ angesehen und entdeckt, daß die Gretchen-Geschichte uns nicht mehr berührt. Vielleicht ist das Emanzipation, daß Dinge, die früher zu Katastrophen geführt haben, heute kein Problem mehr sind. Daß eine Frau sagen kann: Wenn du nicht mitmachst, dann mach ich es alleine. Obwohl das nicht einfach ist. Mein Sohn wächst mir über den Kopf, und manchmal könnte ich ihn zusammenschlagen, so hilflos bin ich.

Es hört sich alles so einfach an, aber es muß sich erst der große Sturm legen, der über einen hinwegrast, wenn man auf einmal alleine ist. Mensch, dachte ich, zweiundzwanzig Jahre nie alleine gewesen, du wirst verrückt! Ein Mann muß her! So als hätte ich keine Bettwäsche mehr und renne um neue, weil man ja welche braucht, ne? Mein Mann hat immer orakelt: Es wird dir nicht gelingen, ein Vierteljahr ohne Mann zu leben. Hab ich gedacht, wenn er das sagt, wird es schon stimmen. Nun lebe ich fast drei Jahre ohne Mann, und ich habe das Bedürfnis überhaupt nicht mehr.

Etwas macht mir Sorge. Es kann nämlich eine ganz gefährliche Gleichgültigkeit aufkommen, wenn du glaubst, viel kann dir nicht mehr passieren. Dann funktionierst du nur mehr. Wenn man frei von Bindungen wird, fällt die Angst natürlich weg, aber es gehen auch die Höhen verloren, und das ist erschreckend. Was ich in unserer Ehe so schön fand, guck mal, wir sind niemals nur nebeneinander hergelaufen. Diese Ehen, wo einer den andern nicht mehr interessiert, wo jede Spannung wegfällt, das finde ich entsetzlich. Deshalb bin ich auf unsere letzten Wochen so stolz. Ich habe nicht ein Stück in meiner Ehe, das ich wegschmeißen könnte, nicht ein Stück.

Ich bin auf dem Dorf aufgewachsen. Mein Vater hatte eine Mühle und einen Laden, die wurden ihm enteignet, und er ging nach dem Westen, als ich dreizehn war. Er wollte drüben etwas aufbauen und uns in normale Verhältnisse hineinbringen. Aber mein Vater wurde krank und starb bald. Ich hing mit einer riesigen Liebe an ihm, und weil ich ganz eindeutige Vorstellungen von gut und böse hatte, fühlte ich mich irgendwie rechenschaftspflichtig ihm gegenüber. Nun kamen aber zu meiner Mutter, die war ja mit mir und meinen beiden jüngeren Geschwistern allein geblieben, unentwegt sogenannte Freunde.

Als die jungen Männer aus dem Krieg zurückkamen, landeten sie auf Arbeitssuche bei uns, und die Pflichtjahrmädchen wohnten auch noch in unserem Haus. Und eines Tages hieß es: Zwei von den Mädchen sind geschlechtskrank. Da kaufte meine Mutter eine große Flasche und putzte unentwegt Türklinken und jammerte: Wir stecken uns alle an, wir stecken uns alle an! Nun wußte ich es: Wenn Mann und Frau zusammenkommen, werden sie geschlechtskrank. Das hat mich wahnsinnig erschüttert. Daher rührt eigentlich eine ziemliche Ablehnung Männern gegenüber. Als ich konfirmiert wurde, hatte ich einen großen Schwarm, das war der Sohn des Hausfreundes meiner Mutter, und der war Schauspieler. Und weil er genauso verklemmt war wie ich, verstanden wir uns ausgezeichnet. Der hatte einen Spazierstock, das war das Größte an ihm. Aber er hatte auch ein Gedichtbuch in der Tasche, und er setzte sich hin und las mir Gedichte vor, ganz leise. Ringelnatz und Rilke. Und er hatte so eine schöne Stimme. Da überkam mich immer eine große Zärtlichkeit, die führte zu einigen Küssen im Dustern. Und zu meinem Entsetzen erwartete ich dauernd Kinder von diesen Küssen. Da ging ich zu meiner Mutter, die war ja erst vierunddreißig, und sagte: Ich krieg ein Kind! Und nicht einmal da sprach meine Mutter aufrichtig mit mir. Sie lachte nur und sagte: Unsinn, Küssen macht keine Kinder. Sie hatte mir einmal ein aufklärendes Buch in die Hand gedrückt, aber das lehnte ich ab, weil mich das furchtbar genierte. Mein ganzes Wissen bezog ich aus einem Buch, Schnitzler, glaube ich. Da wurde eine Liebe beschrieben zwischen einem jungen Mädchen und einem Arzt, und die küßten sich dauernd, mehr schrieb man ja damals nicht. Und der Arzt verschwand, und das Mädchen bekam ein Kind. Und da habe ich gedacht: Wenn ein Arzt nicht einmal weiß, wie Kinder zustande kommen, na denn!

Meine Mutter hielt weiter ihre Moralvorträge, daß ein Zusammensein ohne Ehe nicht stattfinden darf, weil Gott das nicht gutheißen könne. Und ich habe niemals begriffen, warum sie es trotzdem tat. Ich muß sagen, ich haßte sie manchmal so schrecklich, daß ich aus dem Zimmer ging, weil es nirgendwo mit ihr stimmte. Eigentlich habe ich das, was sie tat, verachtet und habe das, was sie mir predigte, für bare Münze genommen. Ich bin auf dem Dorf aufgewachsen, aber wenn der Bulle an unserem Fenster vorüberschritt, da wurden die Vorhänge zugezogen. Meine Mutter ist in einem christlichen Internat erzogen worden, und sie glaubte, wenn sie ständig von Moral spricht, hat sie ihr Gewissen besänftigt. Meine Schwester ist nur zwei Jahre jünger als ich, aber ihr ist die Sexualität nie ein Problem geworden, während ich in ständiger Panik lebte. Ich konnte keine Schokolade mehr riechen, weil uns diese verheirateten Männer unentwegt Schokolade mitbrachten. Ich kannte doch alle, den Tierarzt, den Kaufmann, den Arzt, alles diese Kreise. Aufbegehrt habe ich nur ein einziges Mal. Einer hieß Willi, aber meine Mutter nannte ihn Vilmos, das fand ich zum Kotzen. Vilmos brachte also Schokolade für uns drei und mußte natürlich bei uns übernachten. Da hab ich vom ganzen Haus die Schlüssel eingesammelt, von Schränken und Türen, hab sie alle an ein Bändchen gebunden und in eine Emailleschüssel gelegt und mit einem langen Faden an Vilmos' Zudecke festgebunden, unterm Bett durch, und hab gedacht: Wenn der ins Bett steigt, dann klappert es, dann reiß ich die Tür auf und schlag Krawall. So war mein Programm, aber ich bin nicht aufgewacht.

Mit dieser ganzen verknuddelten Kindheit im Gepäck bin ich dann nach Berlin abgeschoben worden. Da war ich mittlerweile fünfzehn, furchtbar dürre, aber irgendwie, ich kanns mir nicht erklären, da war ebendieser Mann, den meine Mutter sehr mochte, und der spielte Klampfe. Und meine Mutter merkte, daß er mich anklampfte und nicht sie. Da durfte ich nach Westberlin ins Internat. Wenn einer seinen Kindern Berlin antat, dann fühlte sich die übrige Dorfprominenz aufgefordert, ihren Kindern das gleiche anzutun. Berlin war große Mode und schick. Aber in Berlin hatten alle Leute rote Fingernägel, lauter verworfene Gestalten. Man kann niemandem vermitteln, was man da empfand. Dann kamen die Ferien, und wir fuhren zur Ostsee, meine Mutter, meine Geschwister und ich. Es war das erstemal, daß wir zusammen verreisten. So was gab's ja früher nicht. Da wurden viele Kleider genäht und ein riesiger Schrankkoffer vollgepackt. Diese Reise war für meine Mutter ebenso was Großes wie für uns Kinder, nur haben wir das nicht gesehen. Wir kamen an, der Koffer auch, der hatte neben einem Kanister mit grüner Ölfarbe gestanden, und der Kanister war ausgelaufen. Kein Stück aus unserem Koffer war zu retten. Nun trugen wir jeden Tag dasselbe, was wir auf der Reise anhatten. Ich war ohnehin ein häßliches Entchen, trotzdem, eines Abends kam ein junger Mann an unseren Tisch, wir tanzten, und er sagte: Wollen wir heiraten? Ich fand das unwahrscheinlich komisch. Nun war er ein sehr gut aussehender Mann, viel älter als ich, aber das wichtigste an ihm waren eigentlich seine Kreppschuhe, die kamen gerade in Mode.

Am nächsten Tag am Steilstrand küßte er mich, das kannte ich schon, das fand ich ja ganz gut. Aber dann begann etwas, was ich noch nicht kannte, und da hab ich gesagt: Nein. Weil ich ein paar ganz blöde gelbe Badehosen anhatte. Er behandelte mich nun wie ein Kind, und meine Mutter fand es hinreißend, daß ein junger Mann mit einer so fabelhaften Erziehung seinen Urlaub mit uns verbrachte. Das schönste aber war für mich, daß er aus Berlin war und Musik studierte. Es begann eine wunderbare Zeit. Ich ging mit zu seinen Musikvorlesungen und schwänzte die Schule. Und abends nahm er mich mit nach Hause und spielte stundenlang Klavier.

Nach einem halben Jahr begannen die theoretischen Aufklärungsstunden. Und zwar erklärte er mir die Natur. Er begann mit den Kaninchen im Felde und mit den Eichhörnchen, und ich fand das so süß. Und wußte überhaupt nicht, wo er hinwollte. Und hab dann meine Mutter gefragt: Weißt du, was ich nicht verstehe? Er erzählt mir immer Geschichten von Eichhörnchen und vom Frühling. Was macht ihr denn, wenn ihr allein seid, fragte meine Mutter. Dann küssen wir uns. Und was noch? Sonst eigentlich nichts. Nu mußte aufpassen, sagte meine Mutter, da kann die Zeit kommen, wo er mehr will. Was, hat sie nicht gesagt. Dann gibt es zwei Möglichkeiten, sprach sie, entweder er nimmt ein Taschentuch oder er schwitzt es durch die Rippen.

Ja, was war nun dieses ES? Ich hab also aufgepaßt, wenn wir uns küßten. Da er aber nie ein Taschentuch hatte, dachte ich, er schwitzt ES durch die Rippen. Dann hab ich ihn danach gefragt, und er schrie vor Lachen. Später kamen die ersten Versuche. Und ich sagte immer schön, nein, das geht nicht, nein, die Mutter... Gut, hat er gesagt, dann trennen wir uns. Und da haben wir uns getrennt. Meine Freundinnen im Internat sind ausgegangen, die hatten ihren Freund, und ich saß immer da. Da hab ich ihm nach sechs Wochen einen Brief geschrieben: Ich bin bereit. Und wußte noch immer nicht, wozu. Er dachte, ich wäre so raffiniert, aber ich war einfach blöde, mein Sohn würde sagen urst blöde. Wir trafen uns Bahnhof Westkreuz, und er sagte sofort: Heute findet es statt. Da hab ich gedacht, bevor du überhaupt nicht mehr ins Kino gehst und nichts mehr, beißt du in den sauren Apfel, ne?

Von dieser Transaktion hatte ich überhaupt nichts. Ach, du liebe Güte, wenn *das* schön sein soll, es tut nur weh. Nachts wachte ich auf, da hatte er den Kopf an meiner Schulter liegen und lächelte im Schlaf. Und das fand ich wunderbar. Ich hab ihn angeguckt, und er wachte auf. Da hab ich gedacht, er *muß* ja aufwachen, weil ich so glücklich bin. Am nächsten Morgen bin ich in die Schule gefahren und hab gedacht, alle Leute in der U-Bahn merken jetzt, was du getan hast. Das war so eine Übung, wem soll die schon nützen? Das nächstemal kommt die erst wieder dran, wenn du heiratest. Sein Körper interessierte mich überhaupt nicht. Es war nur das Gefühl, dieser reife Mensch, der so schöne Musik machen kann und alles weiß, der fällt ausgerechnet auf dich kleines Licht vom Lande. Das hat mir eine gewisse Größe verliehen. Als ich zum erstenmal etwas dabei empfunden habe, das hat Jahre gedauert, da war ich so verwundert, ich dachte: Jetzt ist etwas Schlimmes passiert, jetzt bist du ganz verworfen. Du darfst doch so etwas nicht als schön empfinden. Und er war selig und tanzte um mich herum.

Er hat lange studiert, weil er vorher im Krieg war und keine Zeit dazu hatte. Wir sind viel verreist, und ich bin von einem Arzt zum andern gesaust, das war ja die pillenlose Zeit, und ich war dauernd in anderen Umständen. Trotzdem wars wunderschön. Wenn ich Musik höre, kann alles andere zurücktreten. Ich bin nur auf klassische Musik aus. Ich dachte, er muß es ja wissen, er ist der Fachmann. Dazu kam mein Drall, ich wollte immer alles anders machen. Im Internat ist das Radio von morgens bis abends gelaufen, immer irgendwelcher Schlagerkram. Mensch, dachte ich, du bist eigentlich wunderbar dran, du findest so was doof. Ich hab auch keine Kreppschuhe mehr getragen, als sie alle andern trugen. Und ich hab alte Klamotten aufgetrieben, weil die andern sich jetzt neue Kleider leisten konnten. Gegen meinen Mann aber gabs nie eine Kontrastellung. Nachdem wir zusammengefunden hatten, war er absolut Chef im Ring. Ich durfte nirgends mehr hingehen, zu keiner Schulveranstaltung, zu keiner Freundin. Bei der Schulabschlußfeier, ich hatte alles mit organisiert und freute mich so darauf, da rief er an und sagte, er hätte Blut gespuckt, der Arzt wäre da, und ich müsse selber entscheiden, wohin ich gehöre. Da bin ich natürlich zu diesem todkranken Mann gefahren. Der lag im Bett und holte eine Flasche Wein hervor und sagte lachend, es wäre bloß ein Scherz gewesen.

Nach der Schule habe ich kaufmännisch gearbeitet. Das war eine wunderbare Zeit, die noch Kollektive zustande brachte. Wir arbeiteten bis fünf, dann trafen wir uns dreimal in der Woche zum Steineklopfen. Ein Netz voll Bier, und mein Mann immer dabei. Mit meinen Freundinnen war das seltsam. Ich dachte mir, wenn ich mir sehr schöne Mädchen aussuche, dann darf ich sie vielleicht mitbringen. Ingrid hatte schöne lange Haare und große braune Augen, und die durfte ich manchmal mitbringen. Und dann war Hella, die war auch sehr schön, aber Hella durfte ich nicht mehr mitbringen. Mein Mann war ein ungeheuer sexueller Typ, er spürte sofort, wenn eine Frau auf einen Mann ansprang. Und er hatte furchtbare Angst, daß mich eine solche Frau zu Männergeschichten verleiten könnte. Wenn er spürte, daß eine Frau Sex-Appeal hatte, hat er sie sofort für unmoralisch erklärt. Da passierte nun das gleiche wieder, was meine Mutter mit mir getrieben hatte: Sex und Unmoral waren eins. Und dieser Mann ist wirklich der einzige in meinem Leben geblieben.

Meine Schwiegermutter hatte einen winzigen Laden, sie war allein geblieben und hat ihren Lebenssinn darin gesehen, ihren einzigen Sohn sauber und anständig aufwachsen zu lassen. Noch mit dreißig zog er nur das Hemd an, das sie ihm hinlegte. Er hatte einen väterlichen Freund, den Bruder seines Vaters, der war Mitglied der KP von der Gründung an, und durch ihn ist mein Mann in den Marxismus eingeführt worden in einem Alter, wo man sehr aufgeschlossen ist für alles Neue. Dieser Onkel hat seinen Geist in Behandlung genommen. Er war der einzige Mensch, den wir manchmal zu uns einluden. Er brachte immer eine Flasche Sekt mit, deshalb ist es das freundlichste Getränk für mich geblieben, und dann haben sich die beiden unterhalten. Ich fand diese Abende umwerfend schön, weil da etwas passierte, was ich noch nicht kannte, weil da Menschen sich ihre Gedanken wie Bälle zuwarfen. Eigentlich war das meine erste Bekanntschaft mit anderen Dingen als mit Geldverdienen. Der Onkel sagte immer: Die mit dem vielen Geld sind nie große Männer gewesen! Die Mutter hat nie den Versuch unternommen, sich einzumischen, sie sorgte für das körperliche Wohl ihres Sohnes, und das hielt sie für viel wichtiger. Dieser Onkel, der die Zeitungen und Bücher um sein Bett gestapelt hatte und so unordentlich herumlief, wie kann der Sekt kaufen, der soll sich lieber eine Hose kaufen, ne?

Meine Mutter war außer sich, als sie erfuhr, daß mein

Mann kommunistischen Ideen anhing. Andererseits hatte mir dieser Kommunist Verständnis für meine Mutter beigebracht, und das wußte sie. Sie konnte ihrer Familie nicht mehr in die Augen sehen, aber sie hat akzeptiert, daß wir heirateten. Ein Jahr später passierte das Ungeheuerliche, da wurde unser Sohn geboren. Als er unterwegs war, hab ich immer dagesessen und meinen Mann angeguckt und hab gebetet: Laß dieses Kind genauso werden wie sein Vater, bitte, lieber Gott, das erstemal machste das. Und dieser Sohn ist wirklich ein unglaublicher Abklatsch seines Vaters geworden. Ich bin mit dem Kind spazierengefahren und hab gedacht, jeder wird hier hereingucken und sagen: Ein Wunder. Dann haben wir sofort das zweite Kind in Auftrag gegeben. Das war ein Siebenmonatskind und starb, als es ein paar Tage alt war.

Jonas hat gerade die ersten Schritte gemacht und Mama sagen können. Wenn das nicht gewesen wäre... Später kam die Kleine. Diese Schwangerschaft war schlimm, weil ich eine so wahnsinnige Angst hatte, es könnte wieder eine Frühgeburt werden. Und die Kleine kam auf die Welt und war ein Nervenbündel. Nun hab ich wie verrückt nur Mutter gespielt. Da passiert ja erst einmal nichts mehr, ne? Geld war keines da. Aber wir hatten auch keine Anforderungen. Was wichtig blieb, das waren die Konzerte. Er hatte noch seinen Studentenausweis, und wir sind zu halben Preisen überall reingekommen.

Nach und nach hatte ich aber große Huddeleien mit dem Haushalt. Ich konnte auf einmal den Deckel vom Wäschetopf nicht mehr sehn. Da hab ich mir nachts ein Kinderbuch ausgedacht. Das Manuskript habe ich einer Frau vom Verlag gezeigt, wo ich dachte, das wird die umschmeißen, ne? Die fing aber an, mir die Geschichte ihrer Ehe zu erzählen, ohne sich zu erkundigen, was für wesentliche Dinge ich ihr auf den Tisch gelegt hatte. Ich hab das Manuskript dort gelassen, aber sie hat sich nicht gemeldet. Na ja, hab ich gedacht, sie wird traurig sein, weil sie selber nicht so was Tolles hervorbringt, man muß

Verständnis haben. Dann rief sie an: Sie sollten schreiben, das hier geht aber wirklich nicht. Da hab ich gedacht, ich werd verrückt!

Das war aber das erste Problem, das ich mit mir allein ausgetragen hatte. Davon erfuhr mein Mann nichts. Inzwischen war die Kleine drei. Da lernte ich einen Rundfunkmenschen kennen, der eine Mitarbeiterin suchte, und ich sagte sofort ja. Plötzlich fand ich das ganz normal. Ich sage dir ja, bei mir wars immer wahnsinnig undramatisch, nie große Entscheidungen, in alles bin ich nur so hineingeschlittert. Ich bin also mit der Kleinen losgezogen. Die saß unterm Tisch und hämmerte mit ihren Bausteinen. Und mein Chef sagte: Ich kann nicht denken, das Kind macht mich verrückt. Da bin ich in den nächsten Kindergarten gezogen und hab gesagt: Guten Tag, ich arbeite dort und dort, das ist ungeheuer wichtig, aber das Kind sitzt unterm Tisch und kriegt Depressionen. Es passieren ja manchmal Wunder, ne? Die Frau sagte: Dann bringen Sie das Kind her!

Jeden Abend ging ich nun mit Herzklopfen nach Hause, weil ich dachte, ich hätte nur Mist gebaut. Da fielen Namen von Politikern und Hauptstädten, die ich in meinem Hausfrauendasein nie gehört hatte. Und meinen Mann interessierte das überhaupt nicht. Das ist *deine* Sache, sagte er, *du* wolltest arbeiten gehen! Nun mußt du dir aber vorstellen, mein Mann hat mir seine Arbeiten immer vorgelesen, er hat auf mein unfachmännisches Urteil großen Wert gelegt. Das haben wir bis zu dem Tag, als er auszog, durchgehalten. Und wir haben jedes Buch zusammen gelesen. Unser letztes war die ›Anna Karenina‹. Und nun stand ich auf einmal alleine da. Mir fehlten ganz elementare Dinge, ich war ein Urmensch. Ich begann mich für Leute zu interessieren, ich fand die alle unerhört gut, weil sie Bescheid wußten. Der eine konnte eine Tonanlage bedienen, der andere konnte Auto fahren. Und ich stellte allen Fragen, von morgens bis abends, ich dachte manchmal: Die werden dir bald auf die Schnauze haun.

So wurde ich Vertrauensmann, weil ich ein sozial denkender Mensch bin, ne? Wenn einer krank wurde, bin ich hingesaust und dachte: Der muß ja gesund werden, wenn du ihm Blumen bringst. Und dann kamen die Frauenförderungspläne. Mein Chef hatte eigentlich keine Ambitionen, der sagte, das wäre alles Quatsch, man sollte sich am Arbeitsplatz qualifizieren. Aber ein anderer meinte, warum denn nicht, sie fragt doch dauernd, und wir haben bloß drei Frauen in der Abteilung. Um Gottes willen, rief mein Chef, in ihrem Alter, hat sie denn überhaupt Abitur? Nee, sage ich. Na also, schreit mein Chef, ist doch Quatsch. Der andere blieb aber dran, und ich sagte wie immer: Gut, mache ich. Ich wußte ja gar nicht, was auf mich zukam.

Bin also zur Volkshochschule gewandert, und dort traf ich eine Frau! Wir sprachen eine Stunde zusammen, dann sagte sie: Es ist erstaunlich, was Sie alles nicht wissen. Die Aufnahmeprüfung für die elfte Klasse schaffen Sie nie. Wir machen das anders. Ich gebe Ihnen alle vierzehn Tage eine Stunde in den Deutschfächern und viele Hausaufgaben. Wir werden versuchen, ob wir mit Deutsch und Geschichte ins Abi reinkommen. Na klar, dachte ich, was soll sein? Lesen, schreiben, ne? Abends hab ich zu meinem Mann gesagt: Ich hab keine Zeit mehr, ich muß lesen. Da hat mein Mann nicht gefragt, was ich lese und warum ich lese, er hat nur dauernd gewimmert, daß kein Knopf am Hemd war. Und hat ferngesehen. Und ich saß in der Küche und hab studiert. Hab Heine gelesen, den ich nur von der Überschrift ›Wintermärchen‹ kannte. Habe Lessing gelesen, den ich überhaupt nicht kannte. Mir ging eine Welt auf. Aber mein Mann hat immerfort nur Geschichten erzählt, wie ein Studium jede Ehe zum Platzen bringt. Ich habe das nie ernst genommen, weil ich dachte, ein Mann, der so eifersüchtig ist, wird schon selber nichts treiben. Und ich hab gelernt und gelernt und gelernt.

Diese Frau war Deutschlehrerin an der Volkshochschule, sie hat eigentlich immer gesagt, daß sie es nur macht, weil sie unter ähnlichen Verhältnissen rangegangen ist wie ich. Sie war geschieden und mußte sich stellen. Da war aber bei mir von Scheidung noch lange nicht die Rede. Die war, als ich sie kennenlernte, so um die Fünfzig und machte ihre Dissertation. Und während unserer Konsultationen hat sie mir die Geschichte ihrer Ehe erzählt, was da für schreckliche Dinge passiert sind. Mensch, dachte ich, so was gibts, und die Frau hat noch die Kraft, so einen wunderbaren Beruf zu finden, du würdest das nie schaffen. Die war eigentlich eine Besessene. In einer Stunde hat sie mir Dinge vermittelt, die man sonst in Jahren nicht zusammenkriegt. Jedes Wort von ihr hielt ich für ungeheuer wichtig. Und das schönste war, wenn sie einmal sagte: Frau S., hier ist ein Absatz, ein eigener Gedanke, der ist gut. Da waren aber sieben Seiten zum Wegschmeißen, ne?

Ich hab geackert und geackert und hab mich gezankt zu Hause. Manchmal hab ich mir vorgenommen: Heute zankst du dich so lange, bis großer Qualm entsteht, und dann gehst du lernen. Das hab ich über die Bühne gebracht, die Türen flogen, ich war so wahnsinnig wütend auf meinen Mann, weil der nie fragte: Kann ich im Haushalt was machen, kann ich Schularbeiten bei den Kindern nachsehen? Nichts, gar nichts. Hat mir nur immer gesagt: Jetzt endlich siehst du, was du alles nicht weißt. Und hat Klavier gespielt. Hab ich mir oft gedacht: Du Scheißkerl! Kurz und gut, ich habe nach einem Jahr das Deutsch-Abitur mit Eins gemacht. Der Direktor war sehr hart, weil er nicht glaubte, daß das geht, nur mit Konsultationen. Und weil *sie* dabeisaß, wirklich, ich glaube, wenn sie nicht dagewesen wäre ... Ich hab sie angeguckt, er hat mich gefragt, kreuz und quer, und dann wußte ich alles. Geschichte haben wir 'ne Zwei gemacht. Und Staatsbürgerkunde, das war ein Jahr Philosophie, mein Mann hat zwar viel Philosophie erzählt, aber eine Methodik war da nirgends drin. Meine Bekanntschaft mit dem Marxismus war ein hilfloses Wühlen in Dingen, die ich nicht verstand – also da wars 'ne Drei, und ich war noch recht zufrieden.

Aber was denkst du, zum Studium kam ich nicht! Es kam nur ein Brief: Liebe Frau S. Ihr Aufnahmegespräch und Ihre schriftlichen Arbeiten haben leider nicht den Erfolg gebracht, den wir erwarten. Ihr Alter ist eigentlich auch... Na, schönen Dank! Nun hast du endlich den Beweis, du bist halt doof. Zu dieser Lehrerin hab ich mich nicht mehr hingetraut, und zu den Leuten hab ich nur gesagt: Ich krieg das nicht mehr unter einen Hut, ich hab vom Studium Abstand genommen. Nun war ich fein raus, ne?

Da spielte sich in unserer Ehe etwas Kolossales ab: Sie ging plötzlich wieder. Nach zwanzig Jahren so ein Aufschwung! Ich bin nach Hause gerast, ich war selig, das Studium nicht machen zu müssen, weil ich nun Zeit für ihn hatte. Wir haben unglaublich viele Dinge gemacht in diesem Jahr, und wir haben uns vieles leisten können, weil ich dazuverdiente. Es war eine Zeit, wo eigentlich alles stimmte: der Mann, die Kinder, die Arbeit, die ganze Welt. Er wurde immer zärtlicher, das war ja das Verrückte, und begann dann mit solchen Redewendungen: Nichts, was passiert, wird uns auseinanderbringen. Ich dachte: Warum sagt er so was? Und dann verreiste er. Kam wieder, sagte: Du glaubst nicht, wie ich mich nach dir gesehnt habe. Ich dachte: Warum verreist er dann? Bis eines Tages die Frage auftauchte: Was würdest du sagen, wenn eine Frau in mein Leben getreten wäre? Hab ich gesagt: Das ist eine theoretische Frage, warum sollen wir uns mit so etwas befassen?

Jetzt kann ich schon darüber sprechen. Ich finde es großartig, daß ich nicht mehr heule. Na ja, eines Tages sagte er: Es *ist* eine Frau in mein Leben getreten. Da hab ich mich so maßlos gebärdet, ich glaube, ich hab geschrien, getobt, ich weiß nicht. Hör auf, rief er, hör auf, es stimmt nicht, ich wollte nur sehen, wie du reagierst.

Na, ich hatte reagiert, aber ich war auch vorsichtig geworden. Auf einmal wurde er ständig eingeladen. Obwohl wir überhaupt keine Freunde hatten. Ich sagte: Das kann doch nicht sein, daß ein Mensch nur noch zu Geburtstagen geht. Doch, es ist so. Ich sage, da steckt doch eine Frau dahinter? Nein, da ist keine Frau! Ich hab gedacht, mach kein Theater, sonst verjagst du ihn!

Diese Spannungen, weißt du, die sind für eine Frau gar nicht schlecht. Ich wollte immer schön sein, ich wollte immer klug sein, und ich hab schön gekocht. Ich war in der Küche, und er hat hinter mir gesessen und hat vorgelesen wie in alter Zeit: Gulasch und Flaubert, Linsensuppe und Anna Karenina, wer hat das schon? Unser Liebesleben nahm einen ungeheuren Aufschwung.

Im Februar sagte er, er müsse verreisen, mit Kollegen, die Adresse wisse er nicht. Und er fing an einzukaufen, Skier, Skistiefel. Ich sage, du fährst doch auf Urlaub, ne? Nein, er nannte mir die Namen seiner Kollegen, weil er wußte, ich würde das nie nachprüfen. Taschenkontrollen oder derartiges kam für mich nicht in Frage. Es kam der Tag der Abreise, es war ein Freitag. Er verabschiedete sich lieb, und nachts um zwölf ging die Tür, da flog er in meine Arme: Ich fahre nicht! Eine riesige, himmlische Nacht. Und wieder nichts. Am nächsten Morgen sagte er, er müsse Zigaretten holen. Kam eine halbe Stunde später, sagte: Ich fahre doch. Verschwand. Ich gehe ins Wohnzimmer, da liegt seine Pfeife. Dieser Mensch ist ohne seine Pfeife nicht denkbar. Ich bin in der Küche, auf einmal sagt Jonas: Du, da ist die Tür gegangen, die Pfeife ist weg. Wir rennen zum Fenster, da sehe ich, wie er unten in ein Auto steigt.

Wie ich über den Sonnabend und Sonntag gekommen bin, weiß ich nicht. Da ist bei mir der Film gerissen. Montag früh habe ich in seiner Arbeitsstelle angerufen. Herr S. war auf Urlaub. Das waren zwei irrsinnige Wochen. Ich konnte auf einmal nichts kauen, die Zähne funktionierten nicht. Ich konnte nur trinken. Da hab ich mir so komische Sachen gemixt: Malzbier und drei Eier hinein und Traubenzucker, weil ich dachte, irgendwas mußt du haben für die Nerven, sonst gehst du kaputt. Ich hab gearbeitet und gearbeitet und hab unentwegt Witze erzählt.

Dann kam er. Und ich dachte: Jetzt fällst du bestimmt in Ohnmacht. Und ich bin nicht in Ohnmacht gefallen. Hab ich mir gesagt, na gut, dann spielst du es eben, du mußt ihm ja zeigen, wie unglücklich du bist. Vorher habe ich aber einen Brief geschrieben, mit verstellter Handschrift, wo mir ein Unbekannter alles mitteilt. Da hab ich einfach hineingeschrieben, seine Freundin kriegt ein Kind. So. Nun lag ich da, schön auf dem Teppich, und er rief immer: Wir müssen reden, wir müssen reden. Da hab ich mir gesagt, mach kein Theater, steh auf, er ist ja selber ganz verzweifelt. Paß auf, hab ich gesagt, wir gehn zu dritt Abendbrot essen, und dann regeln wir alles. Ja, fein, und ging gleich ans Telefon. Im Restaurant stellt er mir eine Dame vor: Das ist die Frau, die ich heiraten werde. Aha, angenehm, sage ich. Und die andere sagt keinen Ton. War ganz unscheinbar, in einem blöden Kleid mit furchtbar viel Schmuck, und er kann Schmuck auf den Tod nicht ausstehen. Und ganz kurz ging sie, wie ich nie gehen durfte. Kniefrei ist leicht untertrieben. Hab ich mir gedacht: Das ist alles eine riesengroße Sauerei!

Nun saß er uns beiden gegenüber wie ein Kind, das seinen alten Teddy hat, voller Flecken und abgeschabt, von dem es sich nicht trennen kann, und nun kommt ein neuer Teddy, und man verlangt von ihm, daß es nur mit *einem* Teddy spielen soll. Auch eine Gemeinheit, ne? Ich sage: Welchen Teddy willst du haben? Er verstand gleich: Ich weiß nicht, beide. Ich sage: Sind Sie damit einverstanden? Nein, sagt sie. Ich auch nicht, sage ich. Auf einmal kommt ein Bekannter an unseren Tisch, das wurde eine irre Geschichte. Weißt du, sagt der zu meinem Mann, man kann hingehen, wo man will, überall Ehescheidungen, das muß doch einen Grund haben. Ich verstehs auch nicht, sage ich, wie kommt denn das? Und die Frau guckte mich immerzu an. Da hatte ich wieder diesen Überdrehten, wo ich gleich säuische Witze losließ. Ich dachte, das gibts in keinem Film, das glaubt dir keiner. Ich kam mir vor, als würde ich neben mir stehn und mir zurufen: Mach das und das und das, und immer, immer schneller! Dann haben wir die Dame nach Hause geleitet, und ich hab was ganz Kluges gesagt: Sie hören von uns. Ich hab gedacht, da kann er sich später an meine forschen Worte erinnern. Auf dem Heimweg sagte er: Du warst wunderbar, ich habe mich schon entschieden. Na, dachte ich, das war aber ein leichter Erfolg. Ich wußte ja nicht, daß die Dame einige Tage später zur Kur fuhr und er deshalb vier Wochen abends zu Hause bleiben konnte.

Irgendwann beim Frühstück sagte er auf einmal: Jonas hat am sechzehnten April Geburtstag, da gehe ich ... Ich hab gesagt, schön, dann verleben wir die drei Wochen so, als hätten wir uns heute kennengelernt, danach gehste.

Du, da habe ich diese drei Wochen exzellent geschafft, mit dem Mut der Verzweiflung. Eigentlich fand ich es auch romantisch, so wies im Roman steht, ne? Ich dachte, wir müssen uns wie vernünftige Menschen betragen, nach dem sechzehnten April kannste heulen, so viel du willst. Wir sind immer ganz spät schlafen gegangen, aus jedem Tag haben wir zwei gemacht. Im Bett waren wir jede Nacht miteinander, und jede Nacht erzählte ich ihm eine Geschichte. Ich dachte, nun soll sich die andere erst einmal jeden Tag eine Geschichte ausdenken, wie die Scheherezade, ne? Und er klagte: Ich weiß nicht, ich weiß nicht, ich bin völlig durcheinander, was soll ich tun? Und ich hab wie ein Engel über ihm gesessen und hab ihm geraten. Ich hab gedacht: Wenn du ihm drei solche Wochen bescherst, kann er gar nicht weggehen. Ich hab ihm sogar geraten, zu ihr zu gehen, weil ich ganz sicher war, daß er bleiben würde. War doch alles Spinne, ne?

Dann haben wir Jonas' Geburtstag gefeiert, ganz zauberhaft, und die Kinder waren noch immer ahnungslos.

Und er hat mir noch einmal ewige Liebe geschworen. Da wußte ich, es ist zu Ende! Morgens sind wir aufgestanden, und an der Tür sagte er, ohne Koffer und sonstwas: Tschüs, das wars. Ich sagte: Laß es dir gut gehn.

Das nächstemal gesehen habe ich ihn drei Monate später, da hat er sich die ersten Sachen geholt. Jonas heulte und heulte und wollte nicht mehr in die Schule gehn. Und als sein Vater kam, da hatte ich das Zimmer vollgelegt mit gebügelten Hemden, gebügelten Hosen und gestopften Strümpfen. Und Jonas, es war schrecklich, hat sich die Hemden und Hosen von seinem Vater angezogen und hat gesagt: Wenn du die neue Frau heiratest, soll ich dann Blumen streuen?

Weißt du, mich hat nicht gestört, daß er mit ihr schläft. Schlafen kann ein Mann mit jeder Frau. Aber daß er mit ihr um den See herumgeht oder in unserer Kneipe sitzt, das hat mich wahnsinnig gemacht. Unsere Scheidung war kurz, die erste Verhandlung dauerte eine Viertelstunde. Am schlimmsten traf mich, daß er in seiner Begründung geschrieben hatte, ich könnte ihm geistig nicht mehr folgen, er hätte mittlerweile eine studierte Frau kennengelernt, die ihm neue Horizonte eröffnet hat. Jeder Mensch eröffnet dir neue Horizonte, weil er ja ein neues Leben mitbringt, ne? Was ist denn eigentlich so ein Mann? Ein Mann braucht jemand, dem er seine Geschichten neu erzählen kann. Es interessiert ihn gar nicht so sehr, was der andere mitbringt, er braucht einen neuen Spiegel. Ich bin heute noch davon überzeugt, daß er in den zwanzig Jahren, die wir zusammen waren, nie eine andere Frau gehabt hat. Das war sicherlich verkehrt. Aber man kann ja Erfahrungen nicht übernehmen. Jeder muß über seine eigenen Steine stolpern, das ist ja das Verrückte. Manchmal bin ich ganz stolz auf ihn, weil er alles hinter sich gelassen hat. Er war leidenschaftlicher Klavierspieler, den Flügel hat er aber stehnlassen, er hat so viele Annehmlichkeiten sausenlassen. Das ist eine Konsequenz, die ich bewundere.

Den Rest finde ich irre. Die Frau lebte früher mit ihrer Mutter zusammen, die haben sie ausgebootet. Meine Schwiegermutter hat ihren Sohn nie wiedergesehen. Sie haben ihre Probleme gelöst, indem sie alle Weiber, die er nicht leiden konnte, hinausgeschmissen haben. Er hat verlauten lassen, daß er mit seinem ersten Leben abgeschlossen hätte, und dazu gehören seine Mutter, seine Frau und alle Verwandtschaft drumherum, alles, was ihn gehemmt hat, ich weiß nicht, wobei. Da wurde der Genosse so fragwürdig für mich. Wie macht der das eigentlich mit der Verantwortung? Er sagt: Auf Wiedersehn, ich weiß die Kinder bei dir in guter Hut. Da stehe ich als Nichtgenossin da und soll aus den Kindern des Genossen gute Genossen machen, ne? Denn zur Scheidung schenkte er mir Marx' ›Gesammelte Werke‹. Das finde ich einfach grandios, zur Scheidung Marx geschenkt zu bekommen, ne?

Paß auf, der Mann war weg, und ein paar Tage später bekam ich die Zuschrift: Sie sind immatrikuliert. Ich hatte mich noch einmal beworben und noch einmal alle Papiere fertiggemacht, es war ein absoluter Zufall. Aber ich war so kaputt, ich dachte: Du hast versagt auf allen Gebieten, du schaffst das Studium nie. Während er sein Kind gekriegt hat, habe ich Urlaub gemacht mit den Kindern und meiner Freundin. Und dann habe ich mir gesagt: Mensch, was machst du jetzt? Guckst abends in die Röhre, alleine, liest, alleine? Eigentlich ist dieses Studium deine einzige Chance.

Da passierte etwas Irrsinniges: Jeder riet mir ab. Mein Chef war besonders süß, der sagte: Ja, was machen wir denn da, gehen wir tanzen? Nee, sage ich, wir gehen studieren. Was, sagt mein Chef, in Ihrem Alter? Sie sollten sich noch ein bißchen amüsieren. Ich hab aber in meinem Leben nie gerne getanzt, warum soll ich auf einmal gern tanzen, ne? Und der war nun auch ein Marxist! Kurz und gut, dieses Studium wurde eine wunderbare Geschichte. Jetzt geht es dem Ende zu, und ich habe einen Horror vor der Zeit danach. Dieser Austausch mit anderen Menschen, der bleibt im Beruf ja nicht erhalten. Im Beruf muß man einfach funktionieren. Ich bin ein Mensch, der voll in seiner Arbeit aufgehn kann, aber ich brauche immer einen Gefühlskontakt. Dieses Alleinlosrennen, wie manche Männer das können, das kann ich nicht. Wenn mir einer sagt, er ist glücklich, wenn er für die Gesellschaft tätig sein kann, dann kann ich das nicht nachempfinden.

Mein Mann hat immer gesagt: Ich bin der Rationale, und du bist der Emotionale von uns beiden. Diesen Unterschied fanden wir eigentlich sehr schön. Wie wir aber diese typische Mann-Frau-Rolle probeweise ausgetauscht haben, klappte es nicht mehr. Auf einmal war *er* von Gefühlen überschwemmt, und *ich* gab kluge Ratschläge. Meine Freunde sagen mir heute: Erika, das kann nicht gut gehn, wenn Menschen zwanzig Jahre lang eine Rolle spielen, ohne was anderes ausprobieren zu können. Vielleicht hat diese Frau andere Seiten in ihm angesprochen, vielleicht hat sie in ihm nicht den geistig Überlegenen in jeder Lebenslage gesehen. Für mich war mein Mann immer der absolute Widerspruch. Er hatte alles, was ich nicht hatte, er hatte Selbstbewußtsein, er war egozentrisch, und ich war glücklich, ihm alles hintragen zu können. Er hatte vor keiner Situation Angst, und ich kam vor Angst um, wenn ich irgendwo fremd war und was sagen sollte. Jetzt habe ich Freunde, die auf meiner Wellenlänge liegen. Das ist eine seltsame und sehr, sehr schöne Erfahrung, für die ich dankbar bin. Ich habe kein Bedürfnis mehr nach dem absoluten Widerspruch. Es ist vorbei. Ich erzähle dir die ganze Zeit von etwas Abgeschlossenem, zu dem ich keinen Schlüssel mehr habe. Neulich habe ich ihn doch einmal getroffen, da hab ich gedacht: Gott, nee, *der* Mann ist es nicht mehr, den du geliebt hast.

Letzte Nacht habe ich einen meiner Kafka-Träume gehabt. Die träume ich immer dann, wenn ich am Verdursten bin. Ein Traum von sanfter Liebe mit einem, dessen Gesicht ich nicht sehe. Und ich renne früh in die Stadt, wo sie am dichtesten ist, und ich will ihn wiederfinden. Aber ich habe einen dicken Bauch und eine alte Brust, und es ist zu spät. Von diesem Mann habe ich schon als Kind geträumt, und dieses Verlangen nach dem Absoluten habe ich bis heute. Ich habe großes Glück erfahren in den ersten Stunden der Annäherung, aber nie, wenn ich mit einem Mann geschlafen habe. Ich hatte unbeschreibliche Sehnsucht, wenn mich einer mit dem Finger berührte, aber wenn er dann Besitz von mir ergriff, war ich tot und ausgelöscht. Dieses weite Feld zwischen der Fingerspitze und der Umarmung habe ich nie in Ruhe durchschreiten können. Ich hatte immer das Gefühl, ich laufe den Ereignissen hinterher, ich kriege keine Luft. Für einen einzigen Menschen war ich *die* Frau, er hat mich wirklich erkannt. Das war Clemens, mein erster Mann. Und er ist tot. Die andern waren nur von einem Trieb beherrscht: Man muß eine Frau nehmen. Die haben nach Klischee geliebt, und das hat bei mir nie geklappt. Ich habe mitgemacht, auch nach Klischee, aber dann war ich ironisch, dann war ich bösartig. Ich erwarte von einem Mann nicht, daß er einen Orgasmus auslöst bei mir, so etwas geschieht schnell. Ich erwarte die seelische Berührung, das Gefühl: Ich habe dich erkannt, ich brauche gerade *dich* in diesem gemeinsamen Stück Leben.

Ich habe mich immer dagegen gewehrt, daß die Männer uns einteilen in Frauen fürs Bett, Frauen für das geistige Gespräch und Frauen, die ihr Innenleben verstehen, die Mütterlichen. Wenn manche Männer mit einer Frau geschlafen haben, kommt sie als Gesprächspartnerin nicht mehr in Betracht. Andere Männer können sich mit einer Frau nur einlassen, wenn sie ihre eigenen Gefühle auf Eis legen. Wenn man bei diesen Leuten schlecht in Schwung kommt, werfen sie einem vor, man ist verklemmt oder nicht emanzipiert genug. Es herrscht ja ein ziemliches Durcheinander in unseren Vorstellungen. Ich habe mich eigentlich immer danach gesehnt, einen Mann zu finden, dem ich alles sein kann und der mir alles sein kann. Doch das bleibt ein Traum. Wir haben noch immer geringere Möglichkeiten als die Männer, uns allseitig zu entwickeln.

Trotzdem habe ich mich in gewisser Hinsicht sehr männlich verhalten, ich habe die Vorrechte der Männer benutzt. *Ein* Mann reichte mir nie. Ich brauchte immer einen für den Körper, einen für den Geist und einen für die Seele. *Ein* Mann hätte das schwerlich leisten können. Ich habe viele Männer durchprobiert, an der einen oder anderen Stelle. Das ist eine Art Don-Juan-Bedürfnis geworden, nicht in Hinsicht von Leichtfertigkeit, sondern eher von Nichtankommen-und-immer-schneller-laufen-Müssen, Immer-mehr-Mitnehmen, Immer-mehr-Angst-Haben.

Weil ich so eine Walkürenfigur bin, glaubt jeder, mich wirft nichts um. Jeder weint sich an meinem Busen aus. Die Männer bringen mir ihre Wehwehchen, und dann lasse ich für sie meine langen Haare herunter. Mir fällt ein Traum ein. Ich nehme Träume ernst, weil sie mir verraten, was man sonst nicht ohne weiteres über sich erfährt. Ich träume, ich liege mit meinem zweiten Mann auf einer Sommerwiese, die von einer Mauer umzäunt ist. Auf einmal ziehen lange Giraffenhälse draußen vorbei, und dann trottet eine Herde vorsintflutlicher Riesentiere auf uns zu. Walter nuckelt vor Entsetzen an seinem Daumen. Seine Schwäche macht mich mutig, ich verscheuche die gefährlichen Tiere. Dann mache ich mich groß mit meiner angeblichen Furchtlosigkeit. Warum glauben sie einem so leicht, daß man keine Angst hat, wenn man doch so voll davon ist? Warum muß ich immer die anderen beschützen, sogar meinen Mann, sogar meinen Vater? Warum beschützt *mich* keiner?

Es ist einfach niemand da, dem ich mich ausliefern kann, dem ich dienen kann. Denn man muß beides können: Dienen *und* Herrschen. Das Dienenkönnen traut mir keiner zu, trotzdem habe ich das Bedürfnis danach. Ich glaube, daß starke Persönlichkeiten eher zum Dienen fähig sind. Wenn du in der Lage bist, andere in den Griff zu bekommen, dann bist du auch in der Lage, dich anderen unterzuordnen. Oberflächlich gesehen, bin ich nicht zum Dienen geboren, weil ich noch niemanden gefunden habe, vor dem ich in die Knie gehen könnte. Vielleicht bleibt letzten Endes nur Gott, dem man sich ohne Vorbehalte ausliefern könnte? Der erste Mann in meinem Leben war tatsächlich der liebe Heiland, dem habe ich treu gedient. Jede sinnliche Regung war Sünde. Ich habe gelernt, daß ein Mädchen nur durch Klugheit wirken kann. Vielleicht werde ich das nie los. Ich schäme mich immer ein wenig, wenn sich Sinnlichkeit bei mir bemerkbar macht. Gerade weil mein Körper so verteufelt wurde und mir so zu schaffen machte, will ich ihn benutzen. Ich habe meine Wirkung auf Männer immer nur als Intellektuelle erzielt, und dann waren sie überrascht, als sie ein weiches, weibliches Wesen dahinter fanden.

Mein Vater tolerierte den religiösen Fanatismus meiner Mutter, obwohl er Kommunist war. Er war auf seine Weise auch ein Fanatiker, er kämpfte zeit seines Lebens für die geistige Freiheit der Menschen und weniger dafür, daß die Menschen satt wurden oder frei über ihren Körper verfügen konnten. In geschlechtlicher Hinsicht war er Puritaner wie meine Mutter. Wahrscheinlich war ihr Geschlechtsleben vollkommen unterentwickelt. Vater kam aus dem KZ, als ich zwölf war. Ich halte es für möglich, daß sich seine Angst und sein Mißtrauen auf mich übertragen haben. Er konnte die entsetzlichen Erlebnisse nicht vergessen und versuchte, sie zu bewältigen, indem er sie mir und meiner Mutter erzählte. Ich erinnere mich an diese immer wiederkehrenden Berichte, die mir die Sonne verdunkelten, wie er versuchte, etwas in sein Leben einzuordnen, was für einen einzelnen Menschen gar nicht zu bewältigen ist. Ich war grausam überfordert, und so ist es vielleicht verständlich, daß ich mich dem lieben Heiland unterwarf, als einzige Rettung. Ich habe während meiner Jugend in drei Welten gelebt, in der Welt meines Vaters, im Inferno, in der wirklichen Welt der Lebenden, zu der ich wenig Zugang fand, und in den himmlischen Weiten meiner Mutter, die besonders eng waren. Aus diesem Dilemma hat mich eigentlich niemand herausgeführt, auch nicht mein erster Mann, der sehr irdisch war. Er war als Sechzehnjähriger in den Krieg geschickt worden und sprach danach nie über seine Erlebnisse. Vorher galt er als ein schüchterner, finsterer Junge, aber nach dem Krieg war er verwandelt. Er blieb heiter und glücklich, solange er lebte. Jede Arbeit, die sich ihm bot, erledigte er mit Freuden, nie beklagte er sich über etwas. Mich wollte er durch Liebe heilen, und vielleicht wäre es ihm gelungen, wenn er am Leben geblieben wäre.

Walter, mein zweiter Mann, ist sehr entfernt von mir, weil er ein Baby war, als mein Vater ins KZ kam. Vielleicht sind wir gerade durch seine Unschuld so weit entfernt voneinander. Er hat doch mit dieser ganzen Geschichte nichts zu tun. Ich leide geradezu unter meiner Verantwortung ihm gegenüber. Ich will ihn um gefährliche Klippen herumführen, er aber läßt sich nicht an der Hand nehmen. Er ist ein Phänomen und kein Charakter, er zerfließt mir unter der Hand. Daher rührt vielleicht mein Bedürfnis, ihn einmal in den Griff zu bekommen. Ich glaube nicht, daß er ohne mich auskommen kann, so wie meine Söhne. Man darf sich nicht täuschen lassen von seinem Drang, davonzulaufen und verrückte Dinge anzustellen. So etwas hat ein Mensch, der seiner sicher ist, nicht nötig. Im Grunde hat er kein Vertrauen zu meinen

Fähigkeiten, unser Leben zu organisieren. Er klagt nur: Du wirst schon sehen, was du dir aufhalst, nimm nur keine Rücksicht auf mich, vergleiche nur ja keine Terminkalender... Ich weiß aber, daß das alles geht, er darf mir nur nicht ständig die Hoffnung nehmen. Und mich ständig ablenken mit den dümmsten Geschichten. Diese ewigen Frauengeschichten, ich weiß nicht, was er mir damit beweisen will. Es ist eben seine Art von Emanzipation, wie er sie vor Jahren seiner Schwester gegenüber betrieben hat. Sie führt in die Sackgasse, aber ihn interessiert das nicht, er läuft Amok. Seitdem ich meine neue Funktion habe, ist unser Zusammenleben noch schwieriger geworden.

Er möchte fünf Schlüssel für sein Heim in der Tasche tragen, jeden Menschen empfindet er als Eindringling. Viele behaupten wie du, er wirbt um mein Verständnis, ich merke nur, daß ihn alles anwidert, was ich mache. Wenn ich sage, schau, wie schön die Blumen sind, sagt er, red keinen Blödsinn, Lena, dich interessieren ästhetische Dinge gar nicht, dir ist egal, ob ein Bild gerade oder schief hängt oder ob die Tasse angeschlagen ist oder nicht, aus der du trinkst. Du bist ein richtiger Wagner, dich interessiert nur das Gespräch, da kann die Welt darüber untergehen, ich und alles kann zerbrechen, du siehst es nicht. Und das stimmt nicht, so ausschließlich bin ich nicht. Ich hasse diese Art von Sicherheit, daß man entweder das eine oder das andere ist. Ich weiß, daß sich Dinge und Menschen ständig verändern. Walter aber sagt: So bin ich eben, so mußt du mich nehmen. Ich sage: Das kann ich nicht, ich weiß, du warst gestern anders, und morgen wirst du wieder anders sein. Ich will ihm Spielraum gewähren, aber er braucht den Spielraum nicht. Er möchte, daß jedes Ding, jeder Mensch seinen festen Platz und seinen Namen hat, ein für allemal. Für ihn ist die Geborgenheit das wichtigste, sein Heim, seine Ordnung. Er ist von seiner älteren Schwester großgezogen worden. Seine Mutter starb während seiner Geburt, sie war weit über vierzig. Der Vater, der sie sehr geliebt hat, hat sich daraufhin an die Front gemeldet und ist nicht mehr zurückgekommen. Die Schwester war aber sehr widerspruchsvoll, und Walter ist nie flügge geworden. Als wir uns kennenlernten, das war sehr merkwürdig. Ich kam aus dem Sterbezimmer von Clemens. Da hat mir ein Fremder die Türe aufgehalten und mich in ein Taxi gesteckt. Wir sind zu meiner Freundin gefahren, bei der ich die Kinder gelassen hatte. Wir standen im Flur, dieser magere schweigsame Junge und ich, nicht mehr jung, und auf einmal erinnerte sich mein Körper an eine Silvesternacht, die ich vor Jahren mit ihm verbracht hatte. Da war er zwanzig und studierte. Bevor mein Hirn noch begreifen konnte, daß Clemens tot war, wurde Walter mein Opium. Diese wahnsinnigen sexuellen Wochen fielen auch für Walter in eine Zeit, die wichtig für ihn war. Er hatte ziemlichen Krampf mit seiner Schwester, und nun kam er aus meinem Bett überhaupt nicht mehr heraus. Schließlich gehörte er zur Familie und blieb ganz bei uns. Meine Söhne haben ihn übrigens nie akzeptiert. Für sie blieb Clemens ihr Vater. Im Grunde ist das auch meine Haltung. Ich habe weder Clemens' Tod noch den meines Vaters bewältigt, deshalb kann ich heute nichts dazu sagen, so schrecklich das auch ist.

Auf Walters Körper bin ich noch immer wild wie eh und je. Aber solange er mir sicher war, hab ich nicht sehr auf ihn geachtet. Ich hatte fast immer irgendeine Beziehung als Ventil. Ich konnte meine überschüssige Kraft, meine überschüssigen Fragen an anderer Stelle loswerden, deshalb brauchte ich Walter gegenüber nie fordernd zu werden. Wir konnten sonntags in Ruhe zusammen frühstücken, wir konnten Musik hören, ohne Debatten. Da verlief unser Nebeneinanderleben relativ friedlich. Ich hab mir aber nie eingebildet, besonders glücklich zu sein, man ist nicht glücklich, wenn man so gespalten ist wie ich.

Weißt du, was er sagt? Ich will nicht nur diese besonders geeignete Vorrichtung für dich haben, ich will dir ein Partner sein auf der ganzen Linie. Seine Männlichkeit erträgt es einfach nicht, daß ich weitgehend unabhängig von ihm bin. Du siehst, ich komme immer wieder auf Walter zu sprechen, die Quelle fließt nicht, aus der man trinken könnte. Die halbe Stadt spricht von seinen kindischen Eskapaden. Es ist, als ob er alles zerstören will, was ich mir aufgebaut habe. Es ist zum Verrücktwerden. Ich weiß nicht einmal, warum er sich mir unterlegen fühlt. Ein Remis zwischen Persönlichkeiten wird es selten geben. Im Grunde fühle ich mich ihm unterlegen. Das ist der Witz: Der einzige Mensch, der sich mir immer entziehen wird, das ist Walter. Er gibt sein Geheimnis nicht preis. Und wenn man mit Streicheln etwas nicht öffnen kann, zerschlägt man es. Ich weiß nicht, ob das noch produktiv ist, ich weiß bloß, daß meine Kraft aus einer reinen Quelle kommt, die durch die Umstände verunreinigt wurde. Manchmal bleibt einem nur die Wahl zwischen Aggressivität oder Resignation. Ich frage mich, was er eigentlich will. Er hat seine berufliche Spezialstrecke, um die ihn viele beneiden. Er geht zwar nicht auf in seiner Arbeit wie ich, aber er leistet eine Menge. Wenn er einmal krank ist, klingelt zu Hause den ganzen Tag das Telefon, weil sie ohne ihn nicht zurechtkommen. Ich halte mich ernsthaft für verstümmelt, weil ich keine Spezialstrecke habe wie Walter. Ich bin überzeugt, daß ich genausoviel aus mir herausholen könnte wie manche anderen, die in der Malerei von sich reden machen. Aber ich habe mich verzettelt. Ich gehöre zu den Menschen, deren Fähigkeiten ziemlich breit angelegt sind und die sich für nichts entscheiden, die auf keinem Gebiet wirklich hervorragend sind.

Der allseitig entwickelte Mensch mit der breiten Skala bin ich aber auch nicht. Ich werde immer leerer. Ich kann mir immer weniger Bildung aneignen. Was ich in immer stärkerem Maße kann, das ist Impulse geben, Dinge vermitteln, die nicht erlernbar sind. Die Leidenschaft für die

Kunst zum Beispiel. Ich staune immer wieder, wenn ich sehe, wie sich Menschen von mir faszinieren lassen. Ich muß mich jeden Tag von neuem behaupten, weil ich ständig an mir zweifle. Ich bin nicht sicher, ich riskiere sogar zu zeigen, wie unsicher ich bin. Aber die Menschen verlangen Fassade. Nur starke Menschen können ihre Unsicherheit zeigen und gelassen tragen wie einen alten Hut. Sobald ich Menschen näher kennenlerne, habe ich das Bedürfnis, mich privat und unmittelbar zu geben, mich ihnen auszuliefern. Ich will dann diesen ersten Glanz nicht aufrechterhalten, weil ich ihn für eine Lüge halte. Ich verringere den Abstand systematisch, bis ich den Menschen ein Vertrauter bin. Diesen ganzen Autoritäts-zauber halte ich doch für eine Farce, für die kein vernünftiger Mensch Bedarf hat. Diesen Widerspruch gibt es bei allen, die öffentlich wirksam sind. Man wird ständig in Zwiespalt kommen zwischen Autoritätsdenken und dem Sich-selbst-Geben. Autorität ist im Grunde nur eine Rolle, in die man flüchtet, wenn man unsicher ist. Ich möchte mir selber beweisen, daß ich auch mit meinen Schwächen noch jemand bin und daß die andern mich mit meinen Schwächen akzeptieren. Die Menschen ertragen es aber nicht einmal, sich selbst nackt zu sehen. Sie denken und fühlen in Klischees.

Vorige Woche hätte ich einen Vortrag über Kunst halten sollen. Ich habe mich aber unter die Menschen gemischt und selber Fragen gestellt. Da war einer, der sagte: Das ist doch kein Vortrag über Kunst. Der wollte sich nicht selbst engagieren. Ich hatte da ein Tief, ich dachte: Du bist ja blöd, du vergibst dir die Chance, deine Souveränität zu wahren, wegen eines Spleens. Aber ich machte weiter, und zum Schluß sagte dieser junge Mann, der sehr ehrlich war: Irgendwas ist hier sonderbar, aber ich finde es aufregend, was heute mit uns geschehen ist. Natürlich, wenn man sich selbst in Frage stellt, wenn man die schützende Wand der Konvention durchbricht, kriegt man erst einmal Angst. Aber ich mache den andern vor, daß dieses

Sich-in-Frage-Stellen der Ansatzpunkt für jede Veränderung ist. Erst wenn man sich vom alten Krempel leer macht, hat man Raum für Neues und Besseres. Sicherlich, es ist eine Gratwanderung, die schiefgehen kann. Aber wenn ich es anders mache, verrate ich mich selber. Ich muß mit Ängsten bezahlen und mit Mißtrauen. Ich muß jeden Tag von neuem den Teufelskreis durchbrechen.

Manche Menschen lernen durch mich, ihr vorgeformtes, festes Leben, das sie oft schlecht bewältigen, mit dem sie oft nichts anfangen können, in Frage zu stellen und nach etwas Neuem zu suchen, das ihren Bedürfnissen besser entspricht. Das materielle Leben allein kann die Menschen nicht befriedigen. Menschen, die nur an Konsum denken, wie ihre westlichen Brüder, ersticken eines Tages in ihm. Nun ist das Gespräch über die Kunst ja noch unüblich. Sich näherkommen mittels der Kunst, Persönlichkeit entwickeln mittels der Kunst, das gibt es eigentlich erst in unserer Gesellschaft. Es hat sein Gutes, daß es auf diesem Gebiet noch wenig Theorie gibt. Da haben die Menschen noch die Chance, aus sich selber zu schöpfen. Für festgefahrene Funktionäre ist das reizlos, es gibt ja noch keine fertigen Antworten. Das strengt alle ehrlich Beteiligten gewaltig an. Die Menschen beunruhigen, sie aufstören aus ihrer unschöpferischen Ruhe, sie zu Existenzfragen verleiten. Worauf ich stolz bin, weil es meine Lebendigkeit beweist, ist die Entdeckung, daß manche Menschen, mit denen ich beruflich zu tun habe, mich als unbequem empfinden. Sie begegnen mir mit Vorsicht oder Abwehr, weil ich ihr Versagen und ihre Leichtfertigkeit erkenne. Man kann ja eine Funktion so und so erledigen, und es ist schwierig, den Leuten nachzuweisen, daß sie schludrig arbeiten. Für mich bedeutet Funktionär sein, eine Sache verfechten, oft gegen den äußersten Widerstand von anderen Menschen. Wenn man das so engagiert tut wie ich, nicht nur in der Hochschule und im Rathaus, sondern auf der ganzen Linie, dann kann das eigentlich nicht lange gut gehen. Wenn ich Opportunisten begegne, macht mich das krank.

Eigentlich ist es immer die Angst vor der menschlichen Unaufrichtigkeit, die mich zu unwahrscheinlichen Aktivitäten treibt. Ich erinnere mich noch an die sonderbare Angst meiner Kindheit, ich könnte lügen, ich könnte nicht die volle Wahrheit sagen. Wenn mich einer was fragte, hab ich oft laut geweint und gedacht: Jetzt werde ich wieder lügen, es stimmt alles nicht, was ich sage. Es waren die einfachsten Dinge in Frage gestellt: Hunger, Durst, Wohlbefinden. Ich habe meine Mutter geschafft, indem ich alles, was ich sagte, für eine Lüge hielt. Ich weiß, daß ich sehr gut lügen kann. Ich habe solche Experimente gemacht. Ich habe Leute wahnsinnig belogen und kurz darauf gesagt: Stimmt alles nicht. Um ihnen zu beweisen, wozu ich fähig bin. Mir graut vor meinen eigenen Lügen genauso wie vor den Lügen anderer. Vielleicht haben die KZ-Erlebnisse meines Vaters dazu beigetragen, ich weiß das nicht. Vielleicht hat sich meine überforderte Kinderseele einen Altar errichtet, um makellos durch ein mögliches Fegefeuer gehen zu können. In einer grausamen Welt, die man weder durchschauen noch beeinflussen kann, kann man nur durch engelhafte Reinheit überleben. Es muß mir sehr schlecht gegangen sein, sonst hätte ich mich nicht so unterworfen.

Mein Leben wird eigentlich davon regiert, daß ich meiner Gesellschaft beweisen möchte, wie ich von dem, was ich tue, überzeugt bin. Ich klammere mich noch immer an Worte, an Parolen. Aber die Magie des Wortes, an die ich immer glaubte, die ist dahin. Mein alter Kinderglaube: Wenn Menschen miteinander reden können, kann ihnen nichts Böses geschehen. Jetzt bin ich noch ein Kind, aber wenn ich größer und klüger und wortgewandter bin, dann wird sich alles klären. Dieser fast mystische Glaube an das Wort. Am Anfang war das Wort.

Ich weiß schon lange, daß es nicht stimmt, aber ich möchte es so gerne noch glauben.

Vielleicht habe ich dieses ausgeprägte Bedürfnis nach Wahrheit, weil ich mich leicht verlieren und verwandeln kann. Ich identifiziere mich heute noch leidenschaftlich mit Theater- oder Romanfiguren. Tagelang spreche oder handle ich wie sie. ›Wem die Stunde schlägt‹, die Rolle des Mädchens habe ich lange gespielt, das Hineinkriechen in den Schlafsack, zu zweien, und dort geborgen sein. Es sind vor allem die Bücher meiner Jugend, die mich beeinflußt haben. Heute vergißt man ja so wahnsinnig schnell. Es waren bestimmte Rollen, die ich bevorzugt habe: die sensible, gescheiterte Frau, die mädchenhaft versponnene Frau, wie die Blanche in ›Endstation Sehnsucht‹, aber ohne ihre Hysterie, ohne ihre Sucht zum Untergang. An Selbstmord habe ich nie gedacht, nicht in den finstersten Stunden. Vielleicht nehme ich mich zu wichtig, ich glaube einfach an meine Fähigkeiten, die noch nicht ausgeschöpft sind. Ich kann mir nicht vorstellen, was passieren müßte, damit ich das alles aufgebe. Vor meinem Tod habe ich aber keine Angst. Weißt du, wovor ich Angst habe? Im Krankenhaus liegen, ohne Bücher, ohne Musik, ohne Bilder, nur weiße Kittel sehn und Medikamente fressen und schlechte Gerüche. Ich habe Walter gebeten, mich dann herauszuholen, mir eine Händel-Platte aufzulegen und was vorzulesen. Dann sterbe ich ganz gern.

Meinen körperlichen Verfall zu erleben, das ist nicht einfach für mich. Meine Wirkung auf Männer läßt allerdings auch nach, weil ich echter geworden bin, farbloser, weniger exaltiert. Die Männer haben ja keine Zeit, genauer hinzuschauen. Im Grunde ist das Altern so natürlich wie die Brüste meiner Judith, die bald wachsen werden. Es ist kein Zufall, daß ich noch nicht von Judith gesprochen habe. Dieses Kind ist Walter wie aus dem Gesicht geschnitten, schwarz und finster wie er und ein wenig zurückgeblieben. Ich habe meine Vorwürfe nie formuliert, weil sie unsinnig sind. Genausowenig wie ich den

Tod von Clemens bewältigt habe, werde ich dieses Schicksal bewältigen. Unser nach außen so heiles Familienleben ist ein Drama. Auf der einen Seite stehen meine Söhne und ich, auf der anderen Walter und seine Judith. Ich habe nicht oft das Gefühl, daß sie mein Kind ist. Sie kommt zu mir, wenn sie Hunger hat oder wenn sie sich wieder das Knie aufgeschunden hat. Ich habe sie sechs Monate gestillt, viel länger als meine Söhne, sie hat meine Brüste leergesaugt. Das sind Dinge, die ich mit dem Intellekt nicht erfassen kann. Ich weiß, es ist ungerecht, aber mir bleibt nur die Liebe zu meinen Söhnen.

Meine Söhne waren schon mit fünf oder sechs Jahren selbständige Wesen. Mein Prinzip war, sie möglichst schnell auf eigene Beine zu stellen, damit ich nicht eine Mutter werde wie meine eigene, die kein Partner für ihre Kinder sein kann. Wir Frauen sind keine ewigen Ammen, wir haben ein Recht auf ein Eigenleben. Meine Söhne haben sehr früh begriffen, daß sie nicht meinetwegen lernen und daß ich ihnen ab einem bestimmten Alter nicht mehr helfen kann. Sie haben sich in ihrem großen Dachboden ein eigenes Reich geschaffen, in das ich nur hineingehe, wenn sie mich bitten. Niemals hab ich mich aufgedrängt, sie zu kontrollieren, auch nicht ihre Schulaufgaben. Ich war aber immer da, wenn sie Fragen an mich hatten. Und auch Walter war ihnen jahrelang ein guter Lehrer. Ich halte diesen Spielraum, den sie sich geschaffen haben, für wesentlicher, als daß ich ständig reglementiere. Ich habe meine eigene Persönlichkeit entwickelt, anstatt sie einem fragwürdigen Erziehungsziel zu opfern. Diesbezüglich habe ich mir von Lehrern nie dreinreden lassen. Ich habe meinen Kindern den Rücken gestärkt gegen Forderungen von Lehrern, die ihnen an die Substanz gegangen wären. Die kleinen Tagesprobleme haben mich nie außer Rand und Band gebracht. Meine Söhne sind Kinder einer neuen Zeit, und ich bin mit so vielen Ressentiments und Zwängen behaftet, daß es eine Sünde wäre, sie davon trinken zu lassen. Man muß die Kinder rechtzeitig abnabeln, sie in Sicherheit bringen vor den eigenen Müttern. Ich habe versucht, ihnen ein gesünderes Liebesverhältnis zur Umwelt beizubringen. Und wo ich es nicht vermochte, habe ich mich zurückgezogen und ihren eigenen unverdorbenen Trieben vertraut. Was ich jetzt aus meiner stillen Ecke heraus beobachte, ist ermutigend und zeigt mir, daß ich keine entscheidenden Fehler gemacht habe. Ich hatte immer Sorge, daß ich sie weit weg schieße von der Kunst durch die ständige Konfrontation mit ihr. Sie waren immer dabei, ich nahm sie sogar zu den Vorlesungen mit, als sie noch klein waren, zu den Ateliergesprächen und ins Theater. Ich habe ihnen aber nie was aufgezwungen, auch keine Verhaltensregeln für die Öffentlichkeit, deshalb sind sie ziemlich undressiert. Ich habe ihnen auch nie gesagt: Malt, baut, spielt Klavier! Der eine hat die Musik sausenlassen, dafür hat er die Malerei entdeckt, der andere spielt noch Klavier, aber nicht regelmäßig und nur zum Vergnügen.

Man braucht etwas, was über einen hinausreicht. Als ich sah, wie sich meine beiden schöpferisch mit ihrer Umwelt auseinandersetzten, als sie sich selber an die Hand nahmen, da hatte ich das beruhigende Gefühl: Der Sinn meines Lebens ist erfüllt, ich habe mich in meinen Kindern verwirklicht. Wie ist denn das mit der Selbstverwirklichung, die in aller Munde ist? Ich glaube daran, daß so etwas möglich ist, sonst würde ich nicht aufstehen in der Früh. Ich sehe die Selbstverwirklichung des einzelnen eigentlich nur in einem sinnvollen Verhältnis zur gesellschaftlichen Selbstverwirklichung. Wenn man den Platz nicht akzeptiert, auf den man gestellt wird, muß man ihn zu verändern suchen, ohne die ganze Kette in Gefahr zu bringen. Ich meine, wenn ich morgen meine Dozentenstelle niederlege, dann gibt es vorerst keinen, der diesen Platz ausfüllen kann, dann werden meine Studenten auf Trockenkost umgestellt. Wenn ich also beabsichtige auszusteigen, dann muß ich mich persönlich für einen adäquaten Nachfolger verantwortlich fühlen, dann erst kann ich an mich denken.

Natürlich, Menschen in der Produktion sind austauschbar, Selbstverwirklichung ist für sie noch nicht möglich, auch unter unseren sozialistischen Bedingungen nicht. Trotzdem glaube ich, daß jeder auf seinem Platz etwas verändern kann. Ich habe das Bedürfnis, meinen Wirkungsbereich zu erweitern, weil ich als Persönlichkeit ja reife. Doch was ich nicht übersehen kann, was ich nicht weiß, das macht mich auch nicht heiß. Ich stecke meine Nase nicht in alle Angelegenheiten.

Es gab bei mir einen wichtigen Qualitätssprung. Ich habe allmählich gemerkt, mit einem gewissen Glücksgefühl, daß alles, was mir begegnet, seine Gesetzmäßigkeit hat. Gewisse Charaktere ziehen gewisse Schicksale nach sich. Schließlich haben auch diese miesen Geschichten mit Walter mich weitergebracht. Alles, was ich jetzt mache, und das ist nicht wenig, mache ich nicht als Reaktion auf die Unverträglichkeit meines Lebens, sondern weil ich es machen *muß*, als Lena K. Früher habe ich denen recht gegeben, die das so sehen wollten: Wenn Frauen sich wohl fühlen in ihrer Arbeit und wenn sie abends gar nicht nach Hause gehen wollen, muß es sexuell nicht stimmen. Also Arbeit als Kompensation. – Es ist sagenhaft, mit wieviel Mißgunst und Haß manche Frauen ihren Geschlechtsgefährtinnen begegnen, wenn diese ein Stück weitergekommen sind als sie selber. Ich muß dir sagen, ich habe Frauen nie besonders gemocht. Frauen leiden oft unter Minderwertigkeitskomplexen, sie wittern überall Fallen und können nicht objektiv sein. Ich empfinde Frauen meist als ziemlich aufdringlich und unergiebig. Diesen Frauengesprächen in den Küchen bin ich immer entflohen. Auch beruflich habe ich lieber mit Männern zu tun. Ich mag die Unbequemen, die mir zum Beispiel sagen: Lena, du dramatisierst. Es gibt nur zwei Frauen in meinem Leben, die mir Partner waren. Daß eine Freundschaft mit einer Frau überhaupt möglich ist, habe ich erst durch Anja erfahren. Bei ihr kam hinzu, daß sie mir körperlich sehr angenehm war. Sie sagte etwas über meinen Busen und meine schönen Arme, das war neu für mich und berührte mich tief. Bei ihr kann ich mich geben, wie ich bin, wir sind gleichberechtigte liebende Partner. Wenn gelegentlich Allergien hochkommen, können wir uns aus dem Weg gehen. Wir sind nicht angewiesen auf diese gemeinsame Wohnung, auf dieses enge Schlafzimmer, in das ich mit Walter verbannt bin.

Wie kann ich auf der beruflichen Strecke einwandfrei funktionieren, wenn die privaten Bereiche nicht funktionieren? Du meinst, ein Mensch kann nicht funktionieren wie eine Maschine? Vielleicht stößt du dich an dem Wort. Schau, ich habe drei Hauptangriffsflächen, wo ich einfach funktionieren *muß*. Das ist die Arbeit als Funktionär, die kunstpädagogische Tätigkeit und die Familie. Da darf ich nichts durcheinanderbringen, weil das an verschiedene Seiten meiner Persönlichkeit appelliert. Unterbrich mich nicht. Wir sind von der Voraussetzung ausgegangen, daß wir uns *ganz* erhalten wollen, daß es auf die Dauer tödlich ist, wenn man unser Ich beispielsweise vom Prozeß der Arbeit trennt, ja? Aber ich mache doch nichts halb, jede Beschäftigung erfüllt mich. Wie kann ich Kunst lehren, ohne selbst Kunst zu machen, wie kann ich andere erziehen, ohne mich selbst zu erziehen, wie kann ich auf andere Menschen ausstrahlen ohne Liebe? Das alles ist nur möglich, wenn ich mich organisieren und disziplinieren kann, ja doch, wenn ich funktionstüchtig werde wie eine Maschine. Wenn das Rädchen Partnerschaft festgelaufen ist, steht alles still, dann ist jede Tätigkeit eine Farce. Natürlich, es sieht nach einem Widerspruch aus, wir sind ja voller Widersprüche, die muß man nicht verkleistern. Einverstanden. Ich revoltiere dauernd gegen mein Schicksal und versuche es zu entspannen, und gleichzeitig sage ich mir, daß man das alles in sein Leben einbauen muß, sonst ist man nicht der Rede wert. Es gibt keine Schwachen und keine Starken. Es gibt nur Menschen, und die sind einmal schwach und einmal stark, und es geht eigentlich darum, durch die schwachen Zeiten zu kommen, ohne großen Schaden zu erleiden. Wenn man begriffen hat, daß Leben nicht nur Spaß bedeutet, sondern auch Trauer, Verzweiflung, Ohnmacht und Angst, dann wird man einmal dahin kommen, alles zu akzeptieren. Man wird nicht nur mit dem Kopf, sondern mit seinem ganzen Körper begreifen, daß man alles einsaugen muß, damit unser Lebenssaft nicht austrocknet.

Und ich bleibe dabei, der Mensch hat einen angeborenen Trieb zur Wachsamkeit, sonst wäre er nicht lebensfähig. Im täglichen Leben kann man nicht blind auf Gott vertrauen. In den letzten Monaten, wo mir die Eskapaden meines Mannes massiv zusetzten, konnte ich nicht mehr auf die Straße gehn, ich verlor meine Funktionstüchtigkeit. Als Gegenreaktion setzte eine verstärkte Kontrolle meiner Umwelt ein, größeres Mißtrauen. Ich hatte mir ja bislang ein Maß an Offenheit bewahrt, wie das Vierzigjährigen nicht zukommt. Ich kann nicht mehr so tun, als wäre ich zwanzig, ich kann an neue Beziehungen nicht mehr unbefangen herangehen, ich kann meine Erfahrungen nicht auf den Müll schmeißen. Ich muß mir jetzt im vornhinein überlegen, in welcher Beziehung ich am wenigsten von meiner mühsam geretteten Identität verlieren werde. Spontaneität ist eine Angelegenheit von Kindern und Verrückten. Ich sehe es so.

Das Bedürfnis, einmal loszulassen, ist groß. Ach, weißt du ... Man müßte wieder einmal von der Kommandobrücke herunter und unter die Passagiere gehen. Ich müßte das Schiff fahren lassen und in die Sonne schauen und auf das herrlich bewegte Leben um mich herum und mich als Teil des Ganzen fühlen, ohne Anspruch auf eigene Ganzheit. Dieses schöne Gefühl des Loslassens, das einem die Natur aufzwingt, damit man sich regenerieren kann, das hatte ich während meiner Schwangerschaften.

Ich schlief, das Kind wuchs. Ich vertraute. Ich brauchte nicht seine Zellen zu zählen und sein Gesicht selbst zu modellieren. Ich vertraute. Ich war aus der quälenden Verantwortlichkeit entlassen. So etwas habe ich danach nie wieder erlebt.

Warum hat man eines Tages keine Lust mehr, so weiter-
zuleben wie bisher? Das weiß man nicht so ohne weiteres, das muß man erst herausfinden.

In meinem Leben verlief alles sehr glatt. Ich hatte früh
meinen Berufswunsch, ich hätte ziemlich alles machen
können, in allen Fächern war ich gleichmäßig gut. Ich
wählte Physik. Physik ist die Königin der Wissenschaf-
ten, sie braucht von vielen Gebieten etwas und geht in
alle Gebiete ein. Der Meinung bin ich heute noch. Später
bin ich von der Experimentalphysik auf die theoretische
Physik umgestiegen, weil die experimentellen Dinge
mich zu ungeduldig gemacht haben. Man mußte lange
was aufbauen, und dann hatte man doch nicht Welt-
niveau, die Geräte waren nicht gut genug. Was brauche
ich in der Theorie? Bleistift, Papier und die neueste Literatur, an die kam ich ran. Fertig. Ich wollte alles aus
eigener Kraft machen. Auch im gewöhnlichen Leben.
Mein Mann liebt mich, die Kinder sind intelligent und
nett, ich habe alles erreicht. Und jetzt ists plötzlich aus,
jetzt machts plötzlich keinen Spaß mehr.

Ich denke darüber nach, daß man verstehen muß, traurig zu sein. Das habe ich noch nie verstanden in meinem
Leben, das habe ich immer weggedrängt. Irgendwie
kommt mir jetzt die Erkenntnis, etwas Wichtiges ver-
säumt zu haben, was auch zum Menschsein gehört. Ich
wollte, daß meine Organisation sich überall durchsetzt.
Wenn aber alles läuft, wie man es plant, wenn man irrsinnig kämpft, weil es mal nicht so läuft, wenn man Nuan-
cen nicht mehr beachtet und einfach zu vieles ausklam-
mert, dann verarmt man mit der Zeit, etwas Großes ver-
strömt, und plötzlich weiß man, man hat viel zu hastig
gelebt.

Wenn man so unter Leistungsdruck arbeitet wie ich, jahrelang, kriegt man Komplexe, wenn man nicht jeden Moment nutzt, wenn man einfach ruhig dasitzt und nicht eingreift in die Ereignisse. Es ist eine gewisse Tragik, nicht mehr ans Ziel zu glauben und trotzdem weiterzuhasten, als ob man Ameisen im Blut hätte. Ein Mensch kann nicht Sand von einem Haufen auf den andern schaufeln und wieder zurückschaufeln, ohne wahnsinnig zu werden. Für die Gesellschaft irgendwas zu bewirken mit seiner Wissenschaft, dieser Weg ist oft so weit, daß man die Verbindung überhaupt nicht mehr erkennt. Ich bin nicht prinzipiell gegen Leistung, ich wollte immer geben. Aber man muß sein Ziel ständig überprüfen, und der Mensch darf dabei nicht kaputtgehen.

Auf einmal spürt man, man ist nicht mehr unterwegs, man ist irgendwo angekommen, man hat seine eigenen Möglichkeiten ausgeschöpft. Es gibt nichts mehr zu kämpfen. Aus! Es war wichtig für mich, daß ich zuerst Physik gemacht habe. Ich bin ein schlampiger Mensch, ich mußte mir bestätigen, daß ich das überwinden kann. Wenn ich es nicht gemacht hätte, würde ich denken, ich hätte versagt. Wenn man sich aber lange auf Leistung trimmt, zerstört man etwas Wichtiges in seiner Persönlichkeit. Ich weiß nicht, ob man das wieder regenerieren kann. Jetzt möchte ich weg von dem Leistungskomplex, aber wahrscheinlich kann ich das gar nicht mehr, so daß immer wieder alles auf Leistung hinausläuft, was ich anfange. Wenn ich nicht arbeite, habe ich nie das Gefühl, mich selbst zu gestalten, dann bin ich mir selber fremd.

Man muß sich vielleicht deutlich machen, daß man sich selbst mehr Raum geben muß. Es ist gefährlich, auch im Privaten Erfolg haben zu wollen, und es paßt zu meiner ganzen Entwicklung, daß auch die familiären Dinge so laufen, wie *ich* sie mir vorstelle. Für meine Kinder ist es bestimmt nicht schlecht, daß ich wenig Zeit für sie habe. Mit meiner ganzen Energie auf sie loszugehen, das wäre entsetzlich. Das Gefühl für die Verantwortung verleitet zu Übertreibungen. Der ältere Junge ist sehr eigenwillig, ein typisch ungezogenes Kind, das sich nicht einordnen läßt. Und ich habe ihn unbedingt einordnen wollen. Das hat zu großen Konflikten geführt, bis mir eines Tages klargeworden ist, ich muß ihn laufenlassen. Jetzt kann ich mit ein bißchen mehr Ruhe an alles herangehen, so daß auch er mehr Ruhe hat, sich zu formen.

Ich bin sehr empfindlich gegenüber dem Leistungsdruck geworden, dem schon die Kinder ausgesetzt sind. Ich denke darüber nach, wie man Kinder verbilden muß, um sie überlebensfähig zu machen. Mit Freunden in Konkurrenzkampf zu treten, das ist doch scheußlich. Ich habe viel mit jungen Leuten zu tun, und auf einmal fällt es mir schwer, Begeisterung auszustrahlen. Ich habe das Gefühl, ich verführe sie zu irgendwas. Das ist ein großer Konflikt für mich.

Ich brauche einen neuen Anfang. Ich muß mich auf einem anderen Gebiet erproben als in der Physik. Das ist ein ganzer Prozeß des Umdenkens und Umfühlens. Und manches interpretiert man sich als Anlaß. Ich habe plötzlich einen jungen Mann sehr gern gehabt, einen Menschen mit vielen Häuten, der schwer durchdringbar ist, ein bißchen zynisch, das hat mich unheimlich gereizt. Einerseits hat es mich geschockt, weil ich so eine alte Frau bin, andererseits hat es mich verführt, über Menschliches nachzudenken. Ich wollte plötzlich eine Persönlichkeit sein, die über diese Alterskomplexe erhaben ist, die bewußt ihr Leben gestaltet und nicht nur beruflich weitergekommen ist. Ich habe diese Liebe nicht als schön empfunden, weil mir zu vieles Ungelebte bewußt geworden ist. Ich habe versucht, davon loszukommen durch Seitensprünge. Irgendein verklemmtes Selbstgefühl war sehr geschockt. Das hat sich in einem zermürbenden psychologischen Kampf hingezogen, ich wollte nicht aufgeben, war dieser Liebe aber überhaupt nicht gewachsen. Sie hat mich belastet bis zu Magengeschwüren. Wahrscheinlich wars auch das Gefühl, beruflich festgefahren zu sein. Später habe ich diese Liebesgeschichte als psychisches Doping empfunden, das mir Spannkraft gegeben hat. Vielleicht habe ich mir einfach auf erotischem Gebiet die Spannung verschafft, die ich im Beruf verloren hatte.

Wenn man mit so vielen Verklemmungen groß geworden ist wie ich, von einem Vater erzogen, der strenge bürgerliche Moralvorstellungen hat, von einer Mutter, die höhere Tochter war, dann muß man versuchen, ganz bewußt erste Schritte zu tun, die einen lösen. Man kann sich nicht nur treiben lassen. Man muß erst lernen, sich zu bewegen, richtig zu gehen, zu lieben ... Sex hat mir eigentlich immer Spaß gemacht. Auf dem Land wars so, daß die Mädchen zusammen ins Heu gingen, mit neun oder zehn Jahren. Da habe ich schon geahnt, daß mir das viel Spaß machen wird. Die Verklemmungen entstanden erst später, als meine Mutter meine Sexualerziehung in die Hand nahm. Männer sagen mir heute, ich sei hypersexuell veranlagt. Ich kann das nicht so beurteilen, weil ich nicht weiß, wie andere Frauen sind. In der Ehe hat mir auf die Dauer die erotische Spannung nicht gereicht. Sicherlich hat mich das auch bedrückt. Viele Leute halten mich für abscheulich unmoralisch, weil ich so ehrlich bin, auch in meiner Ehe. Sie würden es ganz normal und in Ordnung finden, wenn ich meinem Mann allerhand vorflunkerte.

Daß mein Mann der erste war, lag nur daran, daß es noch keine Pille gab und die anderen Möglichkeiten. Ich hatte furchtbar viel Angst, ich könnte ein Kind kriegen von einem Mann, der mir dann zuwider ist, und ich würde bei dem Kind immer nach seinen schlechten Eigenschaften suchen. Obwohl ich die Pille auch heute nicht nehme. Das ist ein Eingriff in die Hormone, ich habe Angst, die Freude am Sex zu verlieren.

Ich bin in einer Gegend groß geworden mit einem sehr harten Menschenschlag, wo ich mich nie wohl fühlte. Ich habe immer Angst vor den Menschen gehabt. Ich habe furchtbar viel romantisches Zeugs gelesen aus der Bibliothek meines Vaters. Und im Kontrast zu diesen Büchern erlebte ich die Menschen, die waren schrecklich. Ich habe immer auf einen Märchenprinzen gewartet, der mich erlösen würde. Niemand hat mir geholfen. Mein Vater war beschäftigt, das Leben zu organisieren. Und meine Mutter in ihrem Hausfrauendasein hat immer eine untergeordnete Rolle gespielt und sicherlich auch gelitten unter der starken Persönlichkeit meines Vaters. Als ich meinen Märchenprinzen endlich traf, war ich so verstört, daß ich mich dieser ersten Liebe nicht wirklich hingeben konnte, und ich habe Schlaftabletten geschluckt, wie man das eben macht mit sechzehn. Mein Vater hat das nicht als Hilferuf empfunden, sondern als eine Herausforderung, er hat sich fürchterlich über mich aufgeregt: Du bist unausgeglichen, du bringst den Menschen Unglück, du kannst nicht lieben, du bist eine Alraune! – Meine Mutter hat mir andere Komplexe eingeredet: Nimm dich vor den Männern in acht, sie wollen alle was von dir, anschließend lachen sie dich aus. Dem jungen Mann sind dann beide Beine abgefahren worden. Er lag im Krankenhaus und schrieb so nette tapfere Briefe. Da kam mir die fürchterliche Erkenntnis, daß mein Vater recht hatte und daß mir wirklich nichts an dem Mann lag. Ich kannte ihn ja gar nicht, ich kannte nur mein Phantasiebild.

Danach habe ich über alle Stränge geschlagen. Na ja, über alle Stränge nicht, ich war ja verklemmt, aber ich habe die Leute vor den Kopf gestoßen, war leichtsinnig, hab die Rolle der Verworfenen, der Alraune gespielt, obwohl ich in Wirklichkeit mit keinem Mann was hatte. Man hat mir geglaubt, ich wurde abgestempelt und hatte eine gewisse Macht über die Menschen, die ja auch verklemmt waren in diesem spießigen, kleinbürgerlichen Klima von E., wo ich studiert habe. Bis ich dann meinem Mann begegnet bin. Er war der erste Mensch, der nicht irgendwas gesucht und verworfen hat in mir, sondern der mich liebte und leben ließ. Er hatte Geduld und hat nur geguckt, wenn ich ihm weh getan habe. Es hat absolut keinen Spaß gemacht, so einen zu beschwindeln. Es war keine berauschende Liebe für mich, aber seine Haltung hat mich so beeindruckt, daß ich genau wußte, ja, das ist der Mann, mit dem ich leben kann. Was Liebe wirklich war, da war ich mir sehr unsicher. Diese blöden romantischen Bücher hatten mich ja völlig verdreht. Wir haben schnell geheiratet, auch wenn wir nicht gleich sexuellen Kontakt hatten. Er hat mir mit allem Zeit gelassen, das war das Schöne. Es wuchs eben alles ganz normal und natürlich. Geheiratet haben wir vor allem, um meine Eltern nicht zu schockieren. Es gibt einfach zu viele Situationen, die Heiraten nötig machen. Im Prinzip würde ich es moralisch klarer finden, wenn man nicht heiratet und nach außen demonstriert, daß man aus freien Stücken zusammen lebt. Bevor man sich Kinder anschafft, muß man aber wissen, ob man ein gutes kameradschaftliches Verhältnis auf Dauer durchstehen kann.

In der Physik habe ich mir dann ein neues Gebiet gesucht, das gerade im Entstehen war. Es hat mir unerhörten Spaß gemacht, mich immer wieder zu überwinden. Ohne Überwindung ist die Arbeit nie gegangen. Es war ja kein Lehrer da, der mir ein schönes Problem gestellt hat, ich mußte das schöne Problem selber herauskristallisieren. Es fehlte ja die Generation der Lehrer; und die der Krieg übriggelassen hatte, waren mit sich beschäftigt. Wir haben alle autodidaktisch gearbeitet, recht und schlecht. Recht, weil wir sehr selbständig wurden, und schlecht, weil uns die Kritik, der Maßstab fehlte. Als ich meine Dissertation schrieb, war keiner da, der sie echt anerkennen konnte. Ich habe mich sehr engagiert für die Wirksamkeit der Wissenschaft, für konkrete Schritte. Unser System der Diagnosen und Analysen, wenn man da hineingerät, wird man aufgerieben, ohne etwas auszurichten.

Mein Mann ist Wissenschaftler mit Leib und Seele. Er hat mir immer gesagt: Du bist eine gute Physikerin, was anderes kannst du nicht, niemand will das, was du malst, es ist sowieso dekadent. Aber ich glaube, ich muß jetzt malen. In meinem Innern hat sich was angestaut, das ich mitteilen muß. Ich möchte etwas tun gegen die Gleichgültigkeit und Unehrlichkeit, gegen die Kälte und Resignation. Ich möchte sagen: Der Mensch neben dir ist genauso verletzt wie du. Viele Menschen haben nicht die Kraft, anderen etwas zu geben, sie bauen Kälte um sich und leiden schrecklich unter ihrer Isolation. Mit dem Malen sehe ich eine Möglichkeit, mich wieder auf den Weg zu machen. Gemalt habe ich von Anfang an, obwohl man mir auch da Komplexe angedichtet hat: Du kannst nicht lieben, du kannst nicht malen, du kannst überhaupt nichts. In der Schulzeit habe ich gewaltige Gemälde gemacht, und wenn ich sie dann meinen Eltern gezeigt habe, hatte ich unerhörte Lacherfolge. Ich habe wirklich mit Herzblut gemalt, und die haben gelacht. Aha, hab ich gedacht, ich kann nicht malen, ich muß zuerst was ganz Trauriges erleben.

Heute würde ich keine Gemälde mehr malen. Ich würde meine Vision malen: die Angst, wie das menschliche Leben entarten kann, wie die Dinge die Menschen aushöhlen. Wie Menschen massenweise in ihren Betonzellen hausen, und keiner hat Zugang zum andern. Und die Datschen vor der Stadt, mit Zäunen herum. Wieder Isolation. Es ist eine Tatsache, daß wir noch zu wenig Möglichkeiten für Kommunikation schaffen können. Es gibt aber wenigstens Versuche in der Arbeitswelt, einander näherzukommen und so etwas wie gesellschaftliches Bewußtsein zu entwickeln, im Unterschied zu den westlichen Ländern. Als wir mit diesen Brigaden anfingen, was haben wir gelacht! Aber das funktioniert doch schon. Die Leute lächeln ein bißchen darüber, sie stöhnen sogar, aber sie machen das ganz gern. Sie haben nur Hemmungen, es zu zeigen.

Ich interessiere mich für alle Menschen, mit denen ich zu tun habe, für ihre Weltanschauung, ihre familiären Verhältnisse, ihre Einstellung zum Leben, zur Arbeit. Menschen zwischen dreiundzwanzig und dreißig, das ist für mich das interessanteste Alter. Es ist mir aber nie gelungen, eine Freundin zu haben. Ich weiß nicht, woran das liegt, ich schiebe es einfach auf meinen Männerberuf. Dieses Vorurteil, daß es Freundschaften nur unter Männern geben kann, daran glaube ich nicht. Sicherlich habe ich hohe Ansprüche. Ich erwarte von einem Freund, daß man einander immer wieder fordert und immer wieder entdeckt. In der Ehe fühle ich mich nicht mehr so gefordert. Man kennt sich zu genau. Was man erwartet, trifft meistens ein. Man wird träge. Sicher, ich finde meine Ehe gut, gerade weil ich weiß, ich werde akzeptiert, ich muß nicht unbedingt weiter. Man braucht eben beides, das In-Ruhe-gelassen-Werden und die Anforderungen. Mit einem Mann befreundet zu sein, das ist schwierig, da kommt doch irgendwie Erotik hinein, so daß einer anfängt, es zu wichtig zu nehmen. Man ist nicht mehr ganz offen.

Ich habe darüber nachgedacht, daß wir von so vielen Verhaltensnormen geprägt sind, die die Jugend gar nicht mehr kennt. Frauen unserer Generation verhalten sich auch in der Sexualität anders als die Männer. Ob ich es schön fände, wenn es anders wäre? Wenn ich mir vorstelle, was mir im Laufe einer Woche zustößt und wie grotesk das wäre, wenn ich es umkehre, wenn ich mich in die Männerrolle denke. Es sind lauter Trivialitäten, die insgesamt doch das Lebensgefühl der Frauen prägen. Beruflich bin ich dem Mann absolut gleichgestellt. Ich habe mich daran gewöhnt, daß mir mein Beruf Unabhängigkeit gewährleistet und eine große Sicherheit, die ich als junger Mensch nicht gehabt habe. Daß mir das alles nicht mehr reicht, ist eine andere Sache.

Was mich auch geprägt hat und meine Entwicklung ein bißchen erklärt: Ich sah mich verschiedene Male mit dem Tod konfrontiert. Während meiner Krise glaubte ich, Magenkrebs zu haben. Erst wars ein Geschwür, dann sagten die Ärzte gar nichts mehr, und ich wurde immer weniger. Dieses Grauen überdeckt alles. Man wird gleichgültig, sogar den Kindern gegenüber, man kann es einfach nicht ertragen, an irgendwas Lebendiges zu denken. In der Jugend stürzte ich mit dem Segelflugzeug ab. Segelfliegen habe ich nur gemacht, um mir zu beweisen, daß ich mit der Angst fertig werde. Leute, die Angst vorm Autofahren haben, fahren bekanntlich sehr schlecht, sie verfügen nicht über ihre natürlichen Reaktionen. Ich hatte diese Angst beim Segelfliegen. Nun lag ich im Krankenhaus, keine Menschenseele, meine Eltern durften es nie erfahren, kleiner Knacks an der Wirbelsäule, der Röntgenapparat war kaputt, man dachte an Querschnittslähmung. Diese Tage vergißt man nicht. Wenn junge Menschen solche Erlebnisse haben, ist das scheußlich. Man lebt fortan hungriger, unter einem starken Druck, man hat immer das Gefühl, das alte Leute haben: Die Zeit wird knapp. Wenn man einigermaßen phantasiebegabt ist, wird man immer mit seinem eigenen Tod konfrontiert, man erreicht die Ruhe und Gelassenheit nicht, die das Leben nötig hat.

## KAROLINE
## Das Kupferdach

Meine Vorfahren mütterlicherseits waren Schwaben, die Ende des achtzehnten Jahrhunderts in die Ukraine verkuppelt wurden. Die ältesten Bauernsöhne erbten den Hof, die andern waren praktisch übrig, die wurden verschenkt, wenn man so will, an die russische Kaiserin Katharina. Land genug hatte sie, das sollten die Deutschen kultivieren. Jedenfalls, die sind gelaufen, in einem langen Treck. Damals war noch Urwald in Polen und in Rußland. Und alles, was schwach wurde unterwegs, das blieb eben sitzen, für die Wölfe oder zum Verhungern. Die Erlebnisse dieser schrecklichen Reise sind von Generation zu Generation weitererzählt worden. Die kamen an mit nichts, wurden einfach in den Urwald gesetzt. So, nun macht was draus. Und sie haben was draus gemacht. Zuerst haben sie gerodet und Hütten gebaut, und Generation auf Generation baute dazu. Zum Schluß, als sie weggegangen sind, 1917, waren sie dermaßen reich, die hatten dreitausend Morgen Land, das kann man sich überhaupt nicht vorstellen. Meine Mutter hatte elf Geschwister, und die reichten noch nicht, um den großen Besitz zu bewirtschaften. Du kennst ja unser Dorf, so groß war alleine unser Hof in der Ukraine, sagt meine Mutter. Die hatten ein Gutshaus mit Kupferdach, stell dir vor, das leuchtete zwanzig Kilometer weit in der Sonne. Aber die armen Vorfahren, die saßen nach der Heumahd noch oben auf dem Heureiter, so hoch sie eben steigen konnten, und guckten in Richtung Deutschland und weinten. Ist kalt heute, nicht? Soll ich uns einheizen? Jedenfalls, die haben sich nie mit den Russen vermischt, bis Anfang des zwanzigsten Jahrhunderts. Wers gewagt hat, der durfte nicht in die deutschen Bezirke zurück, sie hätten ihn erschlagen.

Erst die sechste Generation ist nach Deutschland zurückgekommen. Das war so. Sie waren inzwischen steinreich, wirklich steinreich. Die hatten nur russische Arbeiter, und wenn die ein Jahr für sie gearbeitet haben, von Oktober zu Oktober, dann wurden sie entlassen, und den Jahresverdienst haben sie ihnen verweigert. Wie sie losgezogen sind, die gingen ja auf den Winter zu, haben manche Deutsche noch die Hunde hinterhergehetzt, um ihnen das Bündel Lumpen auch noch abzujagen. Aber an ihren Kaiser in Deutschland haben sie Schürzen voll Gold gespendet, das wurde gar nicht mehr gezählt. Reiche Russen gab es auch, die lebten weiter weg. Und das Komische war, daß der Reichtum die Leute zusammengehalten hat. Die reichen Deutschen haben mit reichen Russen verkehrt und mit reichen Juden. Und die Armen, ob das nun Russen, Juden oder Deutsche waren, die haben sie gemeinsam ausgenutzt. Es gab aber auch Mitgefühl. Die Schwester meines Großvaters, die hat zum Beispiel die Zigeunerkinder betreut, die nahm sie nach Hause, putzte sie und zog sie frisch an und gab ihnen zu essen. Die Armen haben sie wie eine Heilige verehrt. Im Grunde genommen war sie von der besitzlosen Klasse genauso weit entfernt wie jeder andere Feind.

Jedenfalls, Großvater war klug, 1917 hat er gesagt: Unsere Zeit hier ist abgelaufen, es gibt nur eins, weg! Der war ja nicht dumm, der hatte Schulbildung, der hatte alles genossen, was sich ein Reicher leisten kann, und der wußte genau, man würde keinen Unterschied machen, ob einer nun ein bißchen mehr oder weniger Unrecht begangen hatte. Vor dem Konsulat standen die Deutschen Tag und Nacht, zu Tausenden. Da ist Großvater hinten rein und hat die Beamten praktisch bestochen. Und so hat er die Ausreise gekriegt für seine ganze Familie. Sie hätten auch nach Kanada gehen können. Kanada hat den Deutschen damals Freifahrtscheine geschickt, um sie rüberzuholen. Dort gabs ja auch genug Land. Aber mein Großvater wollte unbedingt nach Deutschland. Mit Illusionen sind sie gekommen. Was wußten sie denn von Deutschland? Kanada wäre ihnen nicht fremder gewesen. Meine Mutter war gerade zwanzig. Sie sind mit den zurückflutenden österreichischen Truppen gefahren, mit viel Schmuck und viel Geld. Zuerst haben sie sich angesiedelt im Wartheland. Da waren sie aber unter Polen, wieder unter Fremden, deshalb sind sie bald weitergefahren, direkt nach Mitteldeutschland rein, in die Gegend von F. Das war Anfang der zwanziger Jahre. Die Töchter haben ihrem Vater zugesetzt: Werde endlich das viele Geld los, kauf Wertgegenstände! Doch Großvater saß auf seinem Geld. Fingerspitzengefühl für die deutschen Verhältnisse hatte er nicht. Da kam die Inflation. Mit den Truhen voll Geld haben die Kinder gespielt. Über Nacht waren sie bettelarm geworden, was sie seit fünf Generationen nicht kannten. Großvater hatte in der Ukraine zwölf Jagdhunde. Und wenn ich mir als Kind die Kleider angeguckt habe, die waren aus teuerster japanischer Seide, so was konnten sie in Deutschland nicht tragen. Dann sprach die Großmutter so ein schönes, gepflegtes Deutsch, daß sie verspottet wurde unter den Landarbeitern.

Ja, was nun? Die ältesten Mädchen schon über dreißig, und wenn sie heiraten wollten, machte Großvater Radau und schimpfte: Könnt ihr nicht warten, bis man tot ist? Der ist aber gestorben, da war die jüngste sechzig. Vater, haben sie gesagt, wir müssen arbeiten gehn. Geht mir weg, hat er gesagt, auf fremdem Boden nie! Die Mädchen sind so erzogen worden, daß es keine Widerrede gab, Vater und Mutter nur in der dritten Person, Vater, Ihr... und Mutter, Ihr... Was haben aber die Mädchen gemacht? Sind aufs Gut gegangen als Landarbeiterinnen, meine Mutter auch.

Ich muß das Fenster aufmachen. Merkst du, wie der Acker riecht? Es riecht schon nach Frühling. Jedenfalls, Großvater konnte sich nicht überwinden, aber unglücklich war er in seiner Haut. Ein Riese von einem Kerl, und so ein Kreuz. Gott, ich fürchtete meinen Großvater, mir kam er wie ein Löwe vor mit seiner Mähne, und so ernst. Ich bin immer weggerannt vor ihm. Die Großmutter glich sein grobes Wesen aus, indem sie sehr fromm war, eine richtige Matruschka, dick und herzlich. Der Großvater hat geguckt, wie wir Enkel gesagt haben: Großvater, du ... Hat uns angeguckt wie arme verlotterte Kinder. Der Rittergutsbesitzer hat dann zum Großvater gesagt: Herr Schneider, ich bin viel unterwegs, ich könnte einen Inspektor gebrauchen, ist doch nicht wie Arbeit, Sie bleiben ein freier Mensch. So hat er ihm den Weg geebnet, daß er wieder anknüpfen konnte ans Leben.

Auf der Arbeit lernte meine Mutter meinen Vater kennen, wie das so ist. Gott, ein Landarbeiter mit zwei Kindern und so viel älter, das war ein Sturz von den Höhen. Mein Vater war das jüngste von acht Kindern und sehr verwöhnt, die waren schlesische Leineweber. Die Eltern haben ihn sogar freigekauft vom Militär, daß der arme Junge nur ja nicht zu den Soldaten mußte. Mein Vater war ein sehr schöner Mann, groß, blond, braune Augen, ganz schlanke feine Hände. Mir ist heute noch rätselhaft, wie der die schwere Arbeit hat machen können. Ist früh weggegangen von zu Haus, ist Landarbeiter geworden, hat geheiratet, aus Liebe, und die Frau ist ihm von drei Kindern weggestorben an Tbc, war ja damals, was heute Krebs ist. Dann ist die Tochter gestorben, so daß die zwei Jungs übriggeblieben sind. Die hat meine Mutter mit in die Ehe genommen. Dann kamen wir alle, Edwin, mein ältester Bruder, dann Alma, dann kam ich, dann Jörg, der ist an Krebs verstorben, und Hänschen. Sieben im ganzen. Ich kann mich noch entsinnen, wie ich zwischen den Großen geschlafen habe, unter den dicken Bauerndecken. Die Großen waren zu Hause, bis ich acht oder neun war, dann war ich die Älteste. Großeltern sind nachher alt geworden, sie sind bei meiner Tante gelandet, ders am besten ging. Bei uns ist das so Sitte, da bleibt alles, was krank und alt ist, irgendwie in der Familie. Das letztemal sah ich die zwei, da waren sie bald neunzig, da saßen sie auf dem Hof in der Sonne und sangen. Die hatten wundervolle Stimmen, das kannst du dir nicht vorstellen. Menschen waren das, stark und wie aus einem Stück, wir reichen da nicht heran. Wenn ich an meine Kindheit denke, sehe ich nur die Großeltern und wie leer zu Hause alles war. Ich möchte sagen, im Unterbewußtsein hat mich die Armut immer gedrückt. Die Eltern gingen früh, da wars dunkel, und sie kamen abends, da wars wieder dunkel. Ja, was macht denn ein kleines Kind allein? Ich konnte ja nicht einmal rausgehn, weil ich nicht was anzuziehn hatte. Mit vierzehn Jahren hab ich meine ersten eigenen Schuhe gekriegt, den Ledergeruch im Schuhgeschäft riech ich heute noch. Mit Puppen hätt ich gar nichts anzufangen gewußt, das wär mir was ganz Nutzloses gewesen, so ein Ding zu windeln und zu füttern. Zu meinem fünften Geburtstag, weißt du, was ich da gekriegt habe? Einen Weidenkorb, wo man Zwiebeln und Kartoffeln reinliest. Sobald du laufen konntest, gingst du mit aufs Feld, weil die Eltern Angst hatten, du könntest zu Haus verunglücken. Wenn ich mir heute vorstelle, daß wir schon mit zehn, elf Jahren auf der Dreschmaschine gestanden und Korn eingelegt haben. Da hätten wir ja auch reinfallen können. Ich glaub, ich heiz uns doch ein, es ist ungemütlich. Und der Dicke wird auch bald nach Hause kommen. Also, das Kartoffellesen war ein Kreuz für uns Kinder. Die trockene kalte Erde, die macht die Haut so rissig. Da bin ich heimlich gegangen und hab mir aus der Flasche Kaffee über die Hände gegossen und hab sie mir eingekremt mit Schmalzpapier. Ich war schon eine Feine. Das krieg ich heute noch zu hören.

Ich kann mich entsinnen, meine Mutter war eine äußerst praktische Frau, sie hat viel genäht, und wie sie die Schnitte ausgerädert hat, da guckte ich immer die Zeitungen an. Da war einmal ein Kommunist mit einem Riesenmaul, der biß einem Kind den Kopf ab. So eine primitive Information haben die an ihre Werktätigen gegeben, die ja schon ungebildet waren. Manche haben sich nie erholt davon. Mama, hab ich gefragt, wieso beißt der dem Kind den Kopf ab? Ach, sagt sie, ist doch Hetze. Wenn wir aus der Schule Neuigkeiten nach Hause brachten, sagte sie immer: Ist doch Quatsch, Kinder, wir haben so viele Russen gekannt, die sind auch Menschen. Wir besaßen kein Radio, aber unsere Mutter hat uns politisch gebildet, soweit das ging. Da lernte ich trennen: In der Familie wird anders gesprochen und gehandelt als draußen. Niemals hätten wir außerhalb der Familie was erzählt. Im Ort lebten die Fremden, die uns gefährlich werden konnten. Das ist bei uns Deutschen Schicksal geworden, die Trennung, das hängt uns heute noch an. Je größer ich wurde, um so mehr hab ich das als tragisch empfunden, für das eigene Leben und für das Leben der ganzen Gesellschaft.

In der Schule durften wir an nichts teilnehmen, keine Hitlerjugend, wir wurden überall hintendran gestellt. Unser Lehrer war mir persönlich gut, weil ich so schnell auffaßte. Er konnte mich aber nicht zur Oberschule schicken, das konnte er einfach nicht. Die Kinder vom Rittergutsbesitzer, von den Bäckersleuten, die Bauernsöhne, saudumm, die gingen alle zur Oberschule. Und wir blieben in der Dorfschule, wo vier Klassen in einem Raum verschiedenen Unterricht hatten, das mußt du dir vorstellen.

Meine Mutter gab uns vieles, was die andern Landarbeiterkinder nie gekannt haben. Es konnte noch so schlechtes Wetter sein, sonntags zog die Familie los, und wenns ein Kleid aus dreierlei Stoff war, aber es war pieksauber, es war gebügelt. Diese Pflanze heißt so und so, die kann man für das und das verwenden. Oder sie erzählte uns aus ihrer Jugendzeit, das waren praktisch unsere Märchen, wie sie im Dnjepr badeten und die Schlangen mit hocherhobenen Köpfen schwammen. Wir haben am Grabenrand gesessen, da gab es viele Veilchen, und haben unsere Mutter bestaunt, die aus einer fremden, geheimnisvollen Welt gekommen war.

Mein Vater, wenn er so am Fenster saß und rausguckte, mit übergeschlagenen Beinen, sehe ich noch heute, der hatte im Alter noch schöne Hände. Ich glaube, der liebte seine erste Frau immer noch. Er war oft in Gedanken, weißt du, er hat alles nur noch registriert. Einfluß auf uns Kinder hatte er gar nicht. Er war aber ein herzensguter Mensch und hat uns gegen alles in Schutz genommen. Unsere Mutter, wenn wir nicht gespurt haben, die nahm, was ihr unter die Finger kam, und verdrosch uns damit. Sie hatte so ihre Prinzipien, und wehe, du hast danach nicht gelebt! Die wenigen Groschen, die für ein Stück Butter im Schrank lagen, die waren nicht verschlossen. Wir hätten uns dafür Süßigkeiten kaufen können, so was gabs ja nie. Da hätte uns unsere Mutter aber erschlagen. Beherrschung ist alles im Leben, hat sie gesagt, wenn man die nicht klein lernt, lernt man sie nie. Vom Lehrer wurden wir geschlagen, weil wir keine Hefte für die Hausaufgaben kaufen konnten. Aber wir hätten nie gewagt, vom Essengeld einen Groschen zu nehmen, wenn sieben Menschen am Tisch sitzen und nie richtig satt werden. Wir hatten nie Spielzeug. Und ich wollte mich doch bewegen, ich wollte wenigstens 'n Hopsestrick. Jetzt hatten wir eine Wäscheleine, die hatte Großvater selber gedreht. Und ich werde die in der Sonne schaukeln sehn und werde die Kinder rufen: Wißt ihr was, ihr kriegt alle von mir 'n Hopsestrick. Ich wollte doch auch mal was verschenken. Gott, da hat die Mutter mich mit dem restlichen Strick dermaßen verdroschen! Und ich werde ihr entwischen und zu meinem Vater ins Bette, und mein Vater wird die Hände über mich breiten: Das Kind rührst du nicht an! Und die Mutter schreit: Ja was denn, soll ein Strolch aus ihr werden? Meinen Vater liebte ich über alles, was er tat, war richtig. Als ich einmal von ihm einen Klaps bekam, da hab ich mich umgedreht und hab ihm die Hände geküßt. – Ach, der Dicke ist gekommen. Der wird Augen machen, paß auf!

Wo war ich? Nazizeit ... Meine Eltern vergruben sich

auf dem Land. Was hatten sie denn an Papieren? Die hatten in den Jahrhunderten die deutsche Staatsbürgerschaft verloren und die russische nicht angenommen. Als Staatenlose wurden wir nun verdächtigt, ukrainische oder polnische Juden zu sein. Wir konnten nichts nachweisen. – Dicker, mach uns ein paar Schnitten, bedien uns ein bißchen, ja? – Meine Mutter hat den Gefangenen, den polnischen und serbischen, heimlich Essen gegeben und für sie genäht. Da kamen die SA-Leute mit Gummiknüppeln und trieben uns in die Küche, und meinen alten Vater behielten sie im Wohnzimmer. Ich habe nie recht was darüber erfahren. Ich hab das mehr mit dem Gefühl erfaßt als mit dem Verstand, es war scheußlich. In der Situation hat sich mein Lehrer gedacht: Du schickst sie einmal mit ins Schulungslager. Der war politisch aufs Dorf verbannt worden, wenn du so willst, aus einer höheren Schule. Und aus Protest, nehme ich an, hat er mit uns armen Landarbeiterkindern ganz toll gelernt, was es sonst auf keiner Dorfschule gab, zum Beispiel Physik, er nannte es Raumlehre. Der gab uns am Tag sieben Seiten Rechnen auf, das juckte ihn gar nicht. Ein großer Teil der Kinder ist auf der Strecke geblieben. Aber ich gehörte zum andern Teil und hab mir um die Sitzenbleiber nie Gedanken gemacht. Vielleicht hatte dieser Lehrer selber noch Ideale, für die er uns gewinnen wollte. Oder er fand einfach, daß es unser Verderben wäre, wenn wir immer abseits stehen müßten. Mich hat so was ja fertiggemacht. Nun hat er uns mit der Wirklichkeit konfrontiert, wenn du so willst, auf Gedeih und Verderb.

Wir waren einhundertfünfzig Mädchen. Ich lag in der Baracke Keitel, und die Führerin von unserer Baracke war ein sehr nettes Bauernmädel. Wir hatten geschlachtet zu Hause, und ich hatte einen Schweineschwanz mit ins Lager genommen. Ich war sehr ernst und betrachtete alles mit Abstand. Ich mußte schon sehr viele gute Erfahrungen mit einem Menschen gemacht haben, um ihn aufzunehmen in meinem Innern. Ich wehrte mich unheimlich gegen diese fremde Welt, und gleichzeitig zog sie mich an. Jedenfalls hab ich unserer Führerin den Schweineschwanz hinten an die Uniformjacke gehängt, vor dem großen Appell. Da steht nun die Gauleiterin, und von jeder Baracke geht eine Führerin nach vorne melden. Und unsere steht da mit dem Schweineschwanz! Was denkst du, was da los war! Ich weiß noch wie heute, jede Baracke wurde ausgequetscht, Kind um Kind. Ich hatte in meinem Unterbewußtsein nur eins: Du darfst es nie zugeben! Nein, hab ich gesagt, nein, nein, und ich hab geheult, und ich hab gelogen, was ich in meinem Leben nicht gemacht habe, dafür hätte mich meine Mutter erschlagen.

Fliegeralarm gabs erst im letzten Kriegsjahr, aber ich schlief immer. Ich bin bloß aufgestanden in der Nacht, als D. lichterloh brannte. Vom Luftdruck hat mein Nachthemd geflattert, so ein Bombenhagel war das. Eine Nacht vergesse ich nie. Ich schlief und kriegte einen Schuh an den Kopf, meine Mutter schrie, und das Haus wackelte, Tür und Fenster flogen auf. Da fielen Zehnzentnerbomben auf unser Dorf, und die haben sich nicht entladen, sonst wäre kein Stein auf dem andern geblieben. Die lagen in ihren großen Trichtern stille da, und wir Kinder standen andächtig herum und warteten, was passierte.

Einmal wurden wir in die Stadt zum SS-Kommando geladen, das unsere arische Abstammung feststellen sollte: Gesichtsschnitt, Augen, Nasen, alles wurde gemessen. Meinen jüngsten Bruder, Hänschen, der erst mit drei Jahren laufen und mit sieben sprechen lernte und der jetzt noch zu Hause ist, ein Produkt der Armut, den wollten sie behalten. Den laß ich euch nicht, hat meine Mutter gesagt. Sie wußte genau, Hänschen würde keine drei Tage leben ... Dann waren die Deutschen so weit, daß sie die Ukraine besetzten. Und dort haben sie tatsächlich unsere Papiere gefunden. Die Fotokopien haben wir noch heute, in russischer und in deutscher Schrift. Nun kriegten wir unsere deutsche Staatsbürgerschaft, mit dem Hakenkreuz von Adolf.

Meine Schwester Alma arbeitete bei einem Konsul als Dienstmädchen. Für mich war das unheimlich imponierend. Betten mit goldenen Knaufen, ein großes Eisbärenfell mitten im Zimmer, das Auto fährt über einen Teppich in die Garage, drückst du auf eine Löwenzunge, klingelt es. Weiß der Teufel, ich gefiel der Frau, sie war herzlich lieb zu mir und wollte mich adoptieren. Nun dringt das zu meiner Mutter. Die ist bald wahnsinnig geworden: Wenn die Kinder haben wollen, sollen sie sich welche machen! Aber Mama, stell dir vor, was die alles haben! Laß sie haben, was sie wollen! Diese Episode war für mich beendet, ich durfte nicht mehr hin.

1945 sollte unser Dorf verteidigt werden. Wir hatten vor der Tür Panzersperren und ein SS-Kommando. Zwei Männer vom Dorf waren als Spione in Zivil eingesetzt. Jedenfalls ist einer von ihnen ausgerissen, und wir haben ihn im Feld gefunden, erschossen. Politisch waren meine Eltern schon so weit herauskristallisiert, daß jeder im Dorf wußte, sie hieltens mit den Ausländern im Lager. Da wurde uns gedroht, sie stecken uns ins KZ. Da war es wahrhaftig ein Glück, daß die Amerikaner kamen, ich glaube, am 12. April fünfundvierzig. Vierzehn Tage nach den Amerikanern brachten sie meinen Vater nach Hause, Herzkollaps, früh um fünf. Der war damals Nachtwächter auf dem Gut. Meine Mutter ist gegangen, einen Arzt zu suchen, und der kam natürlich nicht. Es gab keine Fahrzeuge, keine Medikamente, nichts. Während der Zeit war ich mit meinem Vater allein. Ich hab ihm den Schweiß weggewischt, dann hat er mich angelacht, und sein Gesicht verzog sich. Ach, und er hatte so einen schönen Bart, den kämmte ich. Ich hab immer gesagt: Wenn ich heirate, bloß einen Mann mit Bart. Unter den Händen ist er mir gestorben. Wir kriegten nicht einmal 'n Arzt für 'n Totenschein. Er wurde beerdigt, weißte, einfach aus Dielenbrettern 'ne Kiste. Irgend jemand, der ihn anziehen half, sagte: Gott, ich würd ihm nicht den einzigen guten Anzug anziehn. Den hat er verdient, sagte meine Mutter. Bei der Leichenfeier hab ich ihm gelbe Tulpen in die Hände gelegt. Die hab ich für ihn gestohlen.

Was nun? Haben gedacht, die schwere Zeit ist zu Ende, wo uns das KZ droht, wo nichts zu fressen da ist. Vom Ältesten, Edwin, haben wir nicht einmal Nachricht gehabt, der war in Rußland. Unsere Mama, die alles getragen hat, war seelisch am Ende. Bin ich aufs Rittergut arbeiten gegangen, das war jetzt Treuhandbetrieb. Anfangs war der Rittergutsbesitzer noch da, und meine Mutter ging hin und fragte nach der Witwenrente. Da kams heraus, daß der für meinen Vater überhaupt nicht geklebt hatte, nie was abgeführt, nur kassiert. So daß wir keinen Anspruch auf etwas hatten. Sogar die Versicherung hat dieser Mensch eingespart. Da hat ihm meine Mutter alles gesagt, was sie schon lange auf dem Herzen hatte. Er hat ihr dann Korn nachgefahren, aus schlechtem Gewissen, aber viel hat es uns nicht genützt. Inzwischen kamen die Russen. Den Rittergutsbesitzer haben sie abgeholt, und der Inspektor drohte uns: Wenn ihr nicht spurt, schicke ich euch die Russen auf den Hals. Ich saß auf der Bank, Kopftuch, nackte Beine, und hab zu ihm gesagt: Was sollen denn die Russen bei mir? Zu Ihnen kommen sie aber bestimmt. Ein paar Tage danach hat er sich samt Familie aus dem Staub gemacht.

Nachher kriegten wir Post von Edwin, der hatte drei Jahre im Sumpf gearbeitet, in sowjetischer Gefangenschaft. Man hat ihn ja mit siebzehn weggeholt von zu Hause, zur SS. Dieser Kontrast, stell dir vor, *wir* waren eine gefährdete Familie, und mein Bruder, wenn der den Befehl bekommen hätte, uns totzuschießen, dann hätte er das tun müssen. Er kam sehr krank nach Hause, wir haben ihn hochgepäppelt. Und von Stund an wurde meine Mutter gesund. Edwin wurde unser Ernährer, und ich hab Friseuse gelernt. Was sollte ich sonst tun? Betriebe waren alle kaputt.

Dann kamen die Verwandten von meinem Vater aus Polen zurück, die kannten wir gar nicht. Die Jungen sprachen nur polnisch. Die zogen zu uns in die kleine Wohnung. Das waren Kerle wie mein Vater, groß, schön. Den einen nennen sie noch heute den Zigeunerbaron. Inzwischen sind sie als Genossenschaftsbauern wohlhabend geworden. Geschnitzte Türen, Farbfernseher, große Wagen, der Hof betoniert. Die haben sich nicht zweimal sagen lassen: Jungs, nehmt euch Land, fangt an! Wir saßen jeden Abend zusammen, das Haus voll Jugend, wir fingen wieder an zu leben.

Ich hab dann einen kennengelernt, einen Wiener Juden, halb rumänisch, der ist durch die Kriegswirren zu uns verschlagen worden. Sein Vater hat Geschäfte in Wien und in Czernowicz gehabt. Ich war achtzehn, er war schon dreißig. Der hat mich entjungfert, wenn du so willst, dieser Sascha. Ich kann dir nicht sagen, ob es schön war oder nicht. Ich weiß noch, daß ich hinterher vorm Spiegel stand und dachte: Biste eigentlich noch dieselbe? Er war mir weit überlegen, ein sehr intelligenter Mann, ein sehr gut angezogener Mann, so was imponierte mir schon immer, aber wahnsinnig eifersüchtig. Er war der erste Mensch, der mir ein Kino zeigte. Wenn ich diese Helden auf der Leinwand sah und sagte: Ach, ist der schön, dann war das Veranlassung für ihn zu sagen: Wir gehn. Ich hatte nur schön zu finden, was er schön fand, und zu denken, was er dachte. Wir sind zwei Monate miteinander gegangen oder drei, dann konnte er zurück nach Rumänien.

Ich lernte Friseuse, schlief bei meiner Schwester in der Stadt, und eines Tages traf ich Richard, meinen späteren Mann. Der saß neben mir im Kino. ›Das Lied von Sibirien‹ haben wir gesehen. Und der hat geredet und geredet, zu jeder Szene einen Kommentar. Schön war er, aber ich betrachtete ihn mit Abstand. Bei seinen Erzählungen legte er mir die Hand aufs Knie, wie er so ist, ich hab die Hand weggeschoben, aber er hat sich nicht stören lassen, hat erzählt und mir wieder die Hand aufs Knie gelegt. Dann hat er mich nach Hause gebracht und kam und kam immer wieder. Ich wurde ihn nicht los. Ich wollte ihn auch gar nicht mehr loswerden. Richard war nicht so prinzipienfest wie Sascha, der gesagt hat: Das tut man nicht, das denkt man nicht. Richard war jung und unternehmungslustig. Er schmiß mir Gedichtbändchen durchs Fenster auf mein Bett, wenn ich nicht im Zimmer war. Es war wunderschön und romantisch. Auf einmal kommt meine Freundin und bringt mir einen leidenschaftlichen Brief von Sascha. Schreib ihm, sage ich, ich bin verheiratet und krieg ein Kind. Da hatte ich den Richard schon viel zu gern.

Richards Eltern, die waren Gastwirte und wohlhabend, die schrieben tatsächlich an meine Mutter, was wir uns denken, sie haben ihrem Sohn eine Laufbahn als Gastwirt ermöglicht, und ich soll mich zurückhalten. Mädchen, hat meine Mutter gesagt, hast du das nötig? Guck dich an, du findest hundert andere. Hab ich ihm einen Abschiedsbrief geschrieben, ich hätts nicht nötig, an Männern wäre kein Mangel. Aber Richard kam immer wieder. So sind wir zusammengeblieben und haben beide nichts gehabt, nicht das Schwarze unterm Nagel. Und seine lieben Eltern haben gehofft, es wird auf diese Weise schiefgehn, und sie kriegen ihr Söhnchen wieder. Der ist aber Lastwagenfahrer geworden, hat Milch und Brause gefahren. Und ich hab sämtlichen Bauernweibern die Köpfe frisiert.

Was noch? Ist nicht mehr viel passiert. Der Jörg ist geboren, ein Jahr darauf die Liesi, Anke kam und Moritz. Ich hab mir ja dies und jenes einsetzen lassen, hab mir Verhütungsmittel erfragt, aber wir brauchten uns bloß angucken, da wars passiert. Wenn ich sagte: Herr Doktor, so kanns doch nicht sein, jedes Jahr ein Kind. Da hat er gesagt: Auch beim achtzehnten sage ich nein. So war das, wir waren Tiere. Nicht Menschen, die über sich bestimmen konnten! Wenn ich wirklich am Ende war, haben sie mir eins abgenommen in der Stadt. 1966 kam noch Andreas, dann gabs die Antibabypille, die war meine Rettung.

Der Dicke war ein sehr lieber Papa, der kam abends und machte seine Tasche auf, das hab ich für dich mitgebracht, und das für dich und für dich ... Und wenn ich gesagt hab: Ich krieg schon wieder ein Kind, hat er gesagt: Ist doch schön! Wir waren gesunde Menschen und liebten uns, kann man nicht anders sagen. So kam es, daß fünfzehn Jahre lang ein Bett immer zu viel war. Wenn er Kohlen holte, lag die Asche vom Ofen bis draußen zum Kohlenkasten. Und wenn Schwiegermutter ab und zu kam, dann hörte ich nur: Karolin, das ist Frauensache! Vom Boden bis zum Keller alles Frauensache! Ich kriegte schon keine Luft mehr, das Geld reichte sowieso nicht, Krippenplätze gabs nicht. Der Dicke gab sich Mühe, aber er brachte eben nichts Praktisches mit. Irgendwie bedrückte ihn das alles, darauf war er nicht vorbereitet.

Zwischendurch ging ich arbeiten, mal hier, mal da, nachher hab ich einen Schreibmaschinenkurs gemacht. Ich mußte daran denken, daß ich nicht ewig als Hausfrau leben konnte, so losgelöst vom Leben. Wie oft habe ich angesetzt, irgendwo Anschluß zu kriegen, und wie oft habe ich glatte Bauchlandungen gemacht! Wer macht einem denn Mut? Es gab viele arme Familien, die man die Kinderreichen nennt, ein Hohn ist das! Ich bin selber losgegangen und hab gesammelt und in Kisten verpackt und vor die Türen gestellt, daß sie für den Ramsch nicht noch danke sagen müssen. Mit den fünfzig Mark Windelgeld ist man nicht weit gekommen. Vom Betrieb haben wir in jedem Jahr Ferienplätze gekriegt, das war alles. Ich hab sehr viel gelesen, insofern hab ich den Faden nie ganz abreißen lassen. Aber wenn ich unsere Gegenwartsliteratur las oder Radio hörte, dann dachte ich: Wieso gelingt *mir* das nicht, was diese phantastischen Frauen so spielend bewältigen? Wieso bin ausgerechnet *ich* so ein Versager? Nachher bin ich draufgekommen, daß die Wirklichkeit ganz anders ist, und die positiven Heldinnen sind nur aus Papier. Ich hab viel geweint, viel gezankt, ich wußte ja selber nicht, warum. Praktisch ging meine ganze Kraft für die primitivsten Dinge drauf.

Ich funktionierte so lange, wie ich unbedingt mußte, dann wars aus. Drei Jahre war ich invalide geschrieben. Mein Hausarzt hat mir aber immer gesagt, ich soll mich zusammenreißen, es wären nur die Nerven. Damals hab ich mich mehr mit dem Tod beschäftigt als mit dem Leben. Gefürchtet hab ich ihn nur insofern, als meine Kinder noch nicht groß waren. Aber ich hab ihn auch herbeigesehnt. Mit dem Thema bin ich heute fertig. Von Dauer ist nichts auf dieser Welt, warum soll ausgerechnet mein kleines Leben von Dauer sein?

Als ich nun ausfiel, mußte Richard einspringen. Das mußt du dir vorstellen. Der Dicke hatte doch keine Ahnung, wie er an die Kinder herankam. Er fuhr inzwischen keine Laster mehr, war Einsatzleiter im Möbellager geworden. Das war eine schlimme Strecke. Der liebe Papa war nicht mehr der liebe Papa. Taschen aufmachen abends genügte nicht mehr. Ja, was denn nun? Ans Herumkommandieren waren die Kinder nicht gewöhnt. Mit mir ging die Arbeit immer Hand in Hand, da hatte alles einen schönen Ton. Plötzlich spielten sich scheußliche Szenen ab, richtige Machtkämpfe. Die Großen im schwierigsten Alter, die Mama im Krankenhaus, todkrank, der Papa geht fremd, zu Hause will er herumkommandieren. Dem Dicken fehlte doch das Sexuelle. Dann konnte ich schon spazierengehen, ich vergesse das nie, von einer Bank zur anderen. Die Schwestern sagten: Sie müssen sich bewegen. Wenn Sies nicht schaffen, schicken Sie nach einem Rollstuhl. Und da kommt mir Richard entgegen, verliebt, jung, strahlend. Ich grau, abgehärmt, in meinem alten Mäntelchen. Er guckt mich an, ganz fremd. Gott, dachte ich, was ist das für ein Mensch? Mit dem hast du doch nichts gemeinsam. Ich bangte um mein

Leben und sah zu, wie die Familie zerbröckelte, und er lief den Frauen nach.

In der Situation schrieb mir eine Bekannte, daß Richard irgendeiner Frau ein Kind gemacht hätte. So, die will ich sehn, und wenn du mich nicht mit ihr bekannt machst, geh ich in den Laden und mach ihr Ärger. Sie kam, aus Angst, und ich hab zu ihr gesagt: Ich will nur eins, treten Sie mir Ihre Wohnung ab, übernehmen Sie meine Wohnung, die Kinder und den Mann. Ist doch ein feiner Tausch, nicht? Ich bin einfach nicht mehr imstande, das alles durchzustehen. Im Grunde wollte ich wissen: Reicht ihre Liebe oder reicht sie nicht, dann taugt sie nicht für Richard. Meine Mutter hat die Kinder übernommen von der verstorbenen Frau. Ich hab ihr gegenübergestanden und hab sie angeguckt und hab mir gedacht: Ich bin zwar weiß Gott nicht schön, ich bin eine kranke Frau, aber wie kann er sich so eine übriggebliebene Jungfer nehmen? Jedenfalls, sie sagte, nein, die Kinder nicht, nur den Mann. Was hat sie sich denn gedacht, wen die da anheuert? Der Dicke konnte doch uns kaum ernähren.

Wir sind dann regelrecht geflüchtet. Ich hätte der Frau mit dem Kind nicht begegnen können. Hier wurde ich dann nach und nach gesund. Aber ich habe einen Fehler, ich bin nachtragend. Mich kann im Innern was jahrelang beschäftigen, und auf einmal bringe ich es an, wenn der andere schon nicht mehr daran denkt. Es war ja wieder alles gut, wenn du so willst, aber ich hab ans Heimzahlen gedacht, so daß sogar meine Kinder gesagt haben: Mama, jetzt bist *du* oben, und Papa ist unten, merkst du das? Ich bin zur Kur gefahren, und ich hab mir einen Kurschatten angelacht, und der Dicke ist zersprungen vor Eifersucht. Hinterher hab ich zu ihm sagen können: Ich mach jetzt, was *ich* will. Ich hab einen Brief geschrieben an diesen anderen Mann, und Richard hat ihn zur Post bringen müssen. Und was hat er gemacht? Zum Absender hat er dazugeschrieben: Und ICH, Richard, der Gemahl!

Hör zu, zwanzig Jahre lang bin ich eine treue Frau gewesen, ein Schaf. Und dieser Kurschatten, ich dachte, für den würde ich um die ganze Welt laufen. Wenn wir uns anguckten, wußten wir schon alles. Wir gehn wie die Kinder Hand in Hand, jede freie Minute, kein Wetter ist uns zu schlecht. Aber die Kur war vorbei, und da sagte ich mir: Rappel dich auf, Karolin, vergiß die Spielereien, du mußt unabhängig werden, damit du endlich sagen kannst: Geh, wenns dir nicht paßt. Soweit bin ich jetzt. Aber mein Dicker wird damit nicht fertig. Er würde sich halbtot freuen, wenn ich sage: Ich hör mit der Arbeit auf, ich kann nicht mehr. Ich bin oft nahe dran, ich weiß, daß ich von meiner Substanz lebe. Aber ich höre nicht auf, solange ich kriechen kann. Und zwar aus dem Grund nicht, weils mich unheimlich bestätigt hat, das doch noch geschafft zu haben.

Ich hab bei der Jugendfürsorge angefangen, zuerst war ich eingesetzt für ein paar Familien, jetzt bin ich Kaderleiterin. Weißt du, wie ich angefangen habe? Was eine andere allmählich mitkriegt in Jahren, das hab ich in drei Wochen begreifen müssen. Menschliches Einfühlungsvermögen genügt da nicht, man muß auch die Gesetze kennen. Am Anfang hab ich den Mund nicht aufgemacht. Da hat mir einer so den Kopf gewaschen, ich hab mich in eine Ecke gesetzt und hab geheult. Du hast es nicht nötig, hat der zu mir gesagt, dein Licht unter den Scheffel zu stellen, du bist wer. Er hat mir eigentlich die Augen geöffnet. Nicht auf der Kur, sondern auf der Arbeit hab ich mein Selbstbewußtsein zurückgekriegt. Hab ich mir gedacht: Na schön, Karolin, du bist wer, aber *wer* biste denn? Dann kam die nächste Versammlung, ich dachte, Gott, der guckt schon wieder im Kreis herum, und ich, grün und gelb vor Aufregung, hab mir ein Herz gefaßt und hab ganz natürlich über eine Sache gesprochen, wo ich Bescheid wußte. Und seitdem mach ich das immer so.

Mit dem Dicken lebe ich gut zusammen, auf einer gleichberechtigten Basis. Die hab ich teuer bezahlt. Die

Kinder sehen ihm vieles nach, weil sie erleben, wie ich wieder Brücken baue. Die Familie wäre sonst zerstoben in alle Winde. Jetzt fährt mich Richard in den Dienst, holt mich vom Dienst, aus Angst, es könnte sich ein anderer für mich interessieren, oder ich könnte unterwegs am Herzschlag sterben. Jetzt ist ihm klargeworden, was er für 'n Menschen hat. Richard lernt schwer, aber wenn er begriffen hat, dann treibts ihm keiner mehr aus. Über all die schlimmen Dinge hat uns eben getragen, daß wir uns lieben. Heute bringen wir so viel Verständnis auf, einer für den andern, daß andere schon den Kopf schütteln. Weißt du, was ich denke? Richard hats schwerer als ich, der muß mit der neuen Situation zu Rande kommen. Letzten Endes wird er sich in seiner Haut besser fühlen als früher. Ich hab ihn ja auch irgendwie unterdrückt, solang ich selber unterdrückt war. Jetzt muß er mir nicht mehr ständig was vorgaukeln. Jetzt hat er die Möglichkeit, ehrlich zu leben, mit mir gemeinsam und nicht mehr neben mir oder gegen mich.

Kommt vielleicht hinzu, daß ich religiös erzogen wurde. Ich hatte immer was, woran ich mich halten konnte. Insofern hab ich manchmal Angst um meine Kinder, die wir nicht religiös erzogen haben. Als Konfirmationsspruch hab ich mir gewählt: Selig sind, die reinen Herzens sind, denn sie werden Gott schauen. Gott ist einfach das Gute für mich, nichts weiter. Ich sehe immer was Gutes und hab mir immer gesagt: Hast keinem Menschen was zuleide getan, Karolin, jedem würdest du helfen, und wenn du in eine schlimme Situation kommst, wird auch dir geholfen werden. Trotzdem ich Genosse bin. Als Genosse fühlte ich mich schon, seit ich aus der Schule bin. Nicht weil man mir das aufgepfropft hat, sondern weil ich die traurigen Zustände durchlebt habe und was verändern wollte. Für einen Reichen ist es ein Abstieg, wie wir jetzt leben, die Arbeit, der Krautacker, das kleine Haus, kein Kupferdach mehr wie in der Ukraine. Aber für uns wars ein großartiger Aufstieg. Unter anderen Verhältnissen wäre ich doch wieder an einen Landarbeiter verheiratet worden. Dieser wohlhabende Gastwirtssohn wäre unerreichbar gewesen für mich. Ich wär nie aus meinem Kreis herausgekommen, ich hätt ja gar nicht soweit denken gelernt. Unsere Selbstverständlichkeiten heute, die waren für uns Luxus, täglich Brot haben, sich Schuhe kaufen können, eben als Mensch behandelt zu werden. Aus diesem Grund kann es nur *meine* Gesellschaftsordnung sein. Ich hab ein ganz gesundes, ungebrochenes Verhältnis zu diesem Staat. Und ich vertraue sehr auf die Jugend. Ich finde es herrlich, wenn die jungen Männer mit dem Kinderwagen losschieben, wenn sie ihrem Kind das Fläschchen geben. Ich erlebs an meinem Jörg. Seine Frau ist noch auf Arbeit, da ist die Wohnung schon sauber, er hat das Kind aus der Krippe geholt, das Abendbrot steht auf dem Tisch und eine Kerze. Ist dir aufgefallen, daß die jungen Männer den Mädchen weniger auf den Körper schauen als ins Gesicht, früher war das anders. Es ist gut, daß schon äußerlich die Mädchen und die Jungs nicht zu unterscheiden sind. Ich sehs an meiner eigenen Familie und an mir selber, wie sich gewisse Dinge, die guten und die schlechten, von Generation zu Generation fortpflanzen. Es gibt noch zu viele Menschen mit fauligen, egoistischen Wurzeln, die sind natürlich auch in Positionen, wo sie unsere Jugend beeinflussen können. Aber unsere Jugend hat viel Selbstbewußtsein und viel Wissen. So weit war ich mit vierzig nicht wie die mit ihren siebzehn, achtzehn Jahren. Ich sage dir, da wird unser Staat noch Zugeständnisse machen müssen. Wir Alten sind ja so bescheiden, wir fordern heute noch nichts. Wir rennen geduckt wie die Mäuschen. Mag sein, daß die Jugend erst einmal für sich was verlangt, und das schmeckt uns nicht. Egal, ich weiß, welche Bedürfnisse die menschliche Natur wirklich hat. Ich vertraue darauf, daß sie sich auf die Dauer nicht zufriedengeben werden, nur für sich was zu fordern. Wirst sehn.

Mein Großvater, der starb jung an Lungenentzündung. Und die Großmutter ging immer mit die Hirschkuh und die Tragekiepe aufm Rücken, ging sie nach W. zur Post. Die war Briefträgerin. Die Hirschkuh blieb denn draußen stehn. An die Kiepe durfte keiner ran, war doch Geld und alles bei. Die Hirschkuh war schlimmer als 'n Hund, sag ich Ihnen. Die Leute haben sich immer gefreut über die zwei.

Nu mit die fünf Kinder alleine, das war für die Großmutter sehr, sehr schwer. Mein Vater war der Älteste von der Bande, der mußte die alle großziehn, lauter Mädels. War früher alles anders. Eh er zur Schule ging, mußte er den ganzen Mädels die Haare kämmen. Wie so ein Bursche ist, wissen Se, schnell soll es gehn, nach Schule mußten sie, wa? Wenn sie denn geschrien haben, hat er sie erst richtig durchgezogen. Die hatten lange Zöpfe und so volles Haar wie ich früher, ja, ja.

Mein Vater ging mit fünfzehn in Stellung, beim Großbauern, der mußte tüchtig arbeiten. Immer im Pferdestall schlafen, wie das so war, morgens im Winter, war doch mächtig kalt, da war ihm der Bart manchmal richtig feste angefroren, Eiszapfen dran. Früher war es viel kälter, finde ich. Ach, das gibt einen ganzen Roman. Bei die Großbauern haben sie im Stall eine Kammer abgeschlagen für die Betten, bei die Mittelbauern schliefen sie gleich im Stall mit drin, bei die Pferde, bis fünfundvierzig, ja, ja. Was mein Vater verdient hat, das war ganz wenig, das hat er seiner Mutter gegeben. Anzug war nur einer da, war alles nicht so wie heute, der wurde geflickt, mit der Hand, hat sich mein Vater alles alleine gemacht. Stricken konnte er, für uns hat er denn auch Strümpfe gestrickt. Der hat es schwer gehabt.

Meine Mutter hat ihre Mutter verloren, da war sie sieben. Meine Mutter stammt aus der zweiten Ehe von mein' Großvater. Die Tochter aus der ersten Ehe, die zog meine Mutter groß. Die erste Frau ist an die schwarzen Pocken gestorben. Da wurde alles zugenagelt im Haus und alles verbrannt. Die Kranken, die haben ganz schwarz ausgesehen, die hätten sich am liebsten das Leben genommen. Die Leute haben ihnen nur das Essen hingestellt und sind weggerannt, ins Haus ist niemand gegangen, ja, ja. Vier Familien haben im Dorf die schwarzen Pocken gehabt. Und nach dem wurden alle geimpft, denn kam die große Impferei, wissen Se. – Anne, laß die Hunde raus, die machen ein Theater heute.

Meine Mutter hat mein Vater aufm Gut kennengelernt. Die haben sich denn zusammenschreiben lassen. Große Hochzeit konnten sie nicht machen, meine Mutter war in andere Umständ vom Vater, der hat sie denn ooch geheiratet, wa? Die haben ganz armselig angefangen, von keinem was gekriegt, die mußten sich ganz alleine redlich quälen.

Ich bin 1901 geboren. Der letzte Schuß von mein' Vater war ich, der wollte immer noch ein kleines Mädchen haben. Ist ja denn auch ein Glück für alle gewesen, das sehen Sie ja. Dreiundvierzig war meine Mutter, die hat geschimpft mit mein' Vater. Gab ja noch keine Pille, so 'n Blödsinn haben die noch gar nicht gekannt. Bei meiner Schwester fehlten vierzehn Tage auf zehn Jahre, die war sie älter als ich. Mein Bruder war fünfzehn Jahre älter als ich. Aber die haben 'ne ganz flotte Ehe geführt, meine Eltern. Sehr arbeitsam. So wie wir hier Kaffee trinken und Kuchen essen, so was gabs nicht. Stullen wurden geschmiert mit Schmalz, auf der Hand, wa, und denn Schnittlauch draufgeschnitten und 'ne Scheibe Schlackwurst. Ah, das hat geschmeckt! Wir haben große Schweine geschlachtet, immer so einige Zentner das Schwein. Hat der Fleischer gesagt: Ihr mit eure große Swin, Menschenskinder, das schaff ich nicht mehr, da wird mein Junge helfen bei.

Jeden Morgen sechse ging das los nach Schule, damit wir um sieben da waren. Und denn mit Holzpantoffeln. Ach, und so dunkel, der Wald so dicht, da haben wir Angst gehabt, wissen Se. Die Zigeuner immer mit die Pferdewagen, Donnerwetter, die kochen schon wieder am Lagerfeuer. Haben wir eine Angst gehabt, sind im Bogen über die Berge abgehaun.

Zwei Zimmer hatten wir, ein Wohnzimmer und ein Schlafzimmer, da schliefen wir alle fünf, das war früher so Mode. Manche haben viel mehr Kinder gehabt, uns gings gut. Meine Mutter ist nachts um dreie aufgestanden, denn hat sie Essen zurechtgemacht, schön eingewickelt und ins Bette gestellt, damits warm bleibt, ja, ja. Und mittags nach Schule, wir Kinder, das Essen in so 'n Hundewagen rin, und los nachm Feld. Und einmal hat der Hund den Wagen umgekippt, hat er einen Hasen gesehen, und quer übers Feld, und das ganze Gelumpe zerbrochen. Haben so 'ne Steinpullen gehabt, damit die Milch warm bleibt. Alles hin! Herrgott im Himmel, wat denn nu?

Wenn wir Ferien hatten, wissen Se, was wir machen mußten? Nach Feld, Roggen ernten, mit acht Jahren. Aber feste. Vater mäht mit der Sense, wir machen schöne Bunde, Mutter bindet ein hinterher. Alles im Akkord. Mein Vater war ein flotter Arbeiter, immer tüchtig, immer tapfer. Und Kartoffeln buddeln. Das erzähl ich noch, denn kommt der Mietstaler dran. Um fünfe uffstehn, ach, Mutter! Neben uns waren die Polen, das war so 'ne Bande, die haben gleich die Sträucher mitgerissen und rin in die Kiepen, mitm Sand. Die hatten denn auch so viele Marken in der Tasche, die schafften wir nie. Haben die geschummelt, Mensch! Und wir Dusseln, wir haben immer schön vollgemacht die Kiepen mit Kartoffeln. Kalt ists heute, wa? Ich friere immer. Lieber zwei Sommer als ein Winter... Nach Hause gekommen: Ach, Vater, guck mal, ich hab heute wieder offene Hände. Da konnte man richtig was reinlegen zwischen die Finger, solche Wunden. Der Sand reibt doch, hat auch noch geregnet, wa? Denn hat Vater Pech genommen, heiß gemacht am Talglicht und ringemacht in unsere Wunden. Ich darf gar nicht dran denken!

1915 kam ich aus Schule. Meinen Mietstaler hab ich schon mit dreizehn gekriegt. Sind drei Mark gewesen, damit ich auch hinkam, für ein ganzes Jahr war ich richtig gekauft, wa? War das Kurzwarengeschäft in Z., gibts heute noch. Ich hab ein schönes Zimmer gehabt, alles, was recht ist. Wenn nachher der August kam, konnte ich die Weintrauben ausm Fenster pflücken. Da war ich anderthalb Jahre bei Bergmanns. Ich wär am liebsten dageblieben, aber ich wollte meiner Schwester in Berlin einen Gefallen tun. Ihr Mann war eingezogen, und nu kriegt sie ein Kind und schreibt immer, ich soll kommen, sie graut sich allein. Und meine Mutter will es auch so haben. Nun haben die Bergmanns geheult, und ich ooch geheult, und die Kinder haben geheult, ich hab doch alles gemacht für sie, gebadet, gekocht, das ganze Haus saubergemacht, alles.

Bei meiner Schwester bin ich ein Fabrikmädel geworden. Da hab ich Granaten gedreht, damit sich die Soldaten konnten totschießen. Noch verrückter, wa? Ach, das kann man gar nicht alles erzählen, das ist ein Roman! Denn bin ich zu Schwarzkopf, die haben Treibriemen gemacht, ganz große Treibriemen für die Schiffe, wissen Se, die wurden geklebt. Die Luft da drinne! Die Leute sind umgefallen. Wer was hatte an der Lunge oder am Herz, der ist kaputtgegangen. Ich war auf der Männerabteilung, ich hab lieber mit Männern gearbeitet, von Frauen halte ich nicht soviel, wissen Se. Denn ging ich an die Stanzmaschinen, und das war ganz interessant. – Hermann, füttere die Kaninchen, wird nachher zu spät. – Ich war für alles zu gebrauchen. Heute sind die Leute faul geworden, die reißen ja auch keine Betten mehr. Ist nicht mehr, daß man zum Federnreißen zusammenkommt, die ganze Nachbarschaft, bis nachts um zwölfe, und denn noch Kaffee und Kuchen hinterher.

In Berlin hatte ich ein' Onkel und eine Tante zu wohnen. Mein Onkel war bei die Eisenbahn. Und die feierten immer Kaisers Geburtstag. Da bin ich auch einmal mit eingeladen worden. Gab schön was zu essen, wunderbare Walzer wurden da getanzt, und meine beiden Cousins, die konnten so schön versieren, mal rechtsrum, mal linksrum. Wissen Se, Walzer kann man zu Hause lernen. Sie stellen Walzer an, Plattenspieler oder Recorder, wa, und denn immer eins-zwei-drei, eins-zwei-drei um den Stuhl herum. Walzer tanze ich heute noch mit Wollust. Manchmal wird mir ein bißchen doof im Kopfe, wa? Hier aufm Flur, Opa in seine Latschen, haben wir oft getanzt, ja, ja. Kennen Se den Spruch: Der Kaiser ist ein guter Mann, er wohnet in Berlin, und wär es nicht so weit von hier, so reist ich heut noch hin ...

Ach, und den Karl und die Rosa hab ich kennengelernt, persönlich gesehen auf der Tribüne, war so interessant mit die beiden! Die Rosa Luxemburg, die hat sehr auf mich gewirkt. Ich war so viel für mich allein, und keine besseren Leute um mich, da hab ich viel nachgedacht über alles. Ich hab zu meiner Schwester gesagt: So was wie die Rosa siehste nur einmal im Leben! Wenn sie gesprochen hat, war ich immer da. Ich sehe sie noch stehn. Dunkle Haare, so hochgesteckt, wa, 'ne rosa Bluse und blauen Faltenrock. Etwas schief kam sie mir vor. Aber eine Klappe hatte die! Da konnte man direkt staunen. Ich hab mir immer gedacht, wenn das eintreffen wird, wissen Se, was die so erzählt, hat sie ganz gute Ideen gehabt, die Rosa. Hätt ich mir nicht träumen lassen, daß ich das alles erleben werde. Hab nur gedacht: Sieht doch schlimm für uns aus. Und wie sie sie denn ertränkt haben, im Kanal, ach Gott!

Von Berlin mußten wir weg, 1921 oder so, waren zu wenig Wohnungen da nachm Krieg. Die vor vierzehn

nicht in Berlin waren, die mußten nu wieder zurück, wo
sie hergekommen sind. Ach, du lieber Gott, wat denn nu,
ich wollte doch gar nicht weg von Berlin! Bin zu meine
Eltern zurück, aufs Gut arbeiten. Dachte immer, nee,
hier bleibste nicht, Berlin ist viel interessanter. Und wie
der Teufel sein Spiel hat, bin tanzen gegangen, hab mein'
Mann kennengelernt, ja, ja. Bin aber immer noch nach
Berlin gefahren, mich stach der Hafer, wa? Hab ich
nichts von mir hören lassen, hat mein Mann gedacht, es
ist aus, die hat 'n andern. Na ja, ein bißchen Liebschaft
hatt ich schon noch, alte Liebe rostet nicht. Mit mein'
Mann wollte ich erst gar nicht. Denn hat er mich doch
festgenagelt. Weißte wat, hat er gesagt, wir verloben uns,
meine Großmutter braucht jemand im Haus, die ist so
allein. Seine Mutter, die Minna, hat sich wieder verheiratet, wissen Se, die hat wunderbar genäht, für die Graf-
schaft hat sie genäht, die alte Gräfin lebte damals noch.
Ich hab mir denn überlegt: Die Großmutter möchtest du
nicht im Stich lassen. Die hat dich so lieb aufgenommen,
können Sie sich gar nicht denken! Der erste Schritt, den
man in ein fremdes Haus tut, ist der beste, nicht? Na ja,
wir haben geheiratet, mein Mann war Vertreter. 1926 hab
ich den Jungen entbunden, hier im Haus. Wir waren uffn
Feld, Großmutter und ich, die war noch ganz lebendig,
jeden Abend sind wir nachm Wald gefahren, haben Holz
geholt, mitm Handwagen. Wir müssen noch aufs Feld,
Kartoffeln holen, sag ich. Ach, sagt die Großmutter,
kannste denn überhaupt noch? Wenn ich nicht mehr
kann, Großmutter, weißte wat, denn setz ich mich aufn
Handwagen, denn fährste mir nach Haus. Ja, sagt die
Großmutter, so machen wirs. Aufm Feld krieg ich schon
Wehen, ach! Großmutter, sage ich, man weiß ja nie, vielleicht verlier ich noch mein ganzes Zeug hier. Ziehn wir
nach Haus, ich hab mächtigen Kohldampf, ich möchte
'ne große Pfanne Eier einschlagen und Pellkartoffeln und
saure Gurke zu. Gemacht, getan und alles aufgefuttert.
Sagt die Großmutter, Mädchen, du bist nicht gescheit. Ist

mir aber alles gut bekommen. Ist die Hebamme gekommen, sagt: Nu müßten Sie eigentlich ins Bette, Frau Schäfer. Was soll ich im Bette, sage ich, im Bette sterben die Leut. Nachts ist es erst angekommen. Und die Großmutter war froh. Wo hast du denn das Kind zu sitzen gehabt, hat sie gesagt, das hat man ja gar nicht gemerkt? Nicht einmal unser Doktor hat das geahnt. Na ja, man hat sich doch geschämt. Die Großmutter hat immer gesagt: Mädchen, du kommst mir voller vor. Na ja, sag ich, Großmutter, ich eß ja auch mehr. Sagt sie, hast du denn deine Tage nicht oder wie? Doch, doch, sage ich. Sehn Se, so doof waren wir. Zum Schluß war die Großmutter die einzige, dies gewußt hat.

Drei Tage war ich im Bette, denn bin ich aufgestanden. Aber bloß nichts heben, Großmutter hat immer die Hände drüber gehalten. Großmutter hat den Jungen taufen lassen. Aber wie sie tot war, hab ich nur mehr geglaubt, daß sieben Pfund Rindfleisch eine anständige Brühsuppe ergibt. Und tue recht und scheue niemand! Aufrichtig und gefällig für jeden bin ich durchs Leben gegangen, ja, ja. Der Mann war ein Lebemann, das ist er geblieben. Aber wolln wir mal sagen, über solche Verhältnisse sprech ich sowieso nicht, das war zu viel Leid, so was trag ich gerne in mir selber. Warum sollen sich andere darüber Gedanken machen. Es heißt doch, freut euch nicht über andere Leut, nächsten Tag seid ihr selber dran.

Großmutter hat 'ne Pension gehabt nach ihrem Mann. Davon haben wir gelebt. Und ich hab immer gearbeitet, hier mal und da mal. Ich hab viel bei die Leute geholfen. Kartoffeln buddeln, später sammeln hinter die Maschine und nachts dreschen. 1934 starb meine Schwiegermutter. Die war inzwischen verheiratet in Berlin, mit 'nem Bollmann, der arbeitete im christlichen Zeitschriftenverein. Denn ist sie krank geworden, und mein Mann ist ins Krankenhaus gefahren zum Professor. Vierundfünfzig war sie, noch jung, wa? Wenn Sie sie noch draußen haben wollen, hat der Professor gesagt, es kann sich nur mehr um Tage handeln. Klar müssen wir die Mama nach Hause holen, hab ich gesagt, ich kannte sie kaum. Ach, wenn ich dran denke, wie die hier ankam! Weiß wie der Kalk an der Wand. Und wie lang das noch gedauert hat, acht und 'ne halbe Woche. Habs wirklich mit Liebe gemacht. Will mal sagen, sie ist bei lebendigem Leibe verfault, an Unterleibskrebs. Alle Tage Morphium. Wenn ihr mir einen Eimer voll gebt, sagt sie, dann wirds vielleicht besser mit die Schmerzen. Hier hatte ich sie zu stehn, unterm Fenster. Nun kam der Frühling, wa, nun hatte ich lauter Knollen im Garten, Schneeglöckchen und Krokusse. Die pflanze ich nun in die Töpfe und stell sie ins Fenster. Die waren so schön gewachsen, da hat sie sich so darüber gefreut.

Dann kam mal der Pastor, sagt zur Krankenschwester: Wissen Sie, Sie müssen jetzt auch mal Nachtwache schieben, Frau Schäfer kann ja nicht mehr. Blau war ich immer. Hab immer nur Schorle-Morle getrunken, Schnaps dazwischen gegossen, daß keiner was merkt. Man lacht vielleicht darüber, 's ist mir aber sehr, sehr ernst gewesen. Fragen Sie nicht, wieviel Kölnischwasser ich verspritzt habe. Das Zeug, das da rausgekommen ist, waren ja nur noch Hautfetzen. Und hinten lag die Großmutter, die hatte ihren Schenkelhalsbruch. Ja, ja, die mußte den Abend noch in Garten gehn, Äppel rappen. Ich sage, Großmutter, laß das sein, ist schon so neblig. Nee, sie ist raus – und ausgerutscht. Ach ja, kein Mensch hat mir geholfen. Der Doktor sagt: Wir müssen Sandsäcke füllen, wir müssen das Bein strecken. Nun war die Großmutter aber so schwer, und denn noch die Sandsäcke. Ins Krankenhaus wollte ich sie ooch nich geben. Heute, um Himmels willen, da findet sich doch kein Mensch mehr, der das macht, heute gehts gleich ab ins Pflegeheim, ist doch so.

Schwiegermutter starb denn. Da kam der Bollmann aus Berlin. Weiß ich noch wie heute. Das Ende war schrecklich, will gar nicht darüber sprechen. Der Bollmann, was ihr Mann war, der hatte schon vorher eine andere, der wußte ja, es war nischt mehr zu machen, hat er sich gleich die nächste geholt. Hieß genauso Minna, war genauso alt, hat alles hingehauen bei dem Bollmann, wa? Und ich hab seiner Frau die Augen zugedrückt. Der Pastor hat gesagt: Das kann Ihnen keiner nicht danken, wieviel Liebe Sie geopfert haben, Frau Schäfer. Haben sie doch alles von mir genommen, und war ich immer tapfer. Wenn Großmutter morgens meine Hände gekriegt hat, sagt sie: Berta, reib mir wieder schön ein, wenn du bei mir bist, ist mir wohler. Da hat sie meine Hände so gestreichelt... Ach, die Großmutter! Die war sehr alt, wie sie gestorben ist, und spaßig war sie. Na ja, schon ein bißchen umnachtet. Hat auf einmal das Federbett auseinandergerissen. Du lieber Gott, denke ich, was machst du denn, Großmutter, du hast ja 's ganze Bette kaputtgerissen! Nun lag sie wie Frau Holle im Bette und hat sich gefreut. Und ich war so traurig, nun holen Sie mal die ganzen Federn wieder zusammen!

Nachts ist sie auf die Straße gelaufen, im Hemde, wa? Ihre Eltern haben in W. gewohnt, da wollte sie noch hin. Die haben aber gar nicht mehr gelebt. Doch, hat sie gesagt, die sind da, ich geh jetzt los. Barfuß, im Hemde. Hab ich sie immer wieder zurückgeholt. Und so kalt draußen, kein Mensch auf der Straße, nur wir beide, ich kann Ihnen sagen! Aber sie ist wenigstens nicht stur gewesen, sie ist mitgekommen.

Heiligabend neununddreißig hat sie sich von mir verabschiedet, sehen Se, da war sie wieder ganz klar. Großmutter, sag ich, willst du noch was haben für die Nacht? Ich will dich noch auf Wiedersehn sagen, meine Tochter, sagt sie. Großmutter, sage ich, ich sag doch immer gute Nacht. Na ja, sagt sie, heute ist das anders. Ich danke dir schön für alles Gute, was du mir getan hast... Denn hat sie, denn hat sie noch gesagt: Komm, lieber Herrgott, deck mich zu und bring mich nun zur Ruh... Und denn wars aus mit der Großmutter.

Den Abend waren wir noch eingeladen bei meinen Neffen. Meine Mutter hat gesagt: Wenn wir Großmutter fertig gemacht haben, können wir noch gehn. Nee, sage ich, ich kann doch Großmutter nicht allein lassen, das war mir so unheimlich, ganz schrecklich war mir das. Denn wird eben zugeschlossen, haben sie gesagt, die Großmutter holt keiner mehr. Der Tischler Otto hat noch nachts ein' Sarg angepinselt, der hat so nach Farbe gestunken. Er hat sich ein Pferd geliehen und die Groß-mutter nachm Friedhof gefahren.

Warum bellen die Hunde so, Anne? Da ist doch was los. – Und denn kam meine Mutter nachher. Die hat hier in der Stube gewohnt, hat auch am Fenster geschlafen, wie meine Schwiegermutter. Das kann ich doch nicht machen, sie in ein Altersheim geben. Zwei Jahre hat sie noch gelebt, denn stand ich ganz alleine da. War mein Haus auf einmal leer. War doch schon Krieg. Meine Schwiegermutter hat schon vierunddreißig gesagt: Der Krieg ist noch nicht reif. Der wird schon noch reif wer-den, sage ich, verlaß dich drauf.

Denn wurde der Mann eingezogen. Den Jungen haben sie mir geholt, wie er siebzehn war. Das war das schlimmste. Die haben doch nicht mit Bonbons ge-schmissen. War doch ein ganz anderes Gefühl, als wenn die Jungs heute eingezogen werden. Und keine Nach-richt! Jeden Tag geguckt: Frau Hanheber, haben Sie keine Post für mich? Ach, du lieber Gott, ich werd noch ver-rückt. Nun hatte ich nur noch 'n großen Hund, der stand mir bei. So bin ich uffn Hund gekommen. Na, denn wur-de ich kriegsverpflichtet nach S. Da war eine Munitions-fabrik, da hab ich wieder Patronen gemacht, wie im er-sten Krieg. Jede Patrone hat mich aufgeregt. Die wurden gewogen, zur Kontrolle, und denn in Kisten. Und drü-ben die Russenmädel, die haben immer Pampusitschka zu mir gesagt, ich weiß nicht, was das heißen soll. Was den-ken Sie, was die für Hunger hatten! Brot hatte ich genug, meinem Bruder seine Frau, die schickte mir immer Brotkarten. Der alte Opa Hannes, der aufpassen sollte auf die Mädel, der hat auch immer Stullen gemacht für sie. Ich hab aber keine Margarine draufgeschmiert, ich hab gute Butter draufgeschmiert, hab auch die Schmiere geteilt. Ich hatte so 'ne große schwarze Schürze, und denn leise in die Taschen gefaßt und unterm Tisch durch. Und meine Nadja und Katja, die haben sich gefreut. Es gibt keine größere Freude. Die olle Kohlrübensuppe, die wir gekriegt haben, die konnten sie nicht mehr vertragen, keine Strümpfe auf die Beine, die armen Mädchen waren immer krank. Wir haben gewußt, daß sie aus der Ukraine kommen und daß es ihnen schlecht geht. Ich hab mich immer gewundert, die müssen antreten und marschieren und immer große Köter bei. Wo marschieren die bloß hin? Vom Lager im Wald haben wir nichts gewußt, durfte ja keiner hin. War auch weibliche SS bei. Die hatten ihre Reitpeitschen, die dachten wunder, was sie nun sind. Ach, die hätt ich können verhaun! Die kannte ich, die Käthe Brandenburger, die ist jetzt in Köln. Na, wolln wir mal sagen, die Schlimmste war die Käthe nicht, da waren ganz andere Schweine bei. Und zu Hause hatte ich Kroaten zu wohnen und Belgier, die waren zwangsverpflichtet. War schön mit die kroatischen Mädchen, die hingen so an mir. Am 13. April fünfundvierzig sind sie aufn Güterzug oben rauf und einfach losgefahren, werde ich nie vergessen. Ich hab immer gesagt: Wo mögen die Mädel stecken? Achtzehn Jahre später kommt eine von ihnen zu Besuch. Das war eine Freude, können Sie sich gar nicht denken!

Denn kam der Mann nach Hause. Der Junge kam erst siebenundvierzig aus der Gefangenschaft. Ach, den seh ich noch kommen, wie 'n Weihnachtsmann. Mitm großen Sack aufm Buckel, Seife hat er gehabt und Kaffee, und mit so olle Botten, weil sie ihm die Schuhe geklaut haben unterwegs. Wissen Se, ich hab mir zwischendurch immer meine Karten gelegt. Mal sehn, ob wir Besuch kriegen, ob mein Sohn bald kommt. Und der lag immer ins Haus. Und denn ist er gekommen und hat mir die Karten verbrannt. So was gibts nicht, hat er gesagt, das ist Quatsch. Wie er die Anna kennengelernt hat, hab ich wieder Karten gelegt und zu ihm gesagt: Du hast eine Freundin, wo ist sie? Bums, waren die Karten wieder im Feuer. Karten hat er nie wollen, aber Flinten. Geht heute noch auf die Jagd.

Ja, ja, ist alles sehr schwer gewesen, nach diesem ollen dummen Krieg. Statt vorwärts ist man rückwärts gegangen. Man war gerade am Aufbaun vorm Krieg, da war wieder alles kaputt. Nun hatte ich erst mal vier Männer zu wohnen, die waren ausgebombt. Einer hat mich denn gefragt: Kann ich nicht meine Braut herholen, die hat auch kein Dach überm Kopf. Und denn kamen die eigenen Enkel dazu, jedes Jahr ein Enkel von der Anna. Die Anna hats auch schwer gehabt. Ihre Mutter hat ihr nichts beigebracht, hat nur gesagt: Setzt euch hin, Kinder, seid ganz still, sonst fällt der Kuchen im Ofen zusammen. Das war die Mutter von unserer Anna. Aber was man nicht kann, muß man lernen, man muß schwibbe sein, wa? Die Anna hat denn die ganze Entwicklung im Dorf mitgemacht. Für Kindergarten hat sie gekämpft und daß eine Schule kommt und eine Wäscherei. Ich hab nicht gedacht, daß wir das schaffen. Ich hab das Wasser noch mit Eimer und Ketten getragen, über 'ner Stange aufm Rükken, wir haben ja keine Wasserleitung gehabt. Ja, ja, ist ein ganzer Roman. Aber ich geh noch immer gerade, sehen Se. Das ärgert mich so, wenn die Jugend so krumm und schief daherlatscht. Unser Berndt, der läuft jetzt schön graziös, hat er sich angewöhnt beim Militär.

1952 haben die Jungen eine Neubauernstelle zum Akker dazugenommen, fingen mit ein Kuhgespann an. War eine große Umstellung mit viel Krieg und Krach. Die Anna immer schwanger. Einmal ist sie verunglückt, beim Holzabladen. Ich hab sie wieder hochgekriegt, aber da war mir, als ob ihre letzte Stunde geschlagen hätte. Ich habe ihre acht Kinder großgezogen, und eins ist gestorben, wies ein paar Wochen war. Die Anna ist im Kuhstall gewesen und denn aufm Feld. Jetzt fährt sie die neuen Mähdrescher. Das hat sie alles nur machen können, weil die Oma da war. Aber die Anna hats schwer gehabt. So viele Kinder, so viele Sorgen, wa? Der Älteste war einmal halbtot, mitm Motorrad. Die Anna ist nachts ins Krankenhaus gelaufen. Und zu Hause der halbfertige Weihnachtsbaum. Die Puppen haben keine Köpfe gehabt, nur neue Kleider, die Köpfe hat die Fabrik erst im Januar geliefert. Nun haben sie alle einen richtigen Beruf und verstehen nicht mehr, wie schwer wirs gehabt haben.

Jetzt seh ich nicht mehr viel, ich laß mir vorlesen, von der Anna oder der Roswitha. Durchs Fernsehen hört man ja auch was. Ein blödsinniges Gefühl ist das, wenn man sich vorlesen lassen muß, und selber hat man doch auch lesen gelernt, nicht? Aber in die Volkssolidarität gehöre ich noch nicht. Warum soll ich denn bei die Alten sitzen? Vor unserer Haustür ist mein Platz. Hab das ganze Feld vor die Augen und hinten den Wald. Und Jugend ist auch immer da. – Wo ist denn die Roswitha? Die muß doch schon da sein. Bei dem Nebel macht man sich Sorgen.

JULIA
Bei Goethe zu Gast

Ich habe keine Geheimnisse. Na was denn, ich hab doch
alles erlebt, was eine Frau Schönes erleben kann. Kann
nur jedem wünschen, daß er so ein wunderbares Leben
hat. Die beiden Schicksalsschläge? Die hab ich auch kurz-
gekriegt. Sieh mal an, ich habe gelernt, alles zu nehmen,
wie es kommt. Manche Menschen sagen mir Egoismus
nach. Selbstverständlich, sage ich, einen breiten Rücken,
an dem vieles herunterrieselt. Das Problem mit meinen
Kindern wäre nicht zu lösen, wenn ich sie nicht leben
ließe, wie sie eben leben, auch wenn es sehr von meiner
Art zu leben abweicht, nicht? Ich hab ein sehr, sehr schönes Verhältnis zu meinen Schwiegersöhnen. Trotzdem
wechsle ich nicht jedesmal meine Meinung.

Ich habe richtige gute Freunde gehabt, mein Kind, richtige gute Freunde. Ich hatte siebzehn Mitschülerinnen,
und denke dir an, die sind nun alle tot, ich bin die letzte.
Meine Mitschülerin Käthe, der ich vom zwölften Lebens-
jahr bis zu ihrer Todesstunde verbunden war, mit der hab
ich alles durchgemacht. Die hat ein Kind gekriegt, das hat
sie im Lokus beseitigt, und ich hab auch das miterlebt.
Jetzt habe ich keinen Menschen mehr, der mir sehr nahe-
steht. Es ist alles nicht mehr, wie es war.

Chancen bei Männern, die habe ich immer. Voriges
Jahr in Weimar, da war ein alter Herr von drüben, muß
sehr reich gewesen sein. Wie wärs, meine Damen, sagte er
eines Tages, wenn wir ein Stündchen zu unserer Bank
nach Tiefurt hinüberführen? Nun stand da sein Jaguar,
ich weiß nicht, ob du so ein Ding kennst. Er macht vorne
die Türe auf und sagt zu mir: Wollen Sie bitte einsteigen.
Drauf sagt Frau S.: Dann fahre ich aber auf dem Rück-
weg vorne. Der guckt mich bloß an. Und wie wir zurück-
fahren, steige ich hinten ein, und er sagt zu mir: Fürstin-

nen nehmen hinten Platz, vorne sitzt die Bedienung. Das hat die S. gar nicht gemerkt, wo die doch so eine Gestalt ist. Und ich nur eine alte Frau, nicht? Daß der Mann mehr in mir gesehen hat, auf den Gedanken kam die gar nicht. Bestimmten Typ, wenn du so fragst, hab ich eigentlich keinen. Sieh mal an, Alfred war ein ganz anderer Charakter als Willi. Alfred war ein eleganter schlanker Mann, mit Augen, sage ich dir, da warste gleich weg! Der war künstlerisch kolossal veranlagt, wie mein Vater. Willi, trocken, gesund. Mit beiden aber war ich sehr glücklich. Nur das Sexualleben in der ersten Ehe war verflucht schlecht, das ging bei uns nicht zusammen. Aber trotzdem, wir haben in den zwölf Jahren, die wir verheiratet waren, nur in einem Bett geschlafen. Beim zweiten, nee, da brauchte ich schon mein Bett für mich, aber die Sache klappte dafür kolossal gut. Das macht doch viel aus, findest du nicht?

Sieh mal an, das hier ist ein Stereoskop von 1862. Da siehste alles plastisch und bunt, wenn du es ordentlich an die Augen hältst. Nicht so! Ordentlich! Das ist der Morgenkaffee bei Lodomez, Friedrichstraße, hinten im Garten. Der Großvater, die Großmutter, auf ihrem Schoß sitzt meine Mutter, die war ein Jahr alt. Und ringsum Tante Elise, Tante Hedwig und die Söhne. Die Brüder von meinem Großvater waren alle Leibgardisten beim Papst. Wenn du nach Florenz kommst, auf die Friedhöfe, dann siehst du überall die Lodomez'. Später sind sie abgewandert nach Belgien. Großvater war Makler, der vermittelte das erste deutsche Kriegsschiff nach England. Ich weiß noch, in seinem Zimmer hing eine große Fotografie von dem Ding. Als mein Großvater die Herren zur Besprechung hatte, davon haben wir jetzt noch so ein schwarzes Tablett, worauf damals die Austern serviert wurden. Mein Großvater hatte in G. eine Jacht, dort war auch die Sommerwohnung der Lodomez'.

Ich könnte dir alles aufmalen. Wie ich am Klavier stehe als Sechsjährige und das Notenpult geschenkt bekomme.

Ich sehe meinen Klavierlehrer, der kriegt einen Kaffee
auf einem silbernen Tablett serviert, mit einem ge-
schmierten Knüppel drauf. Das war so ein blonder
Jüngling, langes Haar, schon damals, Erster Geiger in
der Staatsoper, verlobt mit einer Dame aus Branden-
burg. Ich klimperte da vorne, und er trank seinen Kaffee auf dem Sofa im Salon. Dann bekam er sein Geld,
das war ja das wichtigste, und verschwand wieder.
Herr Bruno Siegel, ich weiß noch alle Namen.

Väterlicherseits hatten sie einen Kaufmannsladen in
der Friedrichstraße und wohnten Unter den Linden.
Mein Großvater ist früh gestorben, mein Vater war
noch ein Kind und marschierte nun jeden Tag zur
Wachablöse. Er war schon immer ein begeisterter Soldat und hat sich freiwillig gemeldet, ist aber nie genommen worden, weil er so klein war. Wie der in die Lehre
gekommen ist, konnte er nicht über den Ladentisch
gucken. Er hat nur die Volksschule besucht, und dann
hat er sich alleine Griechisch beigebracht. Die Bibel hat
er dreimal gelesen, aber nicht der Frömmigkeit wegen,
sondern wegen der Kostüme, die da beschrieben wurden.

Mein Vater hat später mit seiner Schwester Anna und
seinem Bruder Max zusammen gelebt, die waren kolossal herzlich miteinander. Onkel Max war Vertreter für
Schokolade. 1868 wurde er eingezogen, nee, muß früher gewesen sein, oder später? Da kriegte er die
Schwindsucht und starb jung. Und die Tante Anna, die
hat immer die Milch vom Onkel Max ausgetrunken.
Mein Vater war von eh und je sehr eklig, der hätte nie
eine fremde Tasse angerührt. Aber Tante Anna machte
das, und die hat sich dann angesteckt und ist auch gestorben. Und denk dir an – wieder die Lodomez' –,
meine Mutter war inzwischen mittellos geworden. Ihr
Vater hatte sehr flott gelebt und alles verspekuliert. Da
schrieb sie auf eine Annonce. Gesucht wurde eine junge Dame, die eine Krankenpflege übernimmt. Das war

nun Tante Anna mit ihrer Schwindsucht. Und die wurde von meiner Mutter gepflegt bis zu ihrem Tode.

Nun war mein Vater allein. Und denk dir an, meine Mutter war sehr schön, da haben sie geheiratet. Als ich geboren wurde, war Vater vierundvierzig und Mutter zweiundzwanzig. Ich blieb ihr einziges Kind. Mein Vater hatte ein Atelier in der Kurfürstenstraße. Früher hatte er nur illustriert, Kalender und Märchenbücher, ist alles noch da. Dann kriegte er die Anstellung am Theater als Kostümier. Weißt du, da war ich nun gestern in der ›Zauberflöte‹. Nie wieder! Sieh mal an, ich habe doch alle Aufführungen in der Staatsoper und im Opernhaus Berlin gesehen, die mein Vater kostümiert hat. Aber diese Gestalten gestern in ihren weißen Nachthemden! Der Tamino war stimmlich ja sehr gut, ganz reizend die Tamina, der Papageno wunderbar. Aber alles andere Mist. Dann haben sie noch vergessen, einen Baum hinauszuschieben, der flog plötzlich auf die Bühne, kolossal glaubwürdig das Ganze!

Meine Kindheit und meine Jugend, weißt du, die waren voller, wie soll ich sagen, voller Nimbus. Für jede Puppe hatte ich ein Bett und für meine Eva, mit so langen blonden Locken, eine handgeschnitzte Wiege aus Tirol. Alles von Emma Bette-Bud und Lachmann. Kennste nicht? War das beste Puppengeschäft von Berlin. Und der himmelblaue Puppenwagen von Jordan, sagt dir auch nichts. Ich hab kolossal viel gepuppt. Denk dir an, noch mit sechzehn Jahren, ellenlang und dürre, bin ich mit meinen Puppen ausgefahren. Da hatte ich noch meinen Männe an der Leine, einen braunen Dackel, und links, ja, links ging mein Tanzstundenherr, kannste ruhig lachen. Die haben angestanden vor der Schule, und das war nun sehr verboten. Unser Schuldirektor hat den Schuldiener beauftragt, er soll aufpassen, wen die Bengels grüßen. Die Bengels aber waren heller als der Direktor, die haben überhaupt nicht gegrüßt, die haben bloß dagestanden und gegrient.

Diese Tanzstunden, sage ich dir, entzückend! Ich wurde puppig eingekleidet. Mein Vater kaufte die Stoffe bei Gerson, teuerstes Geschäft von Berlin. Wenn ich mit meiner Mutter dort aufkreuzte, stand vor der Tür einer mit 'ner Uniform und so Klunkergeschichten dran, und das hat mir kolossal imponiert. Und denke dir an, ich weiß noch den Namen von dem Verkäufer. Herr Poravsky. Ich könnte dir den Mann malen, ein dünner Herr mit einem Kneifer. Und der machte einen Bückling bis unten runter. Ich hab auch Bilder von der Schneiderstube im Theater. Einmal, ich weiß noch, da ging die Tür zu Vaters Büro auf, und ein Herr kam herein, mit Grabesstimme: Mein Name ist Grube! Das war der Intendant, Max Grube, ein herrlicher Schauspieler. Kennste auch nicht?

Ich weiß auch noch, wie auf unserem Flur der Bruder von Professor Herwarth wohnte. Der hatte ein Segelboot, hab ich nie gesehn, und da hörte ich auf einmal, der wäre ertrunken. Das konnte ich überhaupt nicht fassen, wie einer in seiner Wohnung ertrinken kann. Das war herrlich mystisch, da wollte ich gar nicht, daß mir das einer erklärt. Heute bekommen die Kinder alles erklärt. Was kolossal Geheimnisvolles war für mich die Wendeltreppe, die von unserem Korridor in den Turm hinaufführte. In diesem runden Turm hatte mein Vater sein Atelier. Und dieses Atelier, also weißte, das hatte das Fluidum des Verbotenen. So was kennen meine Enkelkinder gar nicht mehr, denen ist alles erlaubt. Da stand mein Kinderwagen mit drei Rädern, ich weiß nicht, ob du solche Kinderwagen kennst, vorne ein Rad und hinten zwei Räder und ein Sitz drauf.

Mein Gott, und wie die Teppiche alle aus den Fenstern hingen! Bei der Grundsteinlegung der Klosterkirche, denke dir an, da haben alle Leute ihre Teppiche herausgehängt und Kerzen in die Fenster gestellt. Es war wunderbar. Ich glaube, es war unter Wilhelm I. Ich habe so viele Herrschaften erlebt, Wilhelm I., Friedrich II., Wilhelm II., Hindenburg, dann diesen Kaiser Hitler, den Größten von allen ...

Wie sich das alles auf mein Leben ausgewirkt hat? Ach Gott, wirtschaftlich wird sich das ausgewirkt haben. Der Willi war nicht in der NSDAP, und das bedeutete, daß sein Gehalt um hundert Mark gekürzt wurde. Ich will dir sagen, so nebensächliche Dinge, die registriere ich kaum mehr. Und Einzelheiten aus den letzten Jahren verwischen sich auch. Während sich Stimmungen aus der Kindheit ... also, da könnte ich dir die Weihnachtsfeiern aufmalen. Diese Friedenauer Wohnung, die habe ich über alles geliebt. Und denke dir an, bis zum heutigen Tage träume ich von dieser Wohnung, im Traum bin ich die kleine Julia von damals. Ein schwerer Schlag war für uns, als mein Vater vom Theater wegging. Vater war sehr halsstarrig, und er hat sich furchtbar überworfen mit dem damaligen Intendanten. Der hatte eine Geliebte, eine Sängerin. Und die wollte ein Kostüm auf einmal nicht anziehn. Mein Vater war aber in seinen Kostümen immer stockecht. Da hat er gekündigt. Ich hab die Briefe noch. Ferch und Flotow, das war die Werkstatt für die Großschneiderei der Königlichen Theater, Ferch hatte zu meinem Vater immer gesagt: Wenn Sie vom Theater weggehn, engagiere ich Sie sofort. Der warf nun auch mit der Wurst nach der Speckseite. Dann auf einmal konnte er Vater nicht engagieren, weil sonst das Theater nicht mehr bei ihm arbeiten ließe. Da mußte sich Vater verflucht umstellen, daß er überhaupt wo unterkam. Der August von Heiden, der war an der Akademie, der hatte dann meinem Vater einen Dozentenplatz besorgt. Vater hätte viel mehr daraus machen können, aber für Titel und Ämter war er nicht zu haben. Am liebsten war er zu Hause.

So ein harmonisches Familienleben wie bei uns, das ist etwas, was ich in meinem Alter sehr, sehr vermisse. Es gibt heute kein Familienleben mehr. Am Sonntag ist große Wäsche, keiner, der sich gemütlich hinsetzt und mit dir plaudert. Die Kinder haben keine Kindheit mehr, die gehn in den Hort, und um fünf kommen die Eltern angeklappert: Stör mich bloß nicht, ich hab keine Zeit. Dann werden sie abgefüttert und fliegen in die Betten. Das ist ihr Zuhause! Aber selbständig sind sie, die holen sich alles, was sie brauchen. Wie *ich* geheiratet habe, da hab ich noch gefragt: Alfred, was soll ich heute anziehn! Eine eigene Meinung, die durften wir Kinder gar nicht haben. Kinder bei Tische sind stumm wie die Fische! Du hättest meine Enkelkinder sehen sollen! Wie die ihren ersten Pups machten, beherrschten sie schon die ganze Tafel, ja, ja. Da mußte ich aufpassen, daß ich auch einmal zu Wort kam. Heute ist alles anders. Wenn wir Gesellschaft hatten, mußte ich in die Küche verschwinden, zu unserem Mädchen, und um halb acht ins Bette, ohne Pardon. Aber das störte mich überhaupt nicht. Das war doch drüben bei den Geschwisterkindern genauso. Wir wohnten Nr. zwölf, und die Schwester meiner Mutter wohnte Nr. neun.

Doktorspiele? Um Himmels willen, nein, da hätten wir den Rohrstock gespürt. Ich hatte niemals einen Jungen nackt gesehen, von der ganzen Pracht keinen Schimmer. Und meine Eltern hatte ich auch nie nackt gesehen, wär mir ja eklig gewesen. Aufgeklärt haben mich meine Mitschülerinnen, aber das war mir schnurzpiepe, ich glaubte ihnen kein Wort. Mein Vater küßte mich immer auf den Mund, ich weiß noch, wie gräßlich mir das war, mit diesem Bart! Ich bin auch niemals zu meiner Mutter ins Bett gekrochen, da hättest du mir zuzahlen können. Wie alles zusammenhing, das hab ich noch in der Hochzeitsnacht nicht begriffen.

Meinem Vater bedeutete ich mehr als meiner Mutter. Die wollte doch einen Jungen haben. Und nu kam ich. Ich bin mittags um halb zwölf geboren, herrlicher Sonnenschein, da haben sie mich aufs Sofa geworfen und erst mal eine Frau besorgt. Und inzwischen habe ich Schmutz in die Augen bekommen, davon wurde ich sehr krank. Mein Vater und Onkel Blume, sein Freund, die machten mir Kamillenumschläge, aber meine Mutter hat mich überhaupt nicht beachtet. Später hat sie sich an mich gewöhnt. Als ich Keuchhusten hatte, ich weiß noch, wie sie mich auf den Arm genommen und stundenlang Busche-busche-beichen gemacht hat. Nein, Märchen hat mir niemand erzählt. Das habe ich auch mit meinen Kindern nie gemacht. Meine Mutter, merkwürdigerweise, die hat das später mit den fremden Jungs gemacht, die sie sich ins Haus geholt hat. Mit den fremden Kindern hat sies gemacht, mit mir nie. Sie hat natürlich nischt weiter gemacht als Handarbeiten, Porzellanmalen, Kaffeetrinken und abends ins Theater gehn. Mein Vater war zufrieden, wenn er mal nicht ins Theater mußte. Meine Mutter rannte unentwegt hin. ›Carmen‹ hat sie sechzigmal gesehen. Wenn ich nun Abendbrot gegessen hatte, mit dem Mädchen in der Küche, saß mein Vater am Schreibtisch, ich seh ihn noch, und dann hat er mich huckepack ins Bett getragen. Das war was Herrliches. Ins Theater haben sie mich als Kind nie mitgenommen. Nur einmal zu ›Hänsel und Gretel‹. Und wenn meine Eltern im Museum waren, mußte ich draußen in der Droschke bleiben und mir die Straße anschaun.

Wie ich nun heiratete, da war meine Mutter noch jung, da ist ihr mit dem alten Mann die Decke auf den Kopp gefallen. Da hat sie auf eine Annonce geschrieben und Toni angenommen. Toni war das uneheliche Kind von einem Direktor mit seiner Köchin, der mußte verschwinden, klar. Aber Toni war ihr nicht genug, sie nahm auch noch Wolf, den hat sie auch großgezogen. Seine Mutter war A. B., die berühmte Sängerin, die wußte nun auch nichts mit ihrem Kind anzufangen. Toni hat heute einen Laden in Dahlem, den besuche ich manchmal, und Wolf ist gefallen. Ich weiß, daß meine Mutter auch fehlgetreten ist. Nun denke dir an, wie Mutter fünfzig war, auf der Höhe ihrer Kraft, da war Vater siebzig, Feierabend, nicht? Da hat sich meine Mutter einen Kavalier zugelegt mit weißen Galoschen. Mir war der Mann ein Ekel.

Gelernt habe ich nichts, nur Klavier spielen. Wir hatten in Steglitz eine Musikschule, dort sollte ich Konzertbegleiterin werden. Ich bin dann aber zu einem Max Garison gegangen und habe seine Schüler begleitet, die bei ihm Gesang studiert haben. Das hab ich gemacht, bis ich geheiratet habe. Und mit meinem Vater bin ich oft losgezogen, mit Fotoapparat und Zeichenkasten. Er hat alle Häuser gezeichnet, die später der Spitzhacke zum Opfer fielen oder den Bomben. Fischerstraße vierzehn, Fischerstraße sechzehn, die Kellerhälse, die Portale, das hat er alles gezeichnet. Und außerdem hat er die ganze Geschichte von Alt-Berlin aufgeschrieben. Ich habe fotografiert, entwickelt und abgezogen. Ist alles noch da, denke dir an. In den fünfzig Jahren, seitdem mein Vater tot ist, hätte ich die Zeit finden müssen, um die Sache in die Hand zu nehmen, und ich werde das noch in Ordnung bringen.

Mein Vater hatte zu der Zeit auch die Kasse der Künstlerhinterbliebenen. Alle Witwen bekamen vom Verein Berliner Künstler vierteljährlich hundertfünfzig Mark, weiß ich noch. Ich habe ihnen die Tür aufmachen dürfen, ach, das fand ich kolossal, wenn alle Witwen angetanzt kamen. Und da war auch Mutter D. bei. Ihr Mann war Bildhauer gewesen, Meisterschüler von Begas, und hatte einen Staatspreis bekommen, die ganze Familie mit Dienstmädchen ein Jahr Rom. Vater D. starb jung, Gehirnschlag, wie mein Alfred. Unsere Wohnung bestand damals aus drei Zweizimmerwohnungen, war scheußlich, kein richtiges Wohnen darin. Bei Mutter D. war auf einmal Platz, da zogen wir hin. Hinten hatten wir eine wunderbare Terrasse mit Blick in den Garten. Am ersten Tag war meinem Vater was hinuntergefallen, das mußte ich heraufholen. Und wie ich in den Garten komme, steht da ein junger Mann, einer von den Söhnen der Mutter D. Blauer Anzug, blaue Mütze, braungebrannt; und ein paar wunderbare blaue Augen! Ach, er gleich verschossen in mich, ich gleich verschossen in ihn. Er spielte Gitarre, sein Bruder Mandoline. Und meine Eltern waren sehr für Hausmusik. Nun musizierten wir zu dritt. Und in meinem Zimmer lernte ich Gitarre. Natürlich die Türen weit aufgerissen, wenn Alfred im Zimmer war, und die Leute fegten egal herum. Und wenn ich unten im Garten ankam, da krähte meine Mutter schon vom Balkon herunter: Julchen, wo bist du? So ging die Sache vor sich. Tuchfühlung war vorhanden, sonst hat sich natürlich nichts abgespielt.

Weißt du, es fehlt den jungen Leuten heute ein gewisser Nimbus. Wir waren ja vorher auch nicht einwandfrei, aber das Letzte fehlte, das schwebte immer noch vor uns. Wenn ich mir dagegen die kleine V. mit ihrem Schatz angucke. Die schreibt mir einen Verlobungsbrief, da steht drin, sie sind zusammen unter die Bettdecke gekrochen und haben sich die Ringe angesteckt, und er ist in die Küche gegangen, das finde ich entzückend, hat den Rumtopf von Muttern geholt, und den haben sie ausgeschleckt. Na schön. Damit ist nun alles erledigt. Als *ich* mich verloben wollte, mußte ich meinem Vater ankündigen: Herr D. möchte dich am Sonntag sprechen. Ich bin nicht zu sprechen, schrie mein Vater. Meine Mutter ahnte es längst, die war neiderfüllt. Dann haben wir geheiratet. Großes Essen in der Loge, dort verkehrte ganz Steglitz. Die richtigen Freimaurerlogen waren weiter oben, da hatten wir keinen Zutritt, unten waren das Restaurant und viele Gesellschaftsräume. Mein Vater hat mir ein Kleid anfertigen lassen, Biedermeier. Die Seide hat Alfred gekauft, für seine Mutter bordeauxrote, für mich weiße. Die Schleppe zwei Meter lang. Es soll ja entzückend ausgesehen haben. In der Kirche auf dem Stuhl hab ich nicht gesessen, ich bin geflogen. Und denke dir an, bekannt wie sieben bunte Hunde, damals war Steglitz ja noch klein. Die mir den Brautkranz gemacht haben, Dietzes, sind heute noch in Steglitz. Damals hat der Kronprinz geheiratet, und den Kranz von der Kronprinzessin haben sie für mich kopiert. Weiße Nelken, ganz entzückend. Die Loge gleich neben unserer Wohnung, aber wir haben eine Kutsche bestellt. Alles ein Ritual.

Als junge Frau habe ich diese wundervollen Kostümfeste im Künstlerverein mitgemacht. Unvorstellbar!. Wir konnten noch richtige rauschende Feste feiern. Dienstbotenball, Ball auf dem Meeresgrund. Lauter Korallenriffe und Seeungeheuer, Tintenfische und oben Schiffe, die wogten in Grün und Blau, und die Kostüme! Jeder Berliner, der auf sich hielt, war außerordentliches Mitglied des Vereins Berliner Künstler, die steckten eine Menge Geld in die ganze Geschichte. Und die vielen, vielen Künstler, die ich dort kennengelernt habe. Skarbina, Lenbach, Lohmeier, Professor Herwarth. Ich war auch bei den anthropologischen Sitzungen, mein Vater war ja so vielseitig. Einer der Herren war mit einem Indianerhäuptling befreundet, der hat ihn als Sohn adoptiert und in sein Zelt hineingenommen. Dieser Mann kannte die tiefsten Gebräuche der Indianer.

Weißt du, ich habe solch ein reiches Leben gehabt, deshalb bin ich auch so vielseitig geworden. Das vermisse ich jetzt so sehr. Hier gibt es nur Politik, und damit ists aus. Mein Gott, *mich* hat kein Mensch mit Politik gepiesackt. Ich *mußte* nichts, ich mußte Klavier spielen, tanzen, fröhlich sein, sonst nichts. Schau dir diese Zeitschriften an, da kannst du das Leben im Künstlerverein verfolgen. Hier die Isadora Duncan. Die war die erste Barfußtänzerin in der Welt, mit Schleier, nach einer Romanze von Mozart oder sonstwem. Und das ist Professor Hans Bordt, den habe ich auch gekannt, den berühmten Schiffsmaler, der alle Reisen mit Wilhelm mitmachte. Manchmal zogen wir jungen Leute mit unserem Papa Theuerkauf hinunter ans Klavier, da haben wir weitergetanzt. An Sex dachte damals keiner. Ich weiß noch, einmal hat ein Gast einer Dame unter den Rock gefaßt, das wurde gemeldet, und der ist sofort rausgeflogen. Für denjenigen, der den eingeführt hatte, war das furchtbar peinlich. Später wurde es anders, wie die Bälle in der Kroll-Oper stattfanden, da konnte man schon mal hinter die Kulissen gehn. Zuerst habe ich vieles nicht so mitgekriegt. Daß Männer anders sind als Frauen. Sieh mal an, die Badeanstalten. In Warnemünde sind wir Frauen von den Männern durch Bretter getrennt gewesen, aber aus den Brettern waren die Astlöcher herausgesägt. 1903 war das noch so. Rechts die Damen, links die Herren. Wir hatten Badeanzüge bis unten hin, die hatte Mutter extra nähen lassen. An der Nordsee wurden wir sogar mit Badekarren ins Meer gefahren. Und zurück wieder mit dem Karren. Die Treppen hinauf, in den Karren hinein, Vorhänge zu, und los gings. Ich hab noch Bilder davon. Ja, ja, mein Kind, das habe ich alles sich entblättern gesehen.

Nun sieh mal an, mein Alfred und ich in der Hochzeitsnacht. Wie sich mein Alfred ausgezogen hat, fing ich zu heulen an. Da war ich so was von ernüchtert. Da hat er mich in den Arm genommen, und wir haben beide ganz still im Bett gelegen. Sonst wäre alles kaputtgegangen, wenn er irgendwelche Manipulationen an mir angestellt hätte. Am nächsten Morgen sang er schallend: Ach Laura, ach Laura, kauf mir doch ein Auto! Und hopste um das Bett herum. Ich seh ihn noch. Alfred war Tresorverwalter bei der Bank. Das war nun was Furchtbares für mich, so viel allein zu sein. Er kam mittags nach Hause, aß und ging wieder. Ich war ungefähr so wie du, setzte mein Essen auf, und dann schwups auf die Chaiselongue und ein Buch gelesen, und mit einmal – och! Die Töppe waren immer angebrannt. Ich kriegte hundert Mark Wirtschaftsgeld, weiß ich noch, dafür gabs aber Schnitzel und Spargel und Erdbeeren mit Schlagsahne. Na, hat meine Mutter prophezeit, das machst du nicht lang. Wir hatten so ein kleines Gehalt, nur zweihundert Mark, Wohnung kostete schon fünfzig, drei Zimmer mit Zentralheizung. Da hab ich Klavier unterrichtet. Ich hab ein altes Brett genommen, hab drauf Notenlinien gezogen, und einmal in der Woche hab ich mit meinen Schülern auch noch Musiktheorie gemacht.

Vom Krieg, weißt du, da hab ich nicht viel mitbekommen. Ich weiß nur, in der Schützenstraße war die Garde-

schützenkaserne. Am Anfang des Krieges kam ein vollbe-
packter Wagen mit Schwertern, die wurden drüben bei
Messerschmidt geschliffen. Dann seh ich noch diesen
Schwarm von Soldaten, die durch unsere Albrechtstraße
zogen, hier ein Sträußchen, dort ein Sträußchen. Mein
Vater winkte, den haben sie ja nie genommen, weil er so
klein war. Und Alfred, der hatte die richtige Brustweite
nicht.

1915, wir waren zehn Jahre verheiratet, da habe ich eine
Annonce im Lokalanzeiger gelesen: Eine Frau will ihr
neugeborenes Kind abgeben. Bei uns funktionierte das
doch nicht. Sagt Alfred: Brauchst gar nicht erst hinzugehen, das ist bestimmt nur ein Kind von einem Dienstmädchen. Ich sage: Du kannst doch gar nicht so urteilen,
gucks dir an, wir gehn sowieso spazieren. War das Moni-
kastift in K. Meine kleine Elisabeth lag in ihrem Bettchen,
entzückend, sage ich dir. Und dann haben wir die Sache
gemacht, haben einen Arzt gefunden, der die Kleine un-
tersucht hat, und sind aufs Gericht gegangen. Die Frau
hat mir versprechen müssen, daß sie sich nie mehr melden
wird. War eine Lehrerin aus Danzig. Und der Mann war
Rittergutsbesitzer, bei dem war sie als Erzieherin. Das
war eine furchtbare Schande. Der Arzt in Danzig aber
wollte ihr wohl: Das machen wir ganz einfach, ich schrei-
be Ihnen ein Attest, daß Sie blutarm sind. Fahren Sie zu
Ihrer Schwester nach Berlin, erledigen Sie das und kommen Sie in einem Dreivierteljahr wieder. Elisabeth hätte
es nie erfahren, wenn ihr Verlobter sie nicht aufgeklärt
hätte. Elisabeth, die so sensibel ist, der hat das einen
furchtbaren Schlag versetzt.

Wenn du mich fragst, was mich beeinflußt hat, dann
kann ich dir nur sagen: Bei mir wars der Tod. Ich bin bis
dreißig eine ganz dämliche Pute gewesen, die dachte, das
Leben besteht nur aus Kaffeekränzchen, Nähen und Tanzen. Mein Alfred brauchte nicht einzurücken, und wies
nachher zum Schluß ging, haben sie ihn zur Kur geschickt. Ich hab ihn bis Erfurt gebracht. Die Elisabeth

braucht dich dringender als ich, sagt mein Alfred, fahr nach Hause, du siehst ja, ich bin putzmunter. Wie ich nach Hause komme, liegt da ein Telegramm: Gatte verstorben.

Er hat also seine Sachen im Sanatorium abgelegt, hat Mittagbrot gegessen, es war ein wunderbarer kalter Wintertag, eine Sonne und ein Schnee! Ich geh spazieren, hat er zu den Schwestern gesagt. Der Milchjunge hat ihn am Chausseegraben gefunden, den bewußtlosen Mann, und ihn im Gasthaus von W. abgegeben. Ich bin nicht hingefahren, ich bin zwei Jahre nicht richtig bei mir gewesen. Der Zinksarg ist mit Waggon aus Erfurt gekommen. Das war ein Gefühl, auf dem Anhalter Bahnhof den Zug ankommen sehen, und in einem Güterwagen mein Alfred! Der Waggon wurde dann umgeleitet nach Steglitz. Da bin ich vom Güterbahnhof bis zum Friedhof hinter dem Sarg hergelaufen. Dann hab ich den Deckel abgeschraubt und hab mir meinen Alfred angeguckt.

Da saß ich nun mit der Vierzimmerwohnung, dem Dienstmädchen und einem kleinen Kind und hatte im Monat achtzig Mark Pension. Komm mit dem Kind zu uns, sagten meine Eltern, gib alles hier auf. Da wurde ich hellhörig. Nee, ich geb doch meine Selbständigkeit nicht auf. Hab mich hingesetzt, zum Grauen meiner Eltern, und hab an die Bank um Arbeit geschrieben. Das Kind gab ich meinen Eltern, das Mädchen schickte ich weg. Dann hab ich zwei Zimmer vermietet. Mit den Untermietern hab ich so allerhand erlebt, war grausam. Einer pfiff gleich: Machen wirs den Schwalben nach, baun wir uns ein Nest. Und ob er nicht mit mir 'n Schwedenpunsch trinken könne. Sie sind im Irrtum, sage ich, das ist bei mir nicht Mode. Dann hatte ich einen Vater mit einer Tochter, wie der begriffen hat, daß ich nicht zu haben war, ist er wieder ausgezogen. Bis ich dann Herrn Z. ergattert habe. Als ich wieder heiratete, war Herr Z. immer noch da. Na ja, so billig das Zimmer, und er ein Pedant, er wollte sich nicht verändern. Schließlich heiratete er doch, da kam die erste Frau heulend zu mir, dann haben sie sich scheiden lassen. Ach Gott, wie viele Menschen ich gekannt habe.

Bei der Bank hat es mir Spaß gemacht. Zuerst hatte ich mit den Karten zu tun, die die Soldaten aus dem Feld zurückschickten, womit sie ihr Gehalt bestätigten. Da saß ich an so einem hohen Schreibpult mit so 'nem Drehsockel. Und es dauerte nicht lange, da hatte ich die Krätze, die mit den Karten vom Feld hereingekommen war. Nee, wissen Sie, hab ich zu meinem Chef gesagt, jeder Straßenfeger könnte Ihnen das erledigen, ich möchte was anderes haben. Jetzt wird uffgepaßt, sagt der, jetzt wirste Buchhalterin. Da mußte ich Kosten eintragen. Und komisch, was in meiner Hand war, das wuchs. Zuerst hatte ich ein kleines Buch, dann hatte ich drei dicke Wälzer, lauter Konten von Auslandsdeutschen. Ich hatte eine glückliche Hand und einen reizenden Kreis von Mädchen um mich. Wir haben toll gewirkt, alles keine Kinder von Traurigkeit. Ausflüge nach Werder und Ringelpiez bei mir. Ich hab noch Gedichte, die sie zu meinem Geburtstag gedichtet haben. Es war schön.

Dann war ich verlobt mit einem, der war diplomatischer Kurier beim Auswärtigen Amt, verdiente neunhundert Mark und wollte mich heiraten, weil ich schwanger von ihm war. Fürs Heiraten war ich überhaupt nicht, nicht bei dem, der zu mir sagt: Ich zahle alles für Elisabeth, aber ich übernehme sie nicht, die kommt in eine Pension. Ich sage: Das ist das Stichwort. Wo ich bin, ist auch Elisabeth. Julia, sagt er, denke an Hans-Joachim. Der hatte schon einen Namen für das Wurm, der dachte, nu muß sie. Haste falsch gedacht, sage ich, das Wurm mußt du wegbringen lassen. Das hat ihn tausend Mark gekostet. Danach konnte ich ihn nicht mehr sehen. Ich hab bloß geheult. Wie das nun weiterlief? Komisch, das habe ich vergessen.

Zwischen den beiden Ehen habe ich noch einen wunderbaren Freund gehabt. Die zwei Jahre mit ihm, die waren das Schönste in meinem ganzen Leben. Später kam mir eine andere Frau dazwischen. Männer sind ja so materiell, und die ganze Familie hat nachgedrückt. Da zählt Liebe überhaupt nicht mehr. Aber als er verheiratet war, hat er mich ewig besucht, bis zu seiner Todesstunde. Diese Trennung sollte wohl sein, denn im Herbst darauf, am 21. September 1924, habe ich Willi kennengelernt, das ist Schicksal. Nu mußte wissen, im Mai vierundzwanzig sind wir Frauen von der Bank gekündigt worden, weil die Männer inzwischen aus der Gefangenschaft zurückgekehrt sind. Da saß ich ohne Verdienst in meiner Albrechtstraße uffn Balkon, sonntags, und wie ich die Pärchen vorbeiziehen sah, dachte ich: Ach, ist doch grausam, keene Familie, nisch, sitzt da oben mitn Kind, dazu biste zu jung. Ging zum Rathaus Steglitz, da kannte ich die Dame vom Arbeitsamt. Nee, sagt die, is nischt, nur eine kleine Aushilfe für vierzehn Tage bei einem Juden, ick weeß ja nich, ob Sie das mögen. Ich sage, das ist mir furchtbar egal. Also, bei Dr. Fränkel wird eine Empfangsdame gesucht mit etwas Bürohilfe, das ist eigentlich eine geschlossene Anstalt für Verrückte. Aus den vierzehn Tagen sind zwei Jahre geworden, und ich hab ein Leben bei denen geführt! Der Sanitätsrat, der war furchtbar fummelig, der hatte ewig Akten verlegt, und wenn ich die nun wiederfand, gabs immer gleich Geschenke. Morgens von halb zwölf bis abends um acht. Eigentlich sollte ich nur ein altes Faktotum vertreten, ein Fräulein Rabitscher, aber dann haben sie mich doch behalten. Meine Fränkels sind gleich, wie sie Hitler gewittert haben, in die Schweiz, die hätten mich bestimmt mitgenommen, wenn ich vorher nicht geheiratet hätte. Das ist ja verrückt, sagte der Sanitätsrat, einen Freund können Sie sich halten, aber wozu heiraten, wo Sie bei uns doch eine Lebensstellung haben. Denkste.

Wie ich so vierzehn Tage dort war, kam der Oberarzt zu mir: Haben Sie starke Nerven, junge Frau? Och, sage ich, solche Strippen von Nerven, ich kann nicht klagen.

Dann wollen wir durch die Geschichte wandern, damit Sie sehn, was hier los ist. Schwere Männerstation, da hatte ich schon das Gruseln. Dann in den Keller, Isolierzellen. Da roch es wie bei den Löwen im Zoo. Die waren nackend, ganz stark geheizt, den Kot haben sie überall hingeschmiert. Schwere Frauenstation. Da ging die Enkeltochter von General von Steuben in ein Laken gewikkelt und deklamierte sehr schöne Gedichte. Und eine andere machte mir wunderbare Anerbieten: Langer Rede kurzer Sinn, ich bekam meine eigenen Schlüssel, bin durch sämtliche Stationen gegangen, bin mit allen fertig geworden. Da war eine Frau Direktor aus Hamburg, die strickte Puppenkleider für mich. Und Küßchen, Küßchen überall. In der leichten Frauenabteilung habe ich Weihnachten kleine Musikprogramme aufgeführt. In den Ferien nahm die Wirtschafterin meine Elisabeth, sie hatten einen wunderbaren Park. Als Willi auftauchte, habe ich natürlich gekündigt. Ich hab ja furchtbar gerne gearbeitet, aber ein Familienleben ging mir doch über alles. Das war früher anders als heute.

Eines Tages geht das Telefon, Telefon hatte ich immer. Ruft mich ein früherer Kollege an von der Bank. Ich bin Strohwitwer, sagt der, können wir uns nicht treffen, Julchen? Sonntags also, mein Badeofen war wieder aus, Elisabeth abgeliefert bei meiner Mutter, fuhr ich zum Bahnhof Wannsee, die Treppe runter, da stehn *zwei* Herren! Mein Kollege von der Bank und ein Herr T. Wir gingen ins Excelsior, und Herr T. war uffjezogen wie sonstwas. Ein Eis und Schokolade und Käffchen? Mußte wissen, der hatte ein Verhältnis mit einer Putzmacherin von Wertheim. Und sein guter Freund hat gesagt: Das ist kein Umgang für dich, die laß sausen, auch wenn sie Geburtstag hat! Nun war *ich* an der Reihe.

Am nächsten Morgen trafen wir uns Imperator-Diele, Friedrichstraße. Kennste sicher auch nicht. Und es war sehr, sehr nett. Und dann nach Hause. Und ich mußte so dringend uffn Topp. Weißte, man war ja so albern. Und wie ich Bahnhof Wannsee anlange, kann ich nicht mehr. Sie entschuldigen, mein Herr, piepse ich, und er sagt: Endlich. Der hat gemerkt, was mit mir los war, aber zu sagen hat er sich auch nichts getraut.

Geheiratet haben wir 1927, denn Willi hat es sich verflucht überlegt, eine Witwe, fünf Jahre älter als er, mit 'nem Kind zu nehmen. Gestorben ist er 1945. Er war zum Schippen nach Frankfurt (Oder) abkommandiert. Von Küstrin haben sie mit Kanonen herübergeschossen, und ein verirrter Granatsplitter hat ihn am Kopf getroffen. Ich hab ihn nicht mehr gesehn. Gefühlt hab ich damals ohnehin nichts mehr. War alles zu verrückt.

Nun war noch Katharina da. Die hab ich mit Willi aus Versehen gemacht. Da waren wir zum Kostümfest, und am nächsten Morgen, bei der schönsten Beschäftigung, erscheint unser Untermieter, Herr Z., in der Tür. Da ist die Sache passiert. Als Katharina kam, war ich dreiundvierzig. Ich hab ausgesehn, ach Gott, wie eine Fleischermamsell. Am Abend hab ich noch Skat gespielt mit Willi und Herrn Z. Um zehn war dieses Fest zu Ende, da bin ich aufs verschwiegene Örtchen gegangen und konnte nicht mehr aufstehn. Willi, sage ich, es geht los. Die Hebamme kam, guckte sich die Geschichte an, ach, sagte sie, da können wir alle noch schlafengehn. Und weg war sie. Über mir wohnte die Portiersfrau, die war sehr bewandert, weil sie selber fünf Kinder geboren hatte. Sie arbeitete nun mit mir. Und draußen wartete unsere liebe Tante Martel, unsere Hausschneiderin, die auch die Kinder betreute, wenn wir verreist waren. Schicken Sie bloß die Tante Martel weg, sagt die Portiersfrau, die sitzt in der Küche und heult. Martel wurde also weggeschickt, und ich schuftete mit meiner Frau Grimm, bis ich die Nase voll hatte. Als die Hebamme antanzte, sagte sie: Was is'n hier los? Ich will schlafen, sage ich. Später kannste schlafen, sagt die, und wum-wum-bums hatte ich Katharina. Nu wars halb fünf am Nachmittag, und ich saß wie eine eins im Bette und dirigierte alles. Und jetzt einen kühlen

Kuhlenbacher. Nee? Na, denn einen Topp Kaukau. War wunderbar.

Vom Krieg, was soll ich dir da erzählen, mein Kind? Zu essen hatten wir nichts. In der Volksküche gab es heißes Wasser, da schwamm ein toter Hering drin. Und Kohlrüben in jeder Form, der Phantasie waren keine Grenzen gesetzt. Als Eintopf, als Torte, als Suppe mit Wasser und Salz. Durch den Seddiner Wald bin ich übers Eis geschlittert, ach, vorne eine Kanne Milch, hinten Ziegenfleisch und ein paar Kartoffeln. In den Zug kam ich oft nicht mehr rein. Aber ich hab auch das durchgestanden und das Beste draus gemacht. Ob das im zweiten Krieg war? Kindchen, das weiß ich nicht. Die Fischsuppe in Steglitz, warte mal, die holte unsere Auguste, und Auguste war vierzehn ... achtzehn. Ach, laß mal. Ist alles vergessen.

Ich hab so ein reiches Leben gehabt, daß ich jetzt ruhig einschlafen kann. In diesem Winter, da hab ich gedacht, nu gehts zu Ende, das hat mich aber nicht irritiert. Ich habe mir immer gewünscht, ich möchte wissen, wen Katharina heiratet. Jetzt habe ich sogar erlebt, wie mein jüngster Enkel aus der Schule kam. Die Wünsche werden ja immer unverschämter. Ich bin kolossal dankbar, daß ich solche Gnade habe, daß mein Geist noch so lebendig ist. Denn das Gequatsche von den alten Frauen, die alles durcheinanderbringen, das ist ja furchtbar. Ich wünsche mir nur eins: keinem zur Last zu fallen.

Gläubig war ich eigentlich nie. Meine Mutter war katholisch, mein Vater evangelisch, aber alles keine tollen Kirchgänger. Irgendeine Bindung an die Natur, weißt du, an irgendeine Kraft, die habe ich noch heute. Wenn ich was vorhabe, bitte ich im stillen, es möge gut gehn. Wenn es eine Verbindung zwischen Seelen gibt, diese Frau, die mir einmal meine Zukunft so wunderbar vorausgesagt hat, die wird mich weiter beschützen, daran glaube ich. Die Natur war auch kolossal wichtig für mich. Ich weiß noch, in Südende, bei diesem verheirateten Freund, die Frau war gerade auf Rügen, der hatte einen wunderbaren

Garten, und es war Mai. Der Mond stand am Himmel, und dann deklamierte er Goethe.

Nun fahre ich jedes Jahr nach Weimar, denke dir an. Zu Goethes zweihundertsechsundzwanzigstem Geburtstag war eine Atmosphäre, ganz unvorstellbar. Dieses aufregende Gefühl, du bist bei Goethe zu Gast, atmest dieselbe Luft, bekommst Essen und Wein bei ihm. Und das ganze Haus voller Lichter, lauter Kandelaber mit vielen Kerzen. Ich kam mir zurückversetzt ins achtzehnte Jahrhundert vor. Und im Garten alle hundert Meter ein eiserner Fuß mit einer Tulpe und mit einem Licht. Und in diesem dichten Baum, den Goethe gepflanzt hatte, waren Jupiterlampen versteckt, darunter ein Podium, wo zwei kleine Opern gespielt wurden, in weißen Rokoko-Kostümen, zauberhaft. O nein, mein Kind, in Buchenwald war ich nie. Das will ich nicht. Weißt du, die Überschrift meines Lebens ist, daß ich immer zufrieden war. Zufrieden mit einer trockenen Schrippe und zufrieden mit einem Lachsbrötchen. Ein gesunder Egoismus und ein gesunder Schlaf. Ich hab in meinem Leben noch keine Schlaftablette genommen. Und viel, viel Reisen, unter Menschen kommen, immer beschäftigt sein. Ich hab gar nicht so viel Zeit, wie ich Beschäftigungen hätte. Die vielen Reisen, die kann ich mir genehmigen, weil ich gute Kinder habe. Für mich ist alles bezahlt, das Essen, die Wohnung, die Wärme, das Licht. Und ich mache Handarbeiten, die ich verkaufe. Und wenn ich verreise, gucke ich nicht, ob das Zimmer zehn oder zwanzig Mark kostet. Auf meinen Reisen begleitet mich eine alte Dame von unserem Veteranenklub. Über unseren Klub könnte ich dir viel Schönes erzählen. Er ist uns eine Heimat geworden. Ich kann mich immer freuen, wenn ich sehe, mit welcher Andacht die Alten alles aufnehmen. Die sind überhaupt nicht alt, die sind jünger als viele Jungen. Die Jugend ist ausgerichtet auf ein Ziel, nein, die verstehen nicht mehr zu leben. Was ist? Bist du schon müde? Dann machen wir Schluß, mein Kind.

# Maxie Wander

## Ein Leben ist nicht genug

Tagebuchaufzeichnungen und Briefe
Herausgegeben und mit einem Vorwort
von Fred Wander
st 3963. 260 Seiten

»Ein Leben reicht nicht aus, alle guten Bücher zu lesen, alle Menschen kennenzulernen, alle Länder, die ich sehen möchte ...«
Maxie Wanders Tagebuchaufzeichnungen und Briefe der Jahre 1964 bis 1968 zeichnen das Bild einer klugen, neugierigen, mutigen Frau. Ob sie gemeinsam mit ihrem Mann durch Paris streift, in billigen Hotels wohnt und das »berühmte Pariser Licht« entdeckt oder sich mit den alltäglichen Aufgaben zu Hause, den Kindern, den vielen Freunden, der eigenen Arbeit befaßt – ihr Thema ist die »Suche nach einer neuen Art zu leben, anders zu leben, aufrichtig und schöpferisch zu leben«, wie es im Vorwort von Fred Wander heißt.